Compendium Theologiae

S. Thōmae Aquīnātis

Vol. XLIII.1

Ēditiō operum S. Thōmae Aquīnātis annotātiōnibus dītāta
Integrum opus ad ūsum discipulōrum secundum methodum ab Iōhanne Oerbergiō
excōgitāta ēdidit Patricius Oënus

Table of Contents

Capitulus 1

Prooemium

Aeternī Patris Verbum sua immensitate ūniversa comprehendens, ut hominem per peccata minōrātum in celsitūdinem dīvīnae gloriae revocāret, breve fierī voluit nostra brevitāte assumpta, nōn sua dēposita māiestāte. Et ut ā caelestīs Verbī capessenda doctrīna nullus excūsābilis redderētur, quod prō studiōsīs diffūse et dīlūcide per dīversa Scriptūrae sanctae volūmina trādiderat, propter occupātos sub brevī summā hūmūnae salūtis doctrīnam conclūsit.

Consistit enim hūmāna salūs in veritātis cognitiōne, nē per dēversos errōres intellectus obscurētur hūmānus; in dēbitī fīnis intentiōne, nē indēbitos fīnēs sectandō, ā vērā fēlīcitāte dēficiat; in iustitiae observātiīne, nē per vitia dīversa sordescat.

Cognitiōnem autem veritātis hūmānae salūtī necessāriam brevibus et paucīs fideī articulīs comprehendit. Hinc est quod Apostolus ad Rōmān. IX, 28, dicit: *verbum abbreviatum faciet Deus super terram. Et hoc quidem est verbum fidei, quod praedicamus.* Intentiōnem hūmānam brevī ōrātiōne rectificāvit: in quā dum nōs ōrāre docuit, quōmodō nostra intentio et spes tendere dēbet, ostendit. Hūmānam iustitiam quae in legīs observatiōne consistit, ūnō praeceptō cāritātis consummāvit: *Plenitudo enim legis est dilectio*.

Unde Apostolus, I Cor. XIII, 13, in fīde, spē et cāritāte, quasi in quibusdam salūtis nostrae compendiōsīs capitulīs, tōtam praesentīs vītae perfectiōnem consistere docuit, dicens: *nunc autem manent fides, spes, caritas*. Unde haec tria sunt, ut beātus Augustīnus dicit, quibus colitur Deus.

Ut igitur tibi, filī cārissime Reginalde, compendiōsam doctrīnam dē christiāna religiōne trādam, quam semper prae oculīs possis habēre, circa haec tria in praesentī opere tōta nostra versātur intentio. Prīmum dē fīde, secundō de spē, tertiō vērō dē cāritāte agēmus. Hoc enim et Apostolicus ordo habet, et ratio recta requīrit. Nōn enim amor rectus esse potest, nisi dēbitus fīnis speī statuātur; nec hoc esse potest, sī vēritātis agnitio dēsit. Prīmo igitur necessaria est fides, per quam vēritātem cognoscās; secundō spes, per quam in dēbitō fīne tua intentio collocētur; tertiō necessaria est cāritas, per quam tuus affectus tōtaliter ordinētur.

Capitulus 2

Ōrdō dīcendōrum circā fidem

Fidēs autem praelībātiō quaedam est illīus cognitiōnis quae nōs in futūrō beātōs facit. Unde et apostolus dīcit quod est *substantia spērandārum rērum*: quasi iam in nōbīs spērandās rēs, id est futūram beātitūdinem, per modum cuiusdam inchoātiōnis subsistere faciēns. Illam autem beātificantem cognitiōnem circā duo cognita dominus cōnsistere docuit, scīlicet circā dīvīnitātem Trīnitātis, et hūmānitātem Christī; unde ad patrem loquēns, dīcit: *haec est vīta aeterna, ut cognōscant tē Deum vērum, et quem mīsistī Iēsum Christum.*

prae-lībātiō = cibus quī ante cēnam ēstur
beātus -a -um = laetus
substantia -ae *f* = māteria
   [*Ad Hebraeōs* 10.39]
spēranda rēs = quod sperārī debet
beātitūdō -inis *f* (< *beātus*) = laetitia (< *laetus*)
Quaestio: Quōmodo? Respōnsum: Per hunc modum (: *hōc modō*)
inchoātiō, -ōnis *f* (: in*cohā*tiō)= initium
subsistere : esse
'substantia … beātūdinem … subsistere faciēns' (: *efficit ut subsistat*)
beātificāre = aliquem beātum (= *laetum*) facere
cōnsistere : cōnstāre (circā duo cognita c. : *ē duōbus cognitīs cōnstāre*)
dīvīnitās -ātis *f* (< *dīvīnus*) : deus
Trīnitās -ātis *f* = ūnus Deus in tribus persōnīs
hūmānitās -ātis *f* = < hūmānus
   [*Iōannes* 17.3]
cognōscant *coni*
mittere, mīsīsse, missum
Iēsus -u *m*

Circā haec ergō duo tōta fideī cognitiō versātur: scīlicet circā dīvīnitātem Trīnitātis, et hūmānitātem Christī. Nec mīrum: quia Christī hūmānitās via est quā ad dīvīnitātem pervenītur. Oportet igitur et in viā viam cognōscere, per quam possit pervenīrī ad fīnem; et in patriā Deī grātiārum āctiō sufficiēns nōn esset, nisi viae, per quam salvātī sunt, cognitiōnem habērent. Hinc est quod dominus discipulīs dīxit: *et quō ego vādō scītis, et viam scītis.*

versārī -ātum esse = aliquō locō manēre

mīrus -a -um = quod mīrantem facit

per-venītur *impers* : quisquam pervenit (per-venīre = venīre usque ad fīnem)
possit > posse *coni*
āctiō -ōnis *f* < agere
suf-ficere = satis esse
esset > esse *coni*
salvāre = salvum facere
habērent < habēre *coni*
hinc *adv* = ex hāc rē, hāc dē causā
vādere = īre
scītis quō vādo = scītis quō vādam
   [*Iōannes* 14.3]

prīmō *adv* = prīmum
essentia -ae *f* < esse
ūnitās -ātis *f* < ūnus
secundō *adv* = secundum
tertiō *adv* = tertium
effectus -us *m* < efficere

Circā dīvīnitātem vērō tria cognōscī oportet. Prīmō quidem essentiae ūnitātem, secundo persōnārum Trīnitātem, tertio dīvīnitātis effectūs.

Capitulus 3

Quod Deus sit

Circā essentiae quidem dīvīnae ūnitātem prīmō quidem crēdendum est Deum esse; quod ratiōne cōnspicuum est. Vidēmus enim omnia quae moventur, ab aliīs movērī: īnferiōra quidem per superiōra, sīcut elementa per corpora caelestia; et in elementīs quod fortius est, movet id quod debilius est; et in corporibus etiam caelestibus īnferiōra ā superiōribus aguntur. Hoc autem in īnfīnītum prōcēdere impossibile est. Cum enim omne quod movētur ab aliquō, sit quasi instrumentum quoddam prīmī moventis; sī prīmum movēns nōn sit, quaecumque movent, īnstrūmenta erunt. Oportet autem, sī in īnfīnītum prōcēdātur in moventibus et mōtīs, prīmum movēns nōn esse. Igitur omnia īnfīnīta moventia et mōta erunt īnstrūmenta. Rīdiculum est autem etiam apud indoctōs, pōnere īnstrūmenta movērī nōn ab aliquō prīncipālī agente: simile enim est hoc ac sī aliquis circā constitūtiōnem arcae vel lectī pōnat serram vel secūrim absque carpentāriō operante. Oportet igitur prīmum movēns esse, quod sit omnibus suprēmum; et hoc dīcimus Deum.

dīvīnus -a -um (< deus) : sānctus
ratiō -ōnis *f* = mēns prūdēns, cōgitāns
cōnspicuus -a -um: facilis vīsū
sē moventur

elementum -ī *n* = pars minima
caelestis -e *adi* < caelum
dēbilis -e ↔ validus

īnferiōra *ā* superiōribus aguntur = inferiora superiōribus aguntur
īn-fīnītus -a -um = sine fīne
impossibilis -e *adi* (< posse) : quī fierī nōn potest
movētur *ab* aliquō = m. aliquā rē
sit < posse *coni*
īnstrūmentum -ī *n* : stilus est ī. quō homō scrībit
quaecumque = omnia quae

prōcēdātur (< prōcēdere) *coni*; *impers*
rēbus moventibus
rēbus mōtīs

rīdiculus -a -um : stultus, quī efficit ut hominēs rīdeant
pōnere = prōpōnere
prīncipālis -e *adi* : prīmus
ac sī = tamquam
cōnstitūtiō -ōnis *f* > cōnstituere : aedificāre
serra -ae *f*
secūris -is *m acc* -im, *abl* -ī
absque *prep* + *abl* = sine
carpentārius -ī *m* = faber
operārī = labōrāre
suprēmus -a -um = summus, postrēmus
dīcimus : nōmināmus, vocāmus

Capitulus 4

Quod Deus est immōbilis

appāret = plānum est, intellegitur,
  plānē vidētur
im-mōbilis -e = quī nōn movētur
necesse est Deum moventem omnia
  : necesse est *ut Deus* omnia
  moveat

oportēret *coni*

prior -ius + *dat* : quī ratiō -ōnis *f* :
  quod aliquid significat

Ex hōc appāret quod necesse est Deum moventem omnia, immōbilem esse. Cum enim sit prīmum movēns, sī movērētur, necesse esset sē ipsum vel ā sē ipsō, vel ab aliō movērī. Ab aliō quidem movērī nōn potest: oportēret enim esse aliquid movēns prius eō; quod est contrā ratiōnem prīmī moventis.

duplex -icis *adi* = ūnum et alterum;
  dupliciter *adv* : duōbus modīs
secundum idem : eōdem modō
secundum aliquid : aliō modō

secundum *prp* + *acc*: s. flumen =
  flumen sequēns; iūxtā

in quantum huius modi : quia tālis
  est
potentia -ae *f* > posse
'in potentiā *esse*' : fierī posse sed
  nōndum fit
āctus -ūs *m* > agere
'in āctū *esse*' = iam agitur, iam fit

secundum : alterum

ratiōne suae partis = propter partem
  suī
conveniat, *coni*

Ā sē ipsō autem sī movētur, hoc potest esse dupliciter. Vel quod secundum idem sit movēns et mōtum; aut ita quod secundum aliquid suī sit movēns, et secundum aliquid mōtum. Hōrum quidem prīmum esse non potest. Cum enim omne quod movētur, in quantum huius modī, sit in potentiā; quod autem movet, sit in āctū; si secundum idem esset movēns et mōtum, oportēret quod secundum idem esset in potentiā et in āctū; quod est impossibile. Secundum etiam esse nōn potest. Sī enim esset aliquod movēns, et alterum mōtum, nōn esset ipsum secundum sē prīmum movēns, sed ratiōne suae partis quae movet. Quod autem est per sē, prius est eō quod nōn est per sē. Nōn potest igitur prīmum movēns esse, si ratiōne suae partis hoc eī conveniat. Oportet igitur prīmum movēns omnīnō immōbile esse.

Ex iīs etiam quae moventur et movent, hoc ipsum cōnsīderārī potest. Omnis enim mōtus vidētur ab aliquō immobilī prōcēdere, quod scīlicet nōn movētur secundum illam speciēm mōtūs; sīcut vidēmus quod alterātiōnēs et generātiōnēs et corruptiōnēs quae sunt in istīs īnferiōribus, redūcuntur sīcut in prīmum movēns in corpus caeleste, quod secundum hanc speciem mōtūs nōn movētur, cum sit ingenerābile et incorruptibile et inalterābile. Illud ergō quod est prīmum prīncipium omnis mōtūs, oportet esse immōbile omnīnō.

cōnsiderāre = mente spectāre

speciēs -ēī *f* = fōrma, genus
alterātiō -ōnis *f* > *alterāre* = mūtāre
generātiō -ōnis *f* > *generāre*:
generāre = facere
corruptiō -ōnis *f* > corrumpere = prāvum/foedum facere, perdere
'vidēmus *quod* alterātiōnēs... redūcuntur' = 'vidēmus alterātiōnēs *redūcī*'
re-dūcere ↔ prōcēdere
in-generābilis -e (> *in*+generāre) : quī generātiōne fierī nōn potest
in-corruptibilis -e (> *in*+corrumpere) : quī prāvus/foedus fierī nōn potestin-alterābilis -e (> *alterāre*) : quī mūtārī nōn potest
prīncipium -ī *n* = prīma pars, initium
omnīnō *adv* = in omnī rē, plānē

aeternus -a -um = quī numquam
   fīniētur, sine fīne

ulterior -ius *comp* < ultrā *prp + acc*
   ↔ citrā

mūtātiō -ōnis *f* < mūtāre
ostēnsum = ostēntum < ostendere

Capitulus 5

Quod Deus est aeternus

Ex hōc autem appāret ulterius Deum esse aeternum. Omne enim quod incipit esse vel dēsinit, per
mōtum vel per mūtātiōnem hoc patitur. Ostēnsum est
autem quod Deus est omnīnō immōbilis. Est ergō
aeternus.

Capitulum 6

Quod Deum esse per sē est necessārium

Per hoc autem ostenditur, quod Deum esse sit necessārium. Omne enim quod possibile est esse et nōn esse, est mūtābile. Sed Deus est omnīnō immūtābilis, ut ostēnsum est. Ergō Deum nōn est possibile esse et nōn esse. Omne autem quod est, et nōn est possibile ipsum nōn esse, necesse est ipsum esse: quia necesse esse, et nōn possibile nōn esse, idem significant. Ergō Deum esse est necesse.

possibilis -e ↔ impossibilis; quod fierī potest
mūtābilis -e = quī mūtārī potest
immūtābilis -e ↔ mūtābilis

Item. Omne quod est possibile esse et nōn esse, indiget aliquō aliō quod faciat ipsum esse: quia quantum est in sē, sē habet ad utrumque. Quod autem facit aliquid esse, est prius eō. Ergō omnī quod est possibile esse et nōn esse, est aliquid prius. Deō autem nōn est aliquid prius. Ergō nōn est possibile ipsum esse et nōn esse, sed necesse est eum esse. Et quia aliqua necessāria sunt quae suae necessitātis causam habent, quam oportet eīs esse priōrem; Deus, quī est omnium prīmum, nōn habet causam suae necessitātis: unde Deum esse per sē ipsum est necesse.

indigēre (+ *abl/gen*) = carēre
faciat (*coni*)

necessitās -ātis f > necesse

Capitulus 7

Quod Deus semper est

Ex his autem manifēstum est quod Deus est semper. Omne enim quod necesse est esse, semper est: quia quod nōn possibile est nōn esse, impossibile est nōn esse, et ita nunquam nōn est. Sed necesse est Deum esse, ut ostēnsum est. Ergō Deus semper est.

Adhūc. Nihil incipit esse aut dēsinit nisi per mōtum vel mūtātiōnem. Deus autem omnīnō est immūtābilis, ut probātum est. Impossibile est igitur quod esse inceperit, vel quod esse desinat.

Item. Omne quod non semper fuit, si esse incipiat, indiget aliquō quod sit eī causa essendi: nihil enim sē ipsum ēdūcit dē potentiā in āctum, vel dē nōn esse in esse. Deō autem nūlla potest esse causa essendī, cum sit prīmum ēns; causa enim prior est causātō. Necesse est igitur Deum semper fuisse.

Amplius. Quod convenit alicuī nōn ex aliquā causā extrinseca, convenit eī per sē ipsum. Esse autem Deō nōn convenit ex aliquā causā extrinsecā, quia illa causa esset eō prior. Deus igitur habet esse per sē ipsum. Sed ea quae per sē sunt, semper sunt, et ex necessitāte. Igitur Deus semper est.

manifēstus -a -um = plānus, clārus

probāre : vērum esse ostendere

incipiat (*coni*)

essendī > esse (*gerundium*)
ē-dūcere
esse (*gerundium*)

ēns, entis > esse (: *participium*)
causāre = efficere

extrin-secus -a -um > extra; quī forīs fit intus prōgrediēns

Capitulus 8

Quod in Deō nōn est aliqua successiō

Per hoc autem manifēstum est quod in Deō nōn est aliqua successiō; sed eius esse tōtum est simul. Successiō enim nōn invenītur nisi in illīs quae sunt aliquāliter mōtuī subiecta; prius enim et posterius in mōtū causant temporis successiōnem. Deus autem nūllō modō est mōtuī subiectus, ut ostēnsum est. Nōn igitur est in Deō aliqua successiō, sed eius esse est tōtum simul.

Item. Sī alicuius esse nōn est tōtum simul, oportet quod eī aliquid dēperīre possit, et aliquid advenīre. Dēperit enim illud quod trānsit, et advenīre eī potest illud quod in futūrum expectātur. Deō autem nihil dēperit nec accrēscit, quia immōbilis est. Igitur esse eius est tōtum simul.

Ex hīs autem duōbus appāret quod propriē est aeternus. Illud enim propriē est aeternum quod semper est, et eius esse est tōtum simul; secundum quod Boētius dīcit, quod aeternitas est interminābilis vītae tōta simul et perfecta possessiō.

---

successiō -ōnis *f* (< *succedere*) : gradūs, scālae

ali-quāliter = aliquō modō
sub-iectus: cui subiectus est = sub quō positus est

dē-per-īre = perdī, morī
trāns-īre < trāns + īre

ac-crēscere < ad + crēscere

propriē *adv* < proprius -a -um ↔ commūnis

Boētius -ī : philosophus 470 p.Chr.n. - 524
aeternitās -ātis *f* < aeternus
in-terminābilis -e = quī fīnīrī (i.e. terminārī) nōn potest
possessiō -ōnis *f* < possidēre

Capitulus 9

Quod Deus est simplex

Inde etiam appāret quod oportet prīmum movēns simplex esse. Nam in omnī compositiōne oportet esse duo, quae ad invicem sē habeant sīcut potentia ad āctum. In prīmō autem movente, sī est omnīnō immōbile, impossibile est esse potentiam cum āctū; nam ūnumquodque ex hōc quod est in potentiā, mōbile est. Impossibile igitur est prīmum movēns compositum esse.

Adhūc. Omnī compositō necesse est esse aliquid prius: nam componentia nātūrāliter sunt compositō priōra. Illud igitur quod omnium entium est prīmum, impossibile est esse compositum. Vidēmus etiam in ōrdine eōrum quae sunt composita, simpliciōra priōra esse: nam elementa sunt nātūrāliter priōra corporibus mixtīs. Item etiam inter ipsa elementa prīmum est ignis, quod est simplicissimum. Omnibus autem elementīs prius est corpus caeleste, quod in maiōrī simplicitāte cōnstitūtum est, cum ab omnī contrārietāte sit pūrum. Relinquitur igitur quod prīmum entium oportet omnīnō simplex esse.

Glossary (margin notes):

simplex -icis *adi* = quī ex ūnō cōnstat

compositiō -ōnis *f* = quod ex plūribus partibus cōnstat
duo : duae partēs
in-vicem *adv* = alter alterum
'ad invicem sē habeant' : altera pars ad alteram partem spectet

ūnus-quīquc, ūna quaeque, ūnumquodque = singulī

mōbilis -e ↔ immōbilis -e
com-ponere = cōnficere ex plūribus partibus
'Impossibile igitur est prīmum movēns compositum esse' = fierī nōn potest ut prīmum movēns (:Deus) ex plūribus partibus constet.

nātūrāliter *adv* (> nātūra) per nātūram
'nam componentia...priōra' : nam ea quae alia componunt necessāriō sunt compositō priōra

ōrdō -inis *m* : fōrma, exemplum, quāle aliquid sit
elementum -ï *n* = pars minima et simplex
miscēre miscuisse mixtum : ponere duo aut plūra in ūnum
simplicitās -ātis *f* > simplex

cōn-stituere : cōnstare 'quod in maiōrī simplicitāte cōnstitūtum' = quod maiōrī simplicitāte cōnstat
contrārietās -ātis *f* > contrārius -a -um

Capitulus 10

Quod Deus est sua essentia

Sequitur autem ulterius quod Deus sit sua essentia. Essentia enim uniuscuiusque reī est illud quod significat dēfīnītiō eius. Hoc autem est idem cum rē cuius est dēfīnītiō, nisi per accidēns, in quantum scīlicet dēfīnītō accidit aliquid quod est praeter dēfīnītiōnem ipsīus; sīcut hominī accidit albēdō praeter id quod est animal ratiōnāle et mortāle: unde animal ratiōnāle et mortāle est idem quod homō, sed nōn idem hominī albō in quantum est album. In quōcumque igitur nōn est invenīre duo, quōrum ūnum est per sē et aliud per accidēns, oportet quod essentia eius sit omnīnō idem cum eō. In Deō autem, cum sit simplex, ut ostēnsum est, nōn est invenīre duo quōrum ūnum sit per sē, et aliud per accidēns. Oportet igitur quod essentia eius sit omnīnō idem quod ipse.

Item. In quōcumque essentia nōn est omnīnō idem cum rē cuius est essentia, est invenīre aliquid per modum potentiae, et aliquid per modum āctūs, nam essentia fōrmāliter sē habet ad rem cuius est essentia, sīcut hūmānitas ad hominem: in Deō autem nōn est invenīre potentiam et āctum, sed est āctus pūrus; est igitur ipse sua essentia.

---

dēfīnītiō -ōnis *f* > *dē-fīnīre* = significāre

dē-fīnīre -īvisse /-iisse -ītum = significāre
albēdō -inis *f* > albus -a -um
ratiōnālis -e (> ratiō) = quī ratiōne ūtitur
mortālis -e (> morī) = quī moriētur, quī deus nōn est

quis- quae- quod-cumque = omnis quī
accidēns -entis ↔ essentia

fōrmāliter *adv* = per fōrmam, fōrmā

hūmānitas -ātis *f* > hūmānus

Capitulus 11

Quod Deī essentia nōn est aliud quam suum esse

Ulterius autem necesse est quod Deī essentia nōn sit aliud quam esse ipsīus. In quōcumque enim aliud est essentia, et aliud esse eius, oportet quod aliud sit quod sit, et aliud quō aliquid sit: nam per esse suum dē quōlibet dīcitur quod est, per essentiam vērō suam dē quōlibet dīcitur quid sit: unde et dēfīnītiō significāns essentiam, dēmōnstrat quid est rēs. In Deō autem nōn est aliud quod est, et aliud quō aliquid est; cum nōn sit in eō compositiō, ut ostēnsum est. Nōn est igitur ibi aliud eius essentia, quam suum esse.

Item. Ostēnsum est quod Deus est āctus pūrus absque alicuius potentiālitātis permixtiōne. Oportet igitur quod eius essentia sit ultimus āctus: nam omnis āctus quī est circā ultimum, est in potentiā ad ultimum āctum. Ultimus autem āctus est ipsum esse. Cum enim omnis mōtus sit exitus dē potentiā in āctum, oportet illud esse ultimum āctum in quod tendit omnis mōtus: et cum mōtus naturalis in hoc tendat quod est nātūrāliter dēsīderātum, oportet hoc esse ultimum āctum quod omnia dēsīderant. Hoc autem est esse. Oportet igitur quod essentia dīvīna, quae est āctus pūrus et ultimus, sit ipsum esse.

quī- quae- quod-libet = quīcumque (libet)

potentiālitas -ātis *f* > potentia
per-mixtiō -ōnis *f* > per-miscēre - miscuisse -mixtum
ultimus -a -um *sup* < ultrā = postrēmus

tendere = dūcī, extendere
nātūrālis -e > nātūra

dēsīderāre -āvisse -ātum = cupere

Capitulus 12

Quod Deus nōn est in aliquō genere sīcut speciēs

Hinc autem appāret quod Deus nōn sit in aliquō genere sīcut speciēs. Nam differentia addita generī cōnstituit speciem, ergō cuiuslibet speciēī essentia habet aliquid additum suprā genus. Sed ipsum esse, quod est essentia Dei, nihil in sē continet, quod sit alterī additum. Deus igitur nōn est speciēs alicuius generis.

Item. Cum genus contineat differentiās potestāte, in omnī cōnstitūtō ex genere et differentiīs est āctus permixtus potentiae. Ostēnsum est autem Deum esse pūrum āctum absque permixtiōne potentiae. Nōn est igitur eius essentia cōnstitūta ex genere et differentiīs; et ita nōn est in genere.

genus generis *n* : rosae et līlia sunt genera flōrum
'Deus nōn est in aliquō genere' = Deus est in nūllō genere
speciēs -ēī *f* = fōrma, genus, ōrdō

differentia -ae *f* > *differre* = nōn similis esse

Capitulus 13

Quod impossibile est Deum esse genus alicuius

alicuius : cuiusquam
"Quod...alicuius": '*Fierī igitur nōn potest ut Deus genus sit cuiusquam.*'

Ulterius autem ostendendum est, quod neque possibile est Deum esse genus. Ex genere enim habētur quid est rēs, nōn autem rem esse: nam per differentiās specificas cōnstituitur rēs in propriō esse; sed hoc quod Deus est, est ipsum esse. Impossibile est ergō quod sit genus.

specificus -a -um (< speciēs) quī ad speciem spectat
proprium -ī *n* = suum (↔ aliēnum)

Item. Omne genus differentiīs aliquibus dīviditur. Ipsīus autem esse nōn est accipere aliquās differentiās: differentiae enim nōn participant genus nisi per accidēns, in quāntum speciēs cōnstitūtae per differentiās genus participant. Nōn potest autem esse aliqua differentia quae nōn participet esse, quia nōn ēns nūllīus est differentia. Impossibile est igitur quod Deus sit genus dē multīs speciēbus praedicātum.

participāre + *acc* = partem reī capere; pars reī esse

esse : *gerundium*

'quia *nōn-ēns* est differentia nūllīus reī'

speciēbus *dat pl* < speciēs
prae-dicāre -āvisse -ātum : significātiōnem alicui dare

Capitulus 14

Quod Deus nōn est aliqua speciēs praedicāta dē multīs indīviduīs

Neque est possibile quod sit sīcut ūna speciēs dē multīs indīviduīs praedicāta. Indīvidua enim dīversa quae conveniunt in ūnā essentiā speciēī, distinguuntur per aliqua quae sunt praeter essentiam speciēī; sīcut hominēs conveniunt in hūmānitāte, sed distinguuntur ab invicem per id quod est praeter ratiōnem hūmānitātis. Hoc autem in Deō nōn potest accidere: nam ipse Deus est sua essentia, ut ostēnsum est. Impossibile est igitur quod Deus sit speciēs quae dē plūribus indīviduīs praedicētur.

Item. Plūra indīvidua sub ūnā speciē contentā differunt secundum esse, et tamen conveniunt in ūnā essentiā. Ubicumque igitur sunt plūra indīvidua sub speciē ūnā, oportet quod aliud sit esse, et aliud essentia speciēī. In Deō autem idem est esse et essentia, ut ostēnsum est. Impossibile est igitur quod Deus sit quaedam speciēs dē plūribus praedicāta.

in-dīviduus -a -um : quī dīvidī nōn potest

dīversus -a -um = varius (↔ īdem)

dis-tinguere = dīvidere inter sē/ab aliīs

ab invicem : ūnum ab altero

ubi-cumque = quōcumque locō

Capitulus 15

Quod necesse est dīcere Deum esse ūnum

Hinc etiam appāret quod necesse est ūnum Deum sōlum esse. Nam sī sint multī diī, aut aequivocē aut ūnivocē dīcuntur. Sī aequivocē, hoc nōn est ad prōpositum: nihil enim prohibet quod nōs appellāmus lapidem, aliōs appellāre Deum. Sī autem ūnivocē, oportet quod conveniant vel in genere vel in speciē. Ostēnsum est autem, quod Deus nōn potest esse genus neque speciēs plūra sub sē continēns. Impossibile est igitur esse plūrēs deōs.

aequivocē *adv* < aequivocus
aequivocus -a -um (< aequus+voco) = quī eōdem est nōmine, *homonymus*
ūnivocē < ūnivocus
ūnivocus -a -um (< ūnus+voco) = quī eōdem est nōmine et genere, *homogeneus*
prōpositum -ī *n* : rēs dē quā verba fiunt
'prohibet quod...appellamus' : 'prohibet *nē* ...appell*ē*mus...'
lapis lapidis *m* :

'...oportet *quod* conveniant...' : '...oportet conveniant...'

Item. Illud quō essentia commūnis indīviduātur, impossibile est plūribus convenīre: unde licet possint esse plūrēs hominēs, impossibile tamen est hunc hominem esse nisi ūnum tantum. Sī igitur essentia per sē ipsam indīviduātur, et nōn per aliquid aliud, impossibile est quod plūribus conveniat. Sed essentia divīna per sē ipsam indīviduātur, quia in Deō nōn est aliud essentia et quod est, cum ostēnsum sit quod Deus sit sua essentia: impossibile est ergō quod sit Deus nisi ūnus tantum.

in-dīviduāre = indīviduum facere

Item. Duplex est modus quō aliqua fōrma potest multiplicārī: ūnus per differentiās, sīcut fōrma generālis, ut color in diversas species coloris; alius per subiectum, sīcut albēdō. Omnis ergō fōrma quae nōn potest multiplicārī per differentiās, sī nōn sit fōrma in subiectō exsistēns, impossibile est quod multiplicētur, sīcut albēdō, sī subsisteret sine subiectō, nōn esset nisi ūna tantum. Essentia autem divīna est ipsum esse, cuius nōn est accipere differentiās, ut ostēnsum est. Cum igitur ipsum esse divīnum sit quasi fōrma per sē subsistēns, eō quod Deus est suum esse, impossibile est quod essentia divīna sit nisi ūna tantum. Impossibile est igitur esse plūrēs deōs.

multiplicāre : augēre
generālis -e < genus

alius : alter modus

subiectum -ī *n* : māteria

ex-sistere = orīrī, (prīmum) fierī

Capitulus 16

Quod impossibile est Deum esse corpus

Patet autem ulterius quod impossibile est ipsum Deum esse corpus. Nam in omnī corpore compositiō aliqua invenītur: omne enim corpus est partēs habēns. Id igitur quod est omnīnō simplex, corpus esse nōn potest. Item. Nūllum corpus invenītur movēre nisi per hoc quod ipsum movētur, ut per omnia indūcentī apparet. Sī ergō prīmum movēns est omnīnō immōbile, impossibile est ipsum esse corpus.

'omne...corpus est partēs habēns' : 'omne...corpus partēs habet'

in-dūcere : cōgitāre

Capitulus 17

Quod impossibile est esse fōrmam corporis, aut virtūtem in corpore

Neque etiam est possibile ipsum esse fōrmam corporis, aut aliquam virtūtem in corpore. Cum enim omne corpus mōbile inveniātur, oportet corpore mōtō, ea quae sunt in corpore movērī saltem per accidēns. Prīmum autem movēns nōn potest nec per sē nec per accidēns movērī, cum oporteat ipsum omnīnō esse immōbile, ut ostēnsum est. Impossibile est igitur quod sit fōrma, vel virtūs in corpore.

Item. Oportet omne movēns, ad hoc quod moveat, dominium super rem quae movētur, habēre: vidēmus enim quod quantō magis virtūs movēns excēdit virtūtem mōbilis, tantō vēlōcior est mōtus. Illud igitur quod est omnium moventium prīmum, oportet maximē dominārī super rēs mōtās. Hoc autem esse nōn posset, sī esset mōbilī aliquō modō alligātum; quod esse oporteret, sī esset fōrma eius, vel virtūs. Oportet igitur prīmum movēns neque corpus esse, neque virtūtem in corpore, neque fōrmam in corpore. Hinc est quod Anaxagoras posuit intellēctum immīxtum, ad hoc quod imperet, et omnia moveat.

virtūs -ūtis *f* : vīs, potestās

dominium -ī *n* : imperium, potestās

ex-cēdere = melius est, praeferendum est
vēlōcior *comp* < vēlōx -ōcis = celer

dominārī = dominus esse, dominium habēre

intellēctus -ūs *m* (< intellegere) : mēns sine māteriā
im-mīxtus -a -um ↔ mīxtus
'intellēctum immīxtum' i.e. sine copore

Capitulus 18

Quod Deus est īnfīnītus secundum essentiam

Hinc etiam cōnsīderārī potest ipsum esse īnfīnītum, nōn prīvātīvē quidem secundum quod īnfīnītum est passiō quantitātis, prout scīlicet īnfīnītum dīcitur quod est nātum habēre fīnem ratiōne suī generis, sed nōn habet; sed negātīvē, prout īnfīnītum dīcitur quod nūllō modō fīnītur. Nūllus enim āctus invenītur fīnīrī nisi per potentiam, quae est vīs receptīva: invenīmus enim fōrmās līmitārī secundum potentiam māteriae. Sī igitur prīmum movēns est āctus absque potentiae permīxtiōne, quia nōn est fōrma alicuius corporis, nec virtūs in corpore, necessārium est ipsum īnfīnītum esse.

Hoc etiam ipse ōrdō quī in rēbus invenītur, dēmōnstrat: nam quantō aliqua in entibus sunt sublīmiora, tantō suō modō maiōra inveniuntur. Inter elementa enim quae sunt superiōra, maiōra quantitātivē inveniuntur, sīcut etiam in simplicitāte; quod eōrum generātiō dēmōnstrat, cum multiplicātā prōportiōne ignis ex āēre generētur, āēr ex aquā, aqua autem ex terrā. Corpus autem caeleste manifestē appāret tōtam quantitātem elementōrum excēdere. Oportet igitur id quod inter omnia entia prīmum est, et eō nōn potest esse aliud prius, īnfīnītae quantitātis suō modō exsistere.

cōnsīderāre = mente spectāre

prīvātīvē *adv* < *prīvāre* = tollere, sūmere, ēripere
passiō -ōnis *f* < patior

negātīvē *adv* < negāre

fīnīre = fīnem facere

receptīvus -a -um < *recipere* (= accipere)

līmitāre : locum fīnibus cingere

sublīmis -e = altus, superiōre locō situs
superior superius *comp* superus -a -um
quantitātivē *adv* < *quantitās -ātis f* <quantus

generātiō -ōnis *f* (< *generāre*) : pater līberōs generat
prōportiō ōnis *f* < prō + portiō (= pars)

quantitās -ātis *f* <quantus

Nec mīrum, si id quod est simplex, et corporeā quantitāte caret, īnfīnītum ponātur, et suā immensitāte omnem corporis quantitātem excēdere, cum intellēctus noster, quī est incorporeus et simplex, omnium corporum quantitātem vī suae cognitiōnis excēdat, et omnia circumplectātur. Multō igitur magis id quod est omnium prīmum, suā immensitāte ūniversa excēdit, omnia complectēns.

corporeus -a -um < corpus

immēnsitās -ātis *f* < *im-mēnsus* = sine fīne, ingēns

in-corporeus (↔ corporeus) = sine corpore

com-plectī : cingere

Capitulus 19

Quod Deus est īnfīnītae virtūtis

Hinc etiam appāret Deum īnfīnītae virtūtis esse. Virtūs enim cōnsequitur essentiam reī: nam ūnumquodque secundum modum quō est, agere potest. Sī igitur Deus secundum essentiam īnfīnītus est, oportet quod eius virtūs sit īnfīnīta.

dīligenter *adv*, dīligēns -entis ↔ neglegēns

re-cipere = accipere

Hoc etiam appāret, sī quis rērum ōrdinem dīligenter īnspiciat. Nam ūnumquodque quod est in potentiā, secundum hoc habet virtūtem receptīvam et passīvam; secundum vērō quod āctū est, habet virtūtem āctīvam. Quod igitur est in potentiā tantum, scīlicet māteria prīma, habet virtūtem īnfīnītam ad recipiendum, nihil dē virtūte āctīvā participāns; et

fōrmālis -e < fōrma
ab-undāre = multum habēre

suprā ipsam quantō aliquid fōrmālius est, tantō id abundat in virtūte agendī: propter quod ignis inter omnia elementa est maximē āctīvus. Deus igitur, quī est āctus pūrus, nihil potentiālitātis permīxtum habēns, in īnfīnītum abundat in virtūte āctīvā super alia.

Capitulus 20

Quod īnfīnītum in Deō nōn importat imperfectiōnem

Quamvis autem infinitum quod in quantitātibus invenītur, imperfectum sit, tamen quod Deus īnfīnītus dīcitur, summam perfectiōnem in ipsō dēmōnstrat. Īnfīnītum enim quod est in quantitātibus ad māteriam pertinet, prout fīne prīvātur. Imperfectiō autem accidit reī secundum quod materia sub prīvātiōne invenītur; perfectiō autem omnis ex fōrmā est. Cum igitur Deus ex hōc īnfīnītus sit quod tantum fōrma vel āctus est, nūllam materiae vel potentiālitātis permixtiōnem habēns, sua īnfīnitās ad summam perfectiōnem ipsīus pertinet.

Hoc etiam ex rebus aliīs cōnsīderārī potest. Nam licet in ūnō et eōdem, quod dē imperfectō ad perfectum perdūcitur, prius sit aliquid imperfectum quam perfectum, sīcut prius est puer quam vir, tamen oportet quod omne imperfectum ā perfectō trahat orīginem: nōn enim orītur puer nisi ex virō, nec sēmen nisi ex animālī vel plantā. Illud igitur quod est nātūrāliter omnibus prius, omnia movēns, oportet omnibus perfectius esse.

---

im-portāre < in + portāre
im-perfectiō -ōnis f < *imperfectus* = quī melior fierī potest

quamvis + *coni* = quamquam

imperfectus -a -um = quī melior fierī potest
perfectiō -ōnis *f* = quī melior fierī nōn potest
per-tinēre: p. (ad) = attingere, afficere; (*ad mē pertinet* = mea rēs est)
prout = sīcut
prīvāre = tollere, sūmere, ēripere
prīvātiō -ōnis *f* < prīvāre

per-dūcere

orīgō -inis *f* = prīncipium unde ortum est aliquid

Capitulus 21

Quod in Deō est omnimoda perfectiō quae est in rebus, et eminentius

omni-modus -a -um : omnī modō
ēminēre = praestāre

Unde etiam appāret quod omnēs perfectiōnēs in quibuscumque rēbus inventās, necesse est orīgināliter et superabundanter in Deō esse. Nam omne quod movet aliquid ad perfectiōnem, prius habet in sē perfectiōnem ad quam movet, sīcut magister prius habet in sē doctrīnam quam aliīs trādit. Cum igitur Deus sit prīmum movēns, et omnia alia immoveat in suās perfectiōnēs, necesse est omnēs perfectiōnēs rērum in ipsō praeexistere superabundanter.

orīgināliter *adv* > orīgō

super-abundanter *adv* = plūs quam satis, nimis

doctrīna -ae *f* = quod docētur

im-movēre = movēre in aliquid

prae-exsistere = exsistere anteā

Item. Omne quod habet aliquam perfectiōnem, si alia perfectiō eī dēsit, est līmitātum sub aliquō genere vel speciē: nam per fōrmam, quae est perfectiō reī, quaelibet rēs in genere, vel speciē collocātur. Quod autem est sub speciē et genere cōnstitūtum, nōn potest esse īnfīnītae essentiae: nam oportet quod ultima differentia per quam in speciē pōnitur, terminet eius essentiam; unde et ratiō speciem nōtificāns, dēfīnītiō vel fīnis dīcitur. Sī ergō dīvīna essentia īnfīnīta est, impossibile est quod alicuius tantum generis vel speciēī perfectiōnem habeat, et aliīs prīvētur, sed oportet quod omnium generum vel speciērum perfectiōnēs in ipsō exsistant.

col-locāre > con+locāre : pōnere

termināre = fīnem (: terminum) habēre

nōtificāre = nōtum facere

speciērum *gen pl* < speciēs

Capitulus 22

Quod in Deō omnēs perfectiōnēs sunt ūnum secundum rem

Sī autem colligāmus ea quae superius dicta sunt, manifestum est quod omnēs perfectiōnēs in Deō sunt ūnum secundum rem. Ostēnsum est enim suprā, Deum simplicem esse. Ubi autem est simplicitās, dīversitās eōrum quae insunt, esse nōn potest. Sī ergō in Deō sunt omnium perfectiōnēs, impossibile est quod sint dīversae in ipsō: relinquitur ergō quod omnēs sint ūnum in eō.

col-ligere (< cum + ligere) ↔ spargere

dīversitās -ātis f < *dīversus* = varius

dīversus -a -um = varius

cognōscitıvus -a -um < cognōscere

visus -ūs *m* (< vidēre) = potestās
    videndī
audītus -ūs *m* (< audīre) = potestās
    audiendī
sēnsus -ūs *m* (< sentīre) = modī aut
    potestātēs percipiendī
per-cipere = capere, sentīre
dīiūdicāre = cenere inter dīversās
    rēs

intentiō -ōnis *f* : cōnsilium, ratiō

philosophia -ae *f*

ūniāre = coniungere, convenīre

Hoc autem manifestum fit cōnsiderantī in virtūtibus cognōscitīvīs. Nam superior vīs secundum ūnum et idem est cognōscitīva omnium quae ab īnferiōribus vīribus secundum dīversa cognōscuntur: omnia enim quae vīsus, audītus, et cēterī sēnsūs percipiunt, intellectus ūnā et simplicī virtūte dīiūdicat. Simile etiam appāret in scientiīs: nam cum īnferiōrēs scientiae secundum dīversa genera rērum circā quae versātur eōrum intentiō, multiplicentur, ūna tamen scientia est in eīs superior, ad omnia sē habēns, quae philosophia prīma dīcitur. Appāret etiam idem in potestātibus: nam in rēgiā potestāte, cum sit ūna, inclūduntur omnēs potestātēs quae per dīversa officia sub dominiō regnī distribuuntur. Sic igitur et perfectiōnēs quae in īnferiōribus rēbus secundum dīversitātem rērum multiplicantur, oportet quod in ipsō rērum vertice, scīlicet Deō, ūniantur.

Capitulus 23

Quod in Deō nūllum accidēns invenītur

Inde etiam appāret quod in Deō nūllum accidēns esse potest. Sī enim in eō omnēs perfectiōnēs sunt ūnum, ad perfectiōnem autem pertinet esse, posse, agere, et omnia huius modī, necesse est omnia in eō idem esse quod eius essentia. Nūllum igitur eōrum in eō est accidēns.

Item. Impossibile est īnfīnītum esse perfectiōne, cuius perfectiōnī aliquid adicī potest. Sī autem aliquid est cuius aliqua perfectiō sit accidēns, cum omne accidēns superaddātur essentiae, oportet quod eius essentiae aliqua perfectiō adicī possit. Nōn igitur invenītur in eius essentiā perfectiō īnfīnīta. Ostēnsum est autem, Deum secundum suam essentiam īnfīnītae perfectiōnis esse. Nūlla igitur in eō perfectiō accidentālis esse potest, sed quidquid in eō est, substantia eius est.

ad-icere = addere

super-addere (< super + addere) + *dat*

accidentālis -e < accidēns
quid-quid = omnis rēs quae

con-clūdere : ad ratiōnem
perdūcere

Hoc etiam facile est conclūdere ex summā sim-plicitāte illīus, et ex hōc quod est āctus pūrus, et ex hōc quod est prīmum in entibus. Est enim aliquis compositiōnis modus accidentis ad subiectum. Id etiam quod subiectum est, nōn potest esse āctus pūrus, cum accidēns sit quaedam fōrma vel āctus subiectī. Semper etiam quod est per sē, prius est eō quod est per accidēns. Ex quibus omnibus secundum suprādicta habērī potest, quod in Deō nihil est quod secundum accidēns dīcātur.

suprā-dīcere = dīcere anteā vel su-prā in pāginā

Capitulus 24

Quod multituūdō nōminum quae dīcuntur dē Deō, nōn repugnat simplicitātī eius

Per hoc autem appāret ratiō multitūdinis nōminum quae dē Deō dīcuntur, licet ipse in sē sit omnimodē simplex. Cum enim intellēctus noster essentiam eius in sē ipsa capere nōn sufficiat, in eius cognitiōnem cōnsurgit ex rēbus quae apud nōs sunt, in quibus inveniuntur dīversae perfectiōnēs, quārum omnium rādix et orīgō in Deō ūnā est, ut ostēnsum est. Et quia nōn possumus aliquid nōmināre nisi secundum quod intellegimus (sunt enim nōmina intellēctuum signa), Deum nōn possumus nōminare nisi ex perfectiōnibus in aliīs rēbus inventīs, quārum orīgō in ipsō est: et quia hae in rēbus istīs multiplicēs sunt, oportet multa nōmina Deō impōnere. Sī autem essentiam eius in se ipsa videremus, non requīrerētur nōminum multitūdō, sed esset simplex nōtitia eius, sīcut est simplex essentia eius: et hoc in diē glōriae nostrae expectāmus, secundum illud Zachar. Ultimō: in illā diē erit Dominus ūnus, et nōmen eius ūnum.

re-pugnāre = contrā pugnāre

omni-modē < omnimodus -a -um

suf-ficere (< sub + ficere) = locō alicuius facere/creāre
cōn-surgere

rādīx -icis *f* = pars īma arboris, quae in sōlum pervenit

multi-plex -icis = varius / ↔ simplex

requīrere (< re+quaerere) : necessārium facere

[*Zacharīas* 14.9]

Capitulus 25

Quod licet dīversa nōmina dīcantur dē Deō, nōn tamen sunt synōnyma

synōnymum -ī *n* = vocābulum idem significāns

con-ceptiō -ōnis *f* : cōnsilium mentis

apprehēnsiō -ōnis *f* < apprehendere

immediātē (< *in*+mediātus) = rēctā, *dīrēctē*, statim

similitūdō -inis *f* < similis
id-eō = ob quam rem

Ex hīs autem tria possumus cōnsīderāre. Quōrum prīmum est, quod dīversa nōmina, licet idem in Deō secundum rem significent, nōn tamen sunt synōnyma. Ad hoc enim quod nōmina aliqua sint synōnyma, oportet quod significent eamdem rem, et eamdem intellēctūs conceptiōnem repraesentent. Ubi vērō significātur eadem rēs secundum dīversās ratiōnēs, id est apprehēnsiōnēs quās habet intellēctus dē rē illā, nōn sunt nōmina synōnyma, quia nōn est penitus significātiō eadem, cum nōmina immediātē significent conceptiōnēs intellēctūs, quae sunt rērum similitūdinēs. Et ideō cum dīversa nōmina dīcta dē Deō significent dīversās conceptiōnēs quās intellēctus noster habet dē ipsō nōn sunt synōnyma, licet omnīnō eamdem rem significent.

Capitulus 26

Quod per dēfīnītiōnēs ipsōrum nōminum nōn potest dēfīnīrī id quod est in Deō

Secundum est: quod cum intellectus noster secundum nūllam eārum conceptiōnum quās nōmina dīcta dē Deō significant, dīvīnam essentiam perfectē capiat, impossibile est quod per dēfīnītiōnēs hōrum nōminum dēfīniātur id quod est in Deō, sīcut quod dēfīnītiō sapientiae sit dēfīnītiō potentiae dīvīnae, et similiter in aliīs.

similiter *adv* < similis

Quod aliō modō etiam est manifestum. Omnis enim dēfīnītiō ex genere et differentiīs cōnstat: id etiam quod propriē dēfīnītur, speciēs est. Ostēnsum est autem, quod dīvīna essentia non conclūditur sub aliquō genere, nec sub aliquā speciē. Unde nōn potest eius esse aliqua dēfīnītiō.

Capitulus 27

Quod nōmina dē Deō et aliīs, nōn omnīnō ūnivōcē, nec aequivōcē dīcuntur

Tertium est quod nōmina dē Deō et aliīs rēbus dīcta, nōn omnīnō ūnivōcē, nec omnīnō aequivōcē dīcuntur. Ūnivōcē namque dīcī nōn possunt, cum dēfīnītiō eius quod dē creātūrā dīcītur, nōn sit dēfīnītiō eius quod dīcītur dē Deō: oportet autem ūnivōcē dīctōrum eamdem dēfīnītiōnem esse.

creātūra -ae *f* (< creāre) quod creatum est

Similiter autem nec omnīnō aequivōcē. In hīs enim quae sunt ā cāsū aequivōcā, idem nōmen impōnitur ūnī reī, nūllō habitō respectū ad rem aliam: unde per ūnum nōn potest ratiōcinārī dē aliō. Haec autem nomina quae dīcuntur dē Deō et dē aliīs rēbus, attribuuntur Deō secundum aliquem ōrdinem quem habet ad istās rēs, in quibus intellēctus significāta eōrum cōnsīderat; unde et per aliās rēs ratiōcinārī dē Deō possumus. Nōn igitur omnīnō aequivōcē dīcuntur ista dē Deō et dē aliīs rēbus, sīcut ea quae sunt ā cāsū aequivōcā.

respectus -ūs *m* : ratiō, modus
ratiocinārī : computāre

Dīcuntur igitur secundum analogiam, idest secundum prōportiōnem ad ūnum. Ex eō enim quod aliās rēs comparāmus ad Deum sīcut ad suam prīmam ōriginem, huius modī nōmina quae significant perfectiōnēs aliārum, Deō attribuimus. Ex quō patet quod licet quantum ad nōminis impositiōnem

analogia -ae *f*

impositiō -ōnis *f* < impōnere

34

huius modī nōmina per prius dē creātūrīs dīcantur, eō quod ex creātūrīs intellēctus nōmina impōnēns ascendit in Deum; tamen secundum rem significātam per nōmen, per prius dīcuntur dē Deō, ā quō perfectiōnēs dēscendunt in aliās rēs.

Capitulus 28

Quod oportet Deum esse intellegentem

Ulterius autem ostendendum est, quod Deus est intellegēns. Ostēnsum est enim, quod in ipsō praeexistunt omnēs perfectiōnēs quōrumlibet entium superabundanter. Inter omnēs autem perfectiōnēs entium ipsum intellegere praecellere vidētur, cum rēs intellēctuālēs sint omnibus aliīs potiōrēs. Igitur oportet Deum esse intellegentem.

intellēctuālis -e < intellēctus

Item. Ostēnsum est suprā, quod Deus est āctus pūrus absque potentiālitātis permixtiōne. Māteria autem est ēns in potentiā. Oportet igitur Deum esse omnīnō immūnem ā māteriā. Immūnitās autem ā māteriā est causa intellēctuālitātis: cuius signum est quod fōrmae māteriālēs efficiuntur intellegibilēs āctū per hoc quod abstrahuntur ā māteriā et ā māteriālibus conditiōnibus. Est igitur Deus intellegēns.

im-mūnis -e = quī sine aliquā rē, aut līber aliquā rē est
immūnitās -ātis *f* < immūnis
intellēctuālitās -ātis *f* < intellēctuālis
māteriālis -e < māteria
intellegibilis -e = quī intellegī potest

Item. Ostēnsum est, Deum esse prīmum movēns. Hoc autem vidētur esse proprium intellēctus, nam intellēctus omnibus aliīs vidētur ūtī quasi īnstrūmentīs ad mōtum: unde et homō suō intellēctū ūtitur quasi īnstrūmentīs et animālibus et plantīs et rēbus inanimātīs. Oportet igitur Deum, quī est prīmum movēns, esse intellegentem.

planta -ae *f* : herba, flōrēs, et omnia quae ex terrā crēscunt

Capitulus 29

Quod in Deo non est intellectio nec in potentia nec in habitu, sed in actu

Cum autem in Deō nōn sit aliquid in potentiā, sed in āctū tantum, ut ostēnsum est, oportet quod Deus nōn sit intellegēns neque in potentiā neque in habitū, sed āctū tantum: ex quō patet quod nūllam in intellegendō patitur successiōnem. Cum enim aliquis intellēctus successīvē multa intellegit, oportet quod dum ūnum intellegit āctū, alterum intellegat in potentiā. Inter ea enim quae simul sunt, nān est aliqua successiō. Sī igitur Deus nihil intellegit in potentiā, absque omnī successiōne est eius intellegentia: unde sequitur quod omnia quaecumque intellegit, simul intellegat; et iterum, quod nihil dē novō intellegat. Intellēctus enim dē novō aliquid intellegēns, prius fuit intellegēns in potentiā.

Inde etiam oportet quod intellēctus eius nōn discursīvē intellegat, ut ex ūnō in cognitiōnem alterīus dēveniat, sīcut intellēctus noster ratiōcinandō patitur. Discursus enim talis in intellēctū est, dum ex nōtō pervenīmus in cognitiōnem ignōtī, vel eius quod prius āctū nōn cōnsīderābāmus: quae in intellēctū dīvīnō accidere nōn possunt.

---

intellēctiō -ōnis *f* < āctiō intellegendī

habitus -ūs *m* = mōs; in habitū = secundum mōrem, dē mōre

successiō -ōnis *f* = āctiō sequendī

successīvē *adv* = in successiōne

dē novō = dēnuō

discursīvus -a -um : ratiōnālis, ad ratiōcinandum spectāns (-ē *adv*)

ratiōcinārī -ātum esse = computāre, ratiōnem facere

discursus -ūs *m* : variārum sententiārum cōnsīderātiō, colloquium discursīvum

Capitulus 30

Quod Deus nōn intellegit per aliam speciem quam per essentiam suam

Patet etiam ex praedictīs, quod Deus nōn intellegit per aliam speciem quam per essentiam suam. Omnis enim intellēctus intellegēns per speciem aliam ā sē, comparātur ad illam speciem intellegibilem sīcut potentia ad āctum, cum speciēs intellegibilis sit perfectiō eius faciēns ipsum intellegentem āctū. Sī igitur in Deō nihil est in potentiā, sed est āctus pūrus, oportet quod nōn per aliam speciem, sed per essentiam suam intellegat; et inde sequitur quod dīrēctē et prīncipāliter sē ipsum intellegat. Essentia enim reī nōn dūcit propriē et dīrēctē in cognitiōnem alicuius nisi eius cuius est essentia: nam per dēfīnītiōnem hominis propriē cognōscitur homō, et per dēfīnītiōnem equī, equus. Sī igitur Deus est per essentiam suam intellegēns, oportet quod id quod est intellēctum ab eō dīrēctē et prīncipāliter, sit ipse Deus. Et cum ipse sit sua essentia, sequitur quod in eō intellegēns et quō intellegit et intellēctum sint omnīnō idem.

dīrēctē *adv* = rēctā viā

prīncipāliter *adv* = māximē, praecipuē, praesertim

Capitulus 31

Quod Deus est suum intellegere

Oportet etiam quod ipse Deus sit suum intellegere. Cum enim intellegere sit āctus secundus, ut cōnsīderāre (prīmus enim āctus est intellēctus vel scientia), omnis intellēctus quī nōn est suum intellegere, comparātur ad suum intellegere sīcut potentia ad āctum. Nam semper in ōrdine potentiārum et āctuum quod est prius, est potentiāle respectū sequentis, et ultimum est complētīvum, loquendō in ūnō et eōdem, licet in dīversīs sit ē conversō: nam movēns et agēns comparātur ad mōtum et āctum, sīcut agēns ad potentiam. In Deō autem, cum sit āctus pūrus, nōn est aliquid quod comparētur ad alterum sīcut potentia ad āctum. Oportet ergō quod ipse Deus sit suum intellegere.

potentiālis -e < potentia
respectus -ūs *m* < rēspicere (: aspicere)
'est potentiāle respectū sequentis' : 'est potentiāle *propter ea quae sequuntur*'
complētīvus -a -um = quī complet aut perficit, complēns
'loquendō in ūnō et eōdem': 'cum dē ūnō et eōdem loquāmur'
conversum -ī *n* (< con-vertere) : contrārium
ē conversō : tamen

Item. Quōdam modō comparātur intellēctus ad intellegere sīcut essentia ad esse. Sed Deus est intellegēns per essentiam; essentia autem sua est suum essc. Ergō eius intellēctus est suum intellegere; et sīc per hoc quod est intellegēns, nūlla compositiō in eō pōnitur, cum in eō nōn sint aliud intellēctus, intellegere, et speciēs intellegibilis. Et haec nōn sunt aliud quam eius essentia.

ad intellegere : ad intellegendum

'nōn sint aliud' : 'nōn sint dīversa'

Capitulus 32

Quod oportet Deum esse volentem

Ulterius autem manifestum est quod necesse est Deum esse volentem. Ipse enim sē ipsum intellegit, quī est bonum perfectum, ut ex dictīs patet. Bonum autem intellēctum ex necessitāte dīligitur. Hoc autem fit per voluntātem. Necesse est igitur Deum volentem esse.

Item. Ostēnsum est suprā, quod Deus est prīmum movēns. Intellēctus autem nōn utīque movet nisi mediante appetitū; appetitus autem sequēns intellēctum, est voluntās. Oportet igitur Deum esse volentem.

utīque = certē, sanē
mediāns -antis = quī in mediō agit
    sīcut īnstrūmentum aut modus
appetītus -ūs *m* (< *appetere*) :
    dēsīderium

Capitulus 33

Quod ipsam Deī voluntātem oportet nihil aliud esse quam eius intellēctum

voluntās -ātis *f* < velle

Patet autem quod oportet ipsam Deī voluntātem nihil aliud esse quam eius intellēctum. Bonum enim intellēctum, cum sit obiectum voluntātis, movet voluntātem, et est āctus et perfectiō eius. In Deō autem nōn differt movēns et mōtum, āctus et potentia, perfectiō et perfectibile, ut ex superiōribus patet. Oportet igitur voluntātem dīvīnam esse ipsum bonum intellēctum. Idem autem est intellēctus dīvīnus et essentia dīvīna. Voluntās igitur Deī nōn est aliud quam intellēctus dīvīnus et essentia eius.

perfectibilis -e = quī ad summam perfectiōnem pervenīre potest

Item. Intrā aliās perfectiōnēs rērum praecipuae sunt intellēctus et voluntās, cuius signum est quod inveniuntur in rēbus nōbiliōribus. Perfectiōnēs autem omnium rērum sunt in Deō ūnum, quod est eius essentia, ut suprā ostēnsum est. Intellēctus igitur et voluntās in Deō sunt idem quod eius essentia.

praecipuus -a -um = prae aliīs magnus, ēgregius

Capitulus 34

Quod voluntās Deī est ipsum eius velle

velle volō voluisse volitum

Hinc etiam patet quod voluntās dīvīna est ipsum velle Deī. Ostēnsum est enim, quod voluntās in Deō est idem quod bonum volitum ab ipsō. Hoc autem esse nōn posset, nisi velle esset idem quod voluntās, cum velle insit voluntātī ex volitō. Est igitur Deī voluntās suum velle.

Item. Voluntās Deī idem est quod eius intellēctus et eius essentia. Intellēctus autem Deī est suum intellegere, et essentia est suum esse. Ergō oportet quod voluntās sit suum velle. Et sīc patet quod voluntās Deī simplicitātī nōn repugnat.

Capitulus 35

Quod omnia suprādicta ūnō fideī articulō comprehenduntur

Ex his autem omnibus quae praedicta sunt, colligere possumus, quod Deus est ūnus, simplex, perfectus, īnfīnītus, intellegēns et volēns. Quae quidem omnia in symbolō fideī brevī articulō comprehenduntur, cum nōs profitēmur crēdere in Deum ūnum omnipotentem. Cum enim hoc nōmen Deus ā nōmine Graecō quod dīcitur theos, dictum videātur, quod quidem ā theaste dīcitur, quod est vidēre vel cōnsīderāre; in ipsō Deī nōmine patet quod sit intellegēns, et per cōnsequēns volēns. In hōc autem quod dīcimus eum ūnum, exclūditur et deōrum plūrālitās, et omnis compositiō: nōn enim est simpliciter ūnum nisi quod est simplex. Per hoc autem quod dīcimus, omnipotentem, ostenditur quod sit īnfīnītae virtūtis, cui nihil subtrahī possit, in quō inclūditur quod sit et īnfīnītus et perfectus: nam virtūs reī perfectiōnem essentiae cōnsequitur.

articulus -ī *m* = sententia statuta; caput, pars

symbolum -ī *n* : symbolum Apostolōrum, "Crēdō in ūnum Deum..."
pro-fitērī (< prō + fatērī) = ante multōs hominēs dīcere

ex-clūdere ↔ inclūdere, admittere
plūrālitās -ātis *f* < plūrālis

sub-trahere : auferre, ēripere

Capitulus 36

Quod haec omnia ā philosophīs posita sunt

Haec autem quae in superiōribus dē Deō trādita sunt, ā plūribus quidem gentīlium philosophīs subtīliter cōnsīderāta sunt, quamvis nōnnūllī eōrum circā praedicta errāverint: et quī in iīs vērum dīxērunt, post longam et labōriōsam inquīsītiōnem ad vēritātem praedictam vix pervenīre potuērunt. Sunt autem et alia nōbis dē Deō trādita in doctrīnā Chrīstiānae rēligiōnis, ad quam pervenīre nōn potuērunt, circā quae secundum Chrīstiānam fidem ultrā hūmānum sēnsum īnstruimur. Est autem hoc: quod cum sit Deus ūnus et simplex, ut ostēnsum est, est tamen Deus Pater, et Deus Fīlius, et Deus Spīritus Sānctus, et iī trēs nōn trēs diī, sed ūnus Deus est: quod quidem, quantum possibile nōbis est, cōnsīderāre intendimus.

gentīlēs -ium *m pl* : quī nec Iūdaeī nec Chrīstiānī sunt
subtīlis -e : tenuis, magnificus (-iter *adv*)

labōriōsus -a -um = magnī labōris, labōribus plēnus
inquīsītiō -ōnis *f* < in-quīrere (: quaerere)

religiō -ōnis *f* = cūra rērum dīvīnārum, metus deōrum

Capitulus 37

Quāliter pōnātur Verbum in dīvīnīs

Accipiendum autem est ex hīs quae suprā dicta sunt, quod Deus sē ipsum intellegit et dīligit. Item quod intellegere in ipso et velle non sit aliud quam eius esse. Quia vērō Deus sē ipsum intellegit, omne autem intellēctum in intellegente est, oportet Deum in sē ipsō esse sīcut intellēctum in intelligente. Intellēctum autem prout est in intellegente, est verbum quoddam intellēctūs: hoc enim exteriōrī verbō significāmus quod interius in intellēctū comprehendimus. Sunt enim, secundum philosophum, vōcēs signa intellēctuum. Oportet igitur in Deō pōnere Verbum ipsīus.

quāliter = quōmodo

exterior, -ius *adi* = quī magis extrā est

Capitulus 38

Quod Verbum in dīvīnīs conceptiō dīcitur

conceptiō -ōnis *f* (< *con-cipere*) :
    fōrma aut imāgō in mente
con-cipere (< con-capere): māter
    īnfantem in ventre concipit
interior -ius *adi* (< intrā) quī est aut
    fit intus

corporāliter (< corporālis) : corpore

uterus -ī *m* = venter mulieris
vīvificus -a -um = quī vīvum facit
fōrmāre = fōrmam dare, cōnficere
mās maris *m* = masculīnus

con-fōrmis -e = quī eōdem modo
    fōrmātum est

im-meritus -a -um (< merēre) =
    sine causā

Id autem quod in intellēctū continētur, ut interius verbum, ex commūnī ūsū loquendī conceptiō intellēctūs dīcitur. Nam corporāliter aliquid concipī dīcitur quod in uterō animālis vīventis vīvifica virtūte fōrmātur, mare agente, et fēmina patiente, in quā fit conceptiō, ita quod ipsum conceptum pertinet ad nātūram utrīusque quasi secundum speciem confōrme.

Quod autem intellēctus comprehendit, in intellēctū fōrmātur, intelligebilī quasi agente, et intellēctū quasi patiente. Et ipsum quod intellēctū comprehenditur, intrā intellēctum existēns, confōrme est et intellegibilī moventi, cuius quaedam similitūdō est, et intellēctuī quasi patientī, secundum quod esse intellegibile habet. Unde id quod intellēctū comprehenditur, nōn immeritō conceptiō intellēctūs vocātur.

Capitulus 39

Quōmodo Verbum comparātur ad Patrem

In hōc autem cōnsīderanda est differentia. Nam cum id quod intellēctū concipitur, sit similitūdō reī intellēctae, eius speciem repraesentāns, quaedam prōlēs ipsīus esse vidētur. Quandō igitur intellēctus intellegit aliud ā sē, rēs intellēcta est sīcut Pater Verbī in intellēctū conceptī; ipse autem intellēctus magis gerit similitūdinem mātris, cuius est ut in eā fīat conceptiō. Quandō vērō intellēctus intellegit seipsum, verbum conceptum comparātur ad intellegentem sīcut prōlēs ad patrem. Cum igitur dē Verbō loquāmur secundum quod Deus sē ipsum intellegit, oportet quod ipsum Verbum compārētur ad Deum, cuius est Verbum, sīcut fīlius ad patrem.

repraesentāre (< re + praesentāre) = ostendere, mōnstrāre
prōlēs prōlis *f* = līberī, fīlius/fīlia

47

Capitulus 40

Quōmodo intellegitur generātiō in dīvīnīs

rēgula -ae *f* : quod iussum est, lēx
catholicus -a -um

nē aliquis : nē *quis*

carnālis -e : qui ad carnem pertinet

evangelista -ae : IV sunt Mattheus,
    Mārcus, Lūcās, Iōannēs
revēlāre : aperīre
sēcrētum = ā cēterīs remōtum
caelestis -e : dīvīnus

Hinc est quod in rēgula catholicae fīdeī, Patrem et Fīlium in dīvīnīs cōnfitērī docēmur, cum dīcitur: crēdō in Deum Patrem et Fīlium eius. Et nē aliquis audiēns nōmen Patris et Fīliī, carnālem generātiōnem suspicārētur, secundum quam apud nōs Pater dīcitur et Fīlius, Iōannēs evangelista, cuī revēlāta sunt sēcrēta caelestia, locō Fīliī pōnit Verbum, ut generātiōnem intellegibilem cognōscāmus.

Capitulus 41

Quod Verbum, quod est Fīlius, idem esse habet cum Deō Patre, et eamdem essentiam

Cōnsīderandum est autem, quod cum in nōbīs sit aliud esse nātūrāle et intellegere, oportet quod verbum in nostrō intellēctū conceptum, quod habet esse intellegibile tantum, alterīus nātūrae sit quam intellēctus noster, quī habet esse nātūrāle. In Deō autem idem est esse et intellegere. Verbum igitur Deī quod est in Deō, cuius Verbum est secundum esse intellegibile, idem esse habet cum Deō, cuius est Verbum. Et per hoc oportet quod sit eiusdem essentiae et nātūrae cum ipsō, et quod omnia quaecumque dē Deō dīcuntur, Verbō Deī conveniant.

Capitulus 42

Quod catholica fidēs haec docet

cōnsubstantiālis -e = eiusdem substantiae, eiusdem essentiae

dēcīsiō -ōnis f (< *decīdere*) = dis-
iūnctiō (< disiungere), dīvīsiō
(< dīvidere)

accidentāliter *adv* < accidentālis
super-venīre

Et inde est quod in rēgulā catholicae fideī docēmur cōnfitērī Fīlium cōnsubstantiālem Patrī, per quod duo exclūduntur. Prīmō quidem ut nōn intellegātur Pater et Fīlius secundum carnālem generātiōnem, quae fit per aliquam dēcīsiōnem substantiae Fīliī ā Patre, ut sīc oporteat Fīlium nōn esse Patrī cōnsubstantiālem. Secundō ut etiam nōn intellegāmus Patrem et Fīlium secundum generātiōnem intellegibilem, prout verbum in mente nostrā concipitur, quasi accidentāliter superveniēns intellēctuī, et nōn dē eius essentiā existēns.

Capitulus 43

Quod in dīvīnīs nōn est differentia Verbī ā Patre secundum tempus, vel speciem, vel nātūram

Eōrum autem quae in essentiā nōn differunt, impossibile est esse differentiam secundum speciem, tempus et nātūram. Quia ergō Verbum Patrī est cōnsubstantiāle, necesse est quod secundum nihil dictōrum ā Patre differat.

Et quidem secundum tempus differre nōn potest. Cum enim hoc Verbum in Deō pōnātur per hoc quod Deus sē ipsum intellegit, suī verbum intellegibile concipiendō, oportet quod sī aliquandō Deī Verbum nōn fuit, quod tunc Deus sē ipsum nōn intellēxerit. Semper autem quandō Deus fuit, sē intellēxit, quia eius intellegere est eius esse. Semper ergō et Verbum eius fuit: et ideō in rēgulā catholicae fideī dīcimus: ex Patre nātum ante omnia saecula.

Secundum speciem etiam est impossibile Verbum Deī ā Deō quasi minōrātum differre, cum Deus sēipsum nōn minus intellegat quam sit. Verbum autem perfectam speciem habet: quia id cuius est verbum, perfectē intellegitur. Oportet igitur Deī Verbum omnīnō perfectum secundum speciem dīvīnitātis esse.

minōrātus -a -um = minōris aestimandus
sē-ipsum

défectus -ūs *m* (< dē-ficere) = nātūrae mendum
pūritās -ātis *f* < pūrus

applicātiō -ōnis *f* < *applicare* : *ad-plicāre*: sē a. = sē adiungere
extraneus -a -um : aliēnus
prōdūcere : efficere, facere
dē-ficere = cessāre, minuī, dēesse; imperfectum esse
artifex-icis *m* = vir quī artem scit

ad-iungere -iūnxisse -iūnctum = addere
oppositiō -ōnis f < *op-pōnere* : con- trā pōnere
radius -ī *m* = lūminis līnea (figūra)
opācus -a -um = quī umbram habet

sculptūra -āe *f* : imāgō, signum

Inveniuntur autem quaedam quae ex aliīs prōcēdunt, perfectam eōrum speciem nōn cōnsequī, ex quibus prōcēdunt. Ūnō modō sīcut in generātiōnibus aequivocīs: ā sōle enim nōn generātur sōl, sed quoddam animal. Ut ergō tālis imperfectiō ā generātiōne dīvīnā exclūdātur, cōnfitēmur nātum Deum dē Deō. Aliō modō quod prōcēdit ex aliquō, differt ab eō propter dēfectum pūritātis, dum scīlicet ab eō quod est in sē simplex et pūrum, per applicātiōnem ad extrāneam māteriam aliquid prōdūcitur ā prīmā speciē dēficiēns: sīcut ex domō quae est in mente artificis, fit domus quae est in māteriā; et ā lūmine receptō in corpore terminātō, fit color; et ex igne adiūnctō aliīs elementīs, fit mixtum; et ex radiō per oppositiōnem corporis opācī, fit umbra. Ut hoc ergō ā dīvīnā generātiōne exclūdātur, additur lūmen dē lūmine. Tertiō modō quod ex aliquō prōcēdit, nōn cōnsequitur speciem eius propter dēfectum vēritātis, quia scīlicet nōn vērē recipit eius nātūram, sed quamdam eius similitūdinem tantum, sīcut imāgō in speculō vel sculptūra, aut etiam similitūdō reī in intellēctū vel sēnsū. Nōn enim imāgō hominis dīcitur vērus homō, sed similitūdō; nec lapis est anima, ut dīcit philosophus, sed speciēs lapidis. Ut igitur haec ā dīvīnā generātiōne exclūdantur, additur: *Deum vērum dē Deō vērō.*

Secundum nātūram etiam impossibile est Verbum ā Deō differre, cum hoc sit Deō nātūrāle quod sē ipsum intellegat. Habet enim omnis intellēctus aliqua quae nātūrāliter intellegit, sīcut intellēctus noster habet prīma prīncipia. Multō ergō magis Deus, cuius intellegere est suum esse, sēipsum nātūrāliter intellegit. Verbum ergō ipsīus nātūrāliter ex ipsō est, nōn sīcut ea quae praeter nātūrālem orīginem prōcēdunt, ut ā nōbīs prōcēdunt rēs artificiālēs, quās facere dīcimur. Quae vērō nātūrāliter ā nōbīs prōcēdunt, dīcimur generāre, ut fīlius. Nē igitur Deī Verbum nōn nātūrāliter ā Deō prōcēdere intellegātur, sed secundum potestātem suae voluntātis, additur: genitum, nōn factum.

Capitulus 44

Conclūsiō ex praemissīs

con-clūsiō -ōnis *f* (*<con-clūdere*) :
    intellēctum; fīnis

condiciō -ōnis *f* : nātūra; quāle al-
    iquid sit

Quia ergō, ut ex praemissīs patet, omnēs praedictae dīvīnae generātiōnis condiciōnēs ad hoc pertinent
quod Fīlius est Patrī cōnsubstantiālis, ideō post omnia subiungitur quasi summa ūniversōrum: cōnsubstantiālem Patrī.

Capitulus 45

Quod Deus est in sē ipsō sīcut amātum in amante

Sīcut autem intellēctum est in intellegente in quantum intellegitur, ita et amātum esse dēbet in amante in quantum amātur. Movētur enim quōdam modō amāns ab amātō quādam intrinseca mōtiōne. Unde cum movēns contingat id quod movētur, necesse est amātum intrīnsecum esse amantī. Deus autem sīcut intellegit sēipsum, ita necesse est quod sēipsum amet: bonum enim intellēctum secundum sē amābile est. Est igitur Deus in sēipsō tamquam amātum in amante.

intrīnsecus -a -um : interior
mōtiō -ōnis *f* < mōtus

Capitulus 46

Quod amor in Deō dīcitur Spīritus

Cum autem intellēctum sit in intellegente, et amātum in amante, dīversa ratiō eius quod est esse in aliquō, utrobīque cōnsīderanda est. Cum enim intellegere fiat per assimulātiōnem aliquam intellegentis ad id quod intellegitur, necesse est id quod intellegitur, in intellegente esse, sccundum quod eius similitūdō in eā cōnsistit. Amātiō autem fit secundum quamdam mōtiōnem amantis ab amātō: amātum enim trahit ad sēipsum amantem. Igitur nōn perficitur amātiō in similitūdine amātī, sīcut perficitur intellegere in similitūdine intellēctī, sed perficitur in attractiōne amantis ad ipsum amātum.

Trādūctiō autem similitūdinis principālis fit per generātiōnem ūnivocam, secundum quam in rēbus viventibus generāns pater, et genitus fīlius nōminātur. In eīsdem etiam prīma mōtiō fit secundum speciem. Sīcut igitur in dīvīnīs modus ille quō Deus est in Deō ut intellēctum in intellegente, exprimitur per hoc quod dīcimus Fīlium, quī est Verbum Deī; ita modum quō Deus est in Deō sīcut amātum in amante exprimimus per hoc quod pōnimus ibi Spīritum, quī est amor Deī: et ideō secundum rēgulam catholicae fideī crēdere in Spīritum iubēmur.

---

utrobīque = utrōque locō, utrāque parte

assimulātiō -ōnis *f* < *assimulāre* : alquid simile facere

amātiō -ōnis *f* < amāre

attractiō -ōnis *f* < ad-trahere : trahere ad aliquid

trādūctiō -ōnis *f* < *trāns-dūcere* : trānsferre

ex-primere = efficere, ostendere, significāre

Capitulus 47

Quod Spīritus, quī est in Deō, est Sānctus

Cōnsīderandum est autem, quod cum bonum amātum habeat ratiōnem fīnis, ex fīne autem mōtus voluntārius bonus vel malus reddātur, necesse est quod amor quō ipsum summum bonum amātur, quod Deus est, ēminentem quamdam obtineat bonitātem, quae nōmine sānctitātis exprimitur, sīve dīcātur 'sānctum' quasi 'pūrum', secundum Graecōs, quia in Deō est pūrissima bonitās ab omnī dēfectū immūnis: sīve dīcātur 'sānctum', id est 'fīrmum', secundum Latīnōs, quia in Deō est immūtābilis bonitās, propter quod omnia quae ad Deum ōrdinantur, sāncta dīcuntur, sīcut templum et vāsa templi, et omnia dīvīnō cultuī mancipata. Convenienter igitur spīritus, quō nōbīs īnsinuātur amor quō Deus sē amat, 'Spīritus Sānctus' nōminātur. Unde et rēgula catholicae fideī Spīritum praedictum nōminat Sānctum, cum dīcitur 'crēdō in Spiritum Sānctum.'

voluntārius -a -um : quī suā voluntāte sē munerī offert
red-dere : aestimāre

bonitās -ātis *f* < bonus

sānctitās -ātis *f* < sānctus

vās vāsis *n*, *pl* vāsa -ōrum : īnstrūmenta, et cētera
mancipāre : trādere
convenienter *adv* (< conveniēns) : conveniente modō

īn-sinuāre = intrāre, ferre in

Capitulus 48

Quod amor in dīvīnīs nōn importat accidēns

Sīcut autem intellegere Deī est suum esse, ita et eius amāre. Nōn igitur Deus amat sē ipsum secundum aliquid suae essentiae superveniēns, sed secundum suam essentiam. Cum igitur amet sē ipsum secundum hoc quod ipse in sē ipsō est ut amātum in amante, nōn est Deus amātus in Deō amante per modum accidentālem, sīcut et rēs amātae sunt in nōbīs amantibus accidentāliter, sed Deus est in sē ipsō ut amātum in amante substantiāliter. Ipse ergō Spīritus Sānctus, quō nōbīs īnsinuātur dīvīnus amor, nōn est aliquid accidentāle in Deō, sed est rēs subsistēns in essentiā dīvīnā, sīcut Pater et Fīlius. Et ideō in rēgula catholicae fideī ostenditur coadōrandus, et simul glōrificandus cum Patre et Fīliō.

substantiāliter *adv* (< substantia) : substantiā

co-adōrāre : ūnā adōrāre, ūnum adōrāre cum alterō
glōrificāre = laudāre

Capitulus 49

Quod Spīritus Sānctus ā Patre Fīliōque prōcēdit

Est etiam cōnsīderandum, quod ipsum intellegere ex virtūte intellēctus prōcēdit. Secundum autem quod intellēctus āctū intellegit, est in ipsō id quod intellegitur. Hoc igitur quod est intellēctum esse in intellegente, prōcēdit ex virtūte intellēctīva intellēctus, et hoc est verbum ipsīus, ut suprā dictum est. Similiter etiam id quod amātur est in amante secundum quod amātur āctū. Quod autem aliquid āctū amētur, prōcēdit et ex virtūte amātīva amantis, et ex bonō amābilī āctū intellēctō. Hoc igitur quod est amātum esse in amante, ex duōbus prōcēdit: scīlicet ex prīncipiō amātīvō, et ex intellegibilī apprehēnso, quod est verbum conceptum dē amābilī. Cum igitur in Deō sē ipsum intellegente et amante Verbum sit Fīlius; is autem cuius est Verbum, sit Verbī Pater, ut ex dictīs patet, necesse est quod Spīritus Sānctus, quī pertinet ad amōrem, secundum quod Deus in sē ipsō est ut amātum in amante, ex Patre prōcēdat, et Fīlio: unde et in symbolō dīcitur: quī ex Patre Fīliōque prōcēdit.

intellēctīvus -a -um : quī ad intellegendum pertinet

amātīvus -a -um : quī ad amandum pertinet

amābilis -e = quī amārī potest

ap-prehendere -prehendisse -prehēnsum

patēre : plānē et facile vidērī

Capitulus 50

Quod in dīvīnīs Trīnitās persōnārum nōn repugnat ūnitātī essentiae

re-pugnāre = contrā pugnāre

Ex omnibus autem quae dicta sunt, colligī oportet, quod in dīvīnitāte quendam trīnārium pōnimus, quī tamen ūnitātī et simplicitātī essentiae nōn repugnat. Oportet enim concēdī Deum esse ut existentem in suā nātūrā, et intellēctum et amātum ā sē ipsō.

colligere : comprehendere
trīnārius -a -um : trīnī -ae -a (: III)
quendam trīnārium : aliquid t.

con-cēdere (< cum + cēdere) =
    cēdere, dare

Aliter autem hoc accidit in Deō et in nōbīs. Quia enim in suā nātūrā homō substantia est, intellegere autem et amāre eius nōn sunt eius substantia, homō quidem, secundum quod in nātūrā suā cōnsīderātur, quaedam rēs subsistēns est; secundum autem quod est in suō intellēctū, nōn est rēs subsistēns, sed intentiō quaedam reī subsistentis, et similiter secundum quod est in sē ipsō ut amātum in amante. Sīc ergō in homine tria quaedam cōnsīderārī possunt: id est homō in nātūrā suā existēns, et homō in intellēctū existēns, et homō in amōre existēns; et tamen hī trēs nōn sunt ūnum, quia intellegere eius nōn est eius esse, similiter autem et amāre: et hōrum trium ūnus sōlus est rēs quaedam subsistēns, scīlicet homō in nātūrā suā existēns.

In Deō autem idem est esse, intellegere, et amāre. Deus ergō in esse suō nātūrālī existēns, et Deus existēns in intellēctū, et Deus existēns in amōre suō, ūnum sunt; ūnusquisque tamen eōrum est subsistēns. Et quia rēs subsistentēs in intellēctuālī nātūrā persōnās Latīnī nōmināre cōnsuēvērunt, Graecī vērō hypostases, propter hoc in dīvīnīs Latīnī dīcunt trēs persōnās, Graecī vērō trēs hypostasēs, Patrem scīlicet, et Fīlium, et Spīritum Sānctum.

hypostasis -is *f* (Graecē)

Capitulus 51

Quomōdo vidētur esse repugnantia Trīnitātis persōnārum in dīvīnīs

Vidētur autem ex praedictīs repugnantia quaedam suborīrī. Sī enim in Deō ternārius aliquis pōnitur, cum omnis numerus dīvīsiōnem aliquam cōnsequātur, oportēbit in Deō aliquam differentiam pōnere, per quam trēs ab invicem distinguantur: et ita nōn erit in Deō summa simplicitās. Nam sī in aliquō trēs conveniunt, et in aliquō differunt, necesse est ibi esse compositiōnem, quod superiōribus repugnat.

Rūrsus sī necesse est esse ūnum sōlum Deum, ut suprā ostēnsum est, nūlla autem rēs ūnā oritur vel prōcēdit ā sē ipsā, impossibile vidētur quod sit Deus genitus, vel Deus prōcēdens. Falsō igitur pōnitur in dīvīnīs nōmen Patris et Fīliī, et Spīritus prōcēdentis.

sub-orīrī

dīvīsiō -ōnis *f* < dīvidere

ab invicem : alterum ab alterō
distinguere = mōnstrāre dīvidendō ab aliīs

Capitulus 52

Solūtiō ratiōnis: et quod in dīvīnīs nōn est dis-tīnctiō nisi secundum relātiōnēs

Prīncipium autem ad dissolvendum hanc dubi-tātiōnem, hinc sūmere oportet, quia secundum dīver-sitātem nātūrārum est in dīversīs rēbus dīversus mo-dus aliquid ex aliō oriendī vel prōcēdendī. In rēbus enim vītā carentibus, quia nōn sunt sē ipsa moventia, sed sōlum extrīnsecus possunt movērī, orītur ūnum ex alterō quasi exterius alterātum et immūtātum, sīcut ab igne generātur ignis, et ab āere aer.

In rēbus vērō vīventibus, quārum proprietās est ut sē ipsas moveant, generātur aliquid in ipsō generante, sīcut fētus animālium et frūctus plantārum. Est autem cōnsīderāre dīversum modum prōcessiōnis secundum dīversās vīrēs et prōcessiōnēs eārumdem. Sunt enim quaedam vīrēs in eīs, quārum operātiōnēs nōn sē ex-tendunt nisi ad corpora, secundum quod materiālia sunt, sīcut patet dē vīribus animae vegetābilis, quae sunt nūtrītīva et augmentātīva et generātīva: et secundum hoc genus vīrium animae nōn prōcēdit nisi aliquid corporāle corporāliter distīnctum, et tamen aliquō modō coniūnctum in viventibus eī ā quō prōcēdit.

re-lātiō -ōnis *f* < re-ferre

extrīnsecus *adv* ↔ intrīnsecus

alterāre = mūtāre
im-mūtāre : mūtāre

fētus -ūs *m* = īnfāns quī mox nāscētur

prōcessiō -ōnis *f* < prōcēdere

operātiō -ōnis *f* : opus, āctiō, āctus

vegetābilis -e = vīvificus, animam ferēns
nūtrītīvus - a- um : quī ad nūtrien-dum pertinet
augmentātīvus -a -um : quī ad au-gendum pertinet
generātīvus -a -um : quī ad generāndum pertinet
dis-tinguere -īnxisse -īnctum

trāns-scendere (< trāns + scendere)
=
ascedendō trānsīre
sēnsitīvus -a -um : quī ad sentien-
    dum pertinet
susceptīvus -a -um : quī ad *suscipi-*
    endum pertinet
sus-cipere (< sub + cipere) = capere
    et sustinēre
licet + *coni* = quamquam + *ind /*
    cum + *coni*
im-māteriāliter *adv* < *im-māteriālis*
    -e (↔ māteriālis)
organum -ī *n* : īnstrūmentum

in-corporāliter ↔ corporāliter

adminiculum -ī *n* : quī claudus est
    adminiculō i. solet
imāgināre = arte efficere,
    excōgitāre
imāginātiō -ōnis *f* < imaginare

spīrituālis -e : quī ad spīritum perti-
    net
imāginārius -a -um : quī per
    imāginātiōnem fit
vīsiō -ōnis *f* < vidēre

Sunt autem quaedam vīrēs, quārum operātiōnēs etsī corpora nōn trānscendant, tamen sē extendunt ad speciēs corporum, sine māteriā eās recipiendō, sīcut est in omnibus vīribus animae sēnsitīvae. Est enim sēnsus susceptīvus speciērum sine māteriā, ut philosophus dīcit. Huius modī autem vīrēs, licet quōdam modō immāteriāliter fōrmās rērum suscipiant, nōn tamen eās suscipiunt absque organo corporālī. Sī quā igitur prōcēssiō in huius modī vīribus animae inveniātur, quod prōcēdit, nōn erit aliquod corporāle, vel corporāliter distīnctum, vel coniūnctum eī ā quō prōcēdit, sed incorporāliter et immāteriāliter quōdam modō, licet nōn omnīnō absque adminiculō organī corporālis. Sīc enim prōcēdunt in animālibus fōrmātiōnēs rērum imāginātārum, quae quidem sunt in imāginātiōne nōn sīcut corpus in corpore, sed quōdam spīrituālī modō: unde et ab Augustīnō imāgināria vīsiō spīrituālis nōminātur.

Sī autem secundum operātiōnem imāginātiōnis prōcēdit aliquid nōn per modum corporālem, multō fortius hoc accidet per operātiōnem partis intellēctīvae, quae nec etiam in suī operātiōne indiget organō corporālī, sed omnīnō eius operātiō immāteriālis est. Prōcēdit enim verbum secundum operātiōnem intellēctūs, ut in ipsō intellēctū dīcentis exsistēns, nōn quasi locāliter in eō contentum, nec corporāliter ab eō sēparātum, sed in ipsō quidem exsistēns secundum ōrdinem orīginis: et eadem ratiō est dē prōcessiōne quae attenditur secundum operātiōnem voluntātis, prout rēs amāta exsistit in amante, ut suprā dictum est.

locāliter *adv* < locālis -e (: ad locum pertinēns)
sēparāre ↔ coniungere

at-tendere

licet + *coni* = quamquam + *ind* /
   cum + *coni*

com-pōnere -posuisse -positum (<
   cum + pōnere) = aptē cōnficere
multiplicātio -ōnis *f* < multiplicāre

fōrmālis -e < fōrma

Licet autem vīrēs intellēctīvae et sēnsitīvae secundum propriam ratiōnem sint nōbiliōrēs vīribus animae vegetābilis, nōn tamen in hominibus aut in aliīs animālibus secundum prōcessiōnem imāginātīvae partis, aut sēnsitīvae prōcēdit aliquid subsistēns in nātūrā speciēī eiusdem, sed hoc sōlum accidit per prōcessiōnem quae fit secundum operātiōnem animae vegetābilis: et hoc ideō est, quia in omnibus compositīs ex māteriā et fōrmā, multiplicātiō indīviduōrum in eādem speciē fit secundum māteriae dīvīsiōnem. Unde in hominibus, et aliīs animālibus, cum ex fōrmā et māteriā compōnantur secundum corporālem dīvīsiōnem, quae invenītur secundum prōcessiōnem quae est secundum operātiōnem animae vegetābilis, et nōn in aliīs operātiōnibus animae, multiplicantur indīvidua secundum eamdem speciem. In rēbus autem quae nōn sunt ex māteriā et fōrmā compositae, nōn potest invenīrī nisi distīnctiō fōrmālis tantum. Sed sī fōrma, secundum quam attenditur distīnctiō, sit substantia reī, oportet quod illa distīnctiō sit rērum subsistentium quārumdam; nōn autem sī fōrma illa nōn sit reī subiecta.

Est igitur commūne in omnī intellēctū, ut ex dictīs patet, quod oportet id quod in intellēctū concipitur, ab intellegente quōdam modō prōcēdere, in
quantum intellegēns est, et suā prōcessiōne ab ipsō
quōdam modō distinguitur, sīcut conceptiō intellēctūs quae est intentiō intellecta, distinguitur ab intellectu intelligente; et similiter oportet quod affectio
amantis, per quam amatum est in amante, procedat a
voluntate amantis inquantum est amans. Sed hoc
proprium habet intellectus divinus, quod cum intelligere eius sit esse ipsius, oportet quod conceptio intellectus, quae est intentiō intellēcta, sit substantia
eius, et similiter est dē affectiōne in ipsō Deō amante. Relinquitur ergō quod intentiō intellēctūs dīvīnī,
quae est Verbum ipsīus, nōn distinguitur ā
prōdūcente ipsum in hōc quod est esse secundum
substantiam, sed sōlum in hōc quod est esse secundum ratiōnem prōcessiōnis unīus ex aliō: et similiter
est dē affectiōne amōris in Deō amante, quae ad
Spīritum Sānctum pertinet.

affectiō -ōnis *f* = id quō afficitur animus (ut laetitia, īra, timor)

Sīc igitur patet quod nihil prohibet Verbum Dei,
quod est Fīlius, esse ūnum cum Patre secundum substantiam, et tamen distinguitur ab eō secundum
relatiōnem prōcessiōnis, ut dictum est. Unde et manifestum est quod eadem rēs nōn orītur neque prōcēdit
ā sē ipsā: quia Fīlius, secundum quod ā Patre
prōcēdit, ab eō distinguitur; et eadem ratiō est dē

Spīritū Sānctō per comparātiōnem ad Patrem et Fīlium.

Capitulus 53

Quod relātiōnēs quibus Pater et Fīlius et Spīritus Sānctus distinguuntur, sunt reālēs, et nōn ratiōnis tantum

Istae autem relātiōnēs, quibus Pater et Fīlius et Spīritus Sānctus ab invicem distinguuntur, sunt relātiōnēs reālēs et nōn ratiōnis tantum. Illae enim relātiōnēs sunt ratiōnis tantum quae nōn cōnsequuntur ad aliquid quod est in rērum nātūrā, sed ad aliquid quod est in apprehēnsiōne tantum, sīcut dextrum et sinistrum in lapide nōn sunt relātiōnēs reālēs, sed ratiōnis tantum, quia nōn cōnsequuntur aliquam virtūtem reālem in lapide exsistentem, sed sōlum acceptiōnem apprehendentis lapidem ut sinistrum quia est alicui animālī ad sinistram; sed sinistrum et dextrum in animālī sunt relātiōnēs reālēs, quia cōnsequuntur virtūtēs quāsdam in dēterminātīs partibus animālis inventās. Cum igitur relātiōnēs praedictae, quibus Pater et Fīlius et Spīritus Sānctus distinguuntur, sint reāliter in Deō exsistentēs, oportet quod relātiōnēs praedictae sint relātiōnēs reālēs, nōn ratiōnis tantum.

reālis -e (< rēs) = verus

acceptiō -ōnis *f* < accipere

dē-termināre

reāliter *adv* < reālis

Capitulus 54

Quod huius modī relātiōnēs nōn sunt accidentāliter inhaerentēs

in-haerēre : = fīxus in aliquō esse, movērī nōn posse

Nōn est autem possibile quod sint accidentāliter inhaerentēs: tum quia operātiōnēs ad quās sequuntur dīrēctē relātiōnēs, sunt ipsā Deī substantiā, tum etiam quia suprā ostēnsum est quod in Deō nūllum accidēns esse potest. Unde sī relātiōnēs praedictae rēāliter sunt in Deō, oportet quod nōn sint accidentāliter inhaerentēs, sed subsistentēs. Quōmodo autem id quod est in aliīs rēbus accidēns, in Deō substantiāliter esse possit, ex praemissī manifestum est.

prae-mittere -isisse -missum

Capitulus 55

Quod per praedictās relātiōnēs in Deō persōnālis distīnctiō cōnstituitur

persōnālis -e < persōna

Quia ergō in dīvīnīs distīnctiō est per relātiōnēs quae nōn accidunt, sed sunt subsistentēs, rērum autem subsistentium in nātūrā quacumque intellēctuālī est distīnctiō persōnālis, necesse est quod per praedictās relātiōnēs in Deō persōnālis distīnctiō cōnstituātur. Pater igitur et Fīlius et Spīritus Sānctus sunt trēs persōnae, et similiter trēs hypostasēs, quia hypostasis significat aliquid subsistēns complētum.

Capitulus 56

Quod impossibile est plūrēs persōnās esse in dīvīnīs quam trēs

Plūrēs autem in dīvīnīs persōnās tribus esse impossibile est, cum nōn sit possibile dīvīnās persōnās multiplicārī per substantiae dīvīsiōnem, sed sōlum per alicuius prōcessiōnis relātiōnem, nec cuiuscumque prōcessiōnis, sed tālis quae nōn terminētur ad aliquod extrīnsecum. Nam sī terminārētur ad aliquod extrīnsecum, nōn habēret nātūram dīvīnam, et sīc nōn posset esse persōna aut hypostasis dīvīna. Prōcessiō autem in Deō ad exterius nōn termināta nōn potest accipī nisi aut secundum operātiōnem intellēctūs, prout prōcedit verbum; aut secundum operātiōnem voluntātis, prout prōcēdit amor, ut ex dictīs patet. Nōn igitur potest esse aliqua persōna dīvīna prōcēdēns, nisi vel ut Verbum, quod dīcimus Fīlium, vel ut amor, quod dīcimus Spīritum Sānctum.

Rūrsus. Cum Deus omnia ūnō intuitū per suum intellēctum comprehendat, et similiter ūnō āctū voluntātis omnia dīligat, impossibile est in Deō esse plūra verba aut plūrēs amōrēs. Si igitur Fīlius prōcēdit ut Verbum, et Spīritus Sānctus prōcēdit ut amor, impossibile est in Deō esse plūrēs fīliōs, vel plūrēs spīritūs sānctōs.

in-tuitus -ūs *m* < in-tueor

Item. Perfectum est extrā quod nihil est. Quod igitur extrā sē aliquid suī generis patitur, nōn simpliciter perfectum est, propter quod et ea quae sunt simpliciter in suīs nātūrīs perfecta, numerō nōn multiplicantur, sīcut Deus, sol et luna, et huius modī. Oportet autem tam Fīlium quam Spīritum Sānctum esse simpliciter perfectum, cum uterque eōrum sit Deus, ut ostēnsum est. Impossibile est igitur esse plūrēs fīliōs, aut plūrēs spīritūs sānctōs.

Praetereā. Illud per quod aliquid subsistēns est hoc aliquid, et ab aliīs distīnctum, impossibile est quod numerō multiplicētur, eō quod indīviduum dē plūribus dīcī nōn potest. Sed fīliātiōne Fīlius est haec persōna dīvīna in sē subsistēns et ab aliis distīncta, sīcut per prīncipia indīviduantia, Sōcratēs est haec persōna hūmāna. Sīcut ergō prīncipia indīviduantia, quibus Sōcratēs est hic homō, nōn possunt convenīre nisi ūnī, ita etiam fīliātiō in dīvīnīs nōn potest nisi ūnī convenīre. Et simile est dē relātiōne Patris et Spīritūs Sānctī. Impossibile est igitur in dīvīnīs esse plūrēs patrēs, aut plūrēs fīliōs, aut plūrēs spīritūs sānctōs.

in-dīviduāre = indīviduum facere

fīliātiō -ōnis *f* (= *fīlietās -ātis f*) < fīlius

Adhūc. Ea quae sunt ūnum secundum fōrmam nōn multiplicantur numerō nisi per māteriam, sīcut multiplicātur albēdō per hoc quod est in plūribus subiēctīs. In dīvīnīs autem nōn est māteria. Quidquid igitur est ūnum speciē et fōrmā in dīvīnīs, impossibile est multiplicārī secundum numerum. Huius modī autem sunt paternitās et fīliātiō et Spīritūs Sānctī prōcessiō. Impossibile est igitur in dīvīnīs esse plūrēs patrēs, aut fīliōs, aut spīritūs sānctōs.

paternitās -ātis *f* < pater

Capitulus 57

Dē proprietātibus seu nōtiōnibus in dīvīnīs, et quot sunt numerō in Patre

Huius modī autem exsistente numerō persōnārum in dīvīnīs, necesse est persōnārum proprietātēs, quibus ab invicem distinguuntur, in aliquō numerō esse, quārum trēs oportet Patrī convenīre. Ūna quā distinguātur ā Fīliō sōlō, et haec est paternitās; alia quā distinguātur ā duōbus, scīlicet Fīliō et Spīritū Sānctō, et haec est innāscibilitās, quia Pater nōn est Deus prōcēdēns ab aliō, Fīlius autem et Spīritus Sānctus ab aliō prōcēdunt; tertia est quā ipse Pater cum Fīliō ā Spīritū Sānctō distinguitur; et haec dīcitur commūnis spīrātiō. Proprietātem autem quā Pater differat ā sōlō Spīritū Sānctō, nōn est assignāre, eō quod Pater et Fīlius sunt ūnum prīncipium Spīritūs Sānctī, ut ostēnsum est.

nōtiō -ōnis *f* (< nōvisse) : sententia

in-nāscibilitās -ātis *f* < *innāscibilis* : in-nāscibilis -e = quī nāscī nōn potest

spīrātiō -ōnis *f* < spīrāre

Capitulus 58

De proprietātibus Fīliī et Spīritūs Sānctī, quae et quot sunt

Fīliō autem necesse est duās convenīre. Ūnam scīlicet quā distinguātur ā Patre, et haec est fīliātiō; aliam quā simul cum Patre distinguātur ā Spīritū Sānctō, quae est commūnis spīrātiō. Nōn autem est assignāre proprietātem quā distinguātur ā sōlō Spīritū Sānctō, quia, ut iam dictum est, Fīlius et Pater sunt ūnum prīncipium Spīritūs Sānctī. Similiter etiam nōn est assignāre proprietātem ūnam quā Spīritus Sānctus et Fīlius simul distinguantur ā Patre. Pater enim ab eīs distinguitur ūnā proprietāte, scīlicet innāscibilitāte, in quantum est nōn prōcēdēns. Sed quia Fīlius et Spīritus Sānctus nōn ūnā prōcessiōne prōcēdunt, sed plūribus, duābus proprietātibus ā Patre distinguuntur. Spīritus autem sānctus habet ūnam proprietātem tantum, quā distinguitur ā Patre et Fīliō, et dīcitur prōcessiō. Quod autem nōn possit esse aliqua proprietās quā Spīritus Sānctus distinguātur ā Fīliō sōlō, vel ā Patre sōlō, ex dictīs patet.

Sunt igitur quinque quae persōnīs attribuuntur: scīlicet innāscibilitās, paternitās, fīliātiō, spīrātiō et prōcessiō.

as-signāre (< ad + signāre) = suam cuique partem ūtendam trādere

Capitulus 59

Quārē illae proprietātēs dīcantur nōtiōnēs

Haec autem quinque nōtiōnēs persōnārum dīcī possunt, eō quod per eās nōbīs innōtēscit in dīvīnīs distīnctiō persōnārum, nōn tamen haec quinque possunt dīcī proprietātēs, sī hoc in proprietātis ratiōne observētur, ut proprium esse dīcātur quod convenit ūnī sōlī: nam commūnis cōnspīrātiō Patri et Filio convenit. Sed secundum illum modum quō aliquid dīcitur proprium aliquibus per respectum ad aliud sīcut bipēs hominī et avī per respectum ad quādrupedia, nihil prohibet etiam commūnem spīrātiōnem proprietātem dīcī.

Quia vērō in dīvīnīs persōnae sōlīs relātiōnibus distinguuntur, nōtiōnēs autem sunt quibus dīvīnārum persōnarum distīnctiō innōtēscit, necesse est nōtiōnēs aliquāliter ad relātiōnem pertinēre. Sed eārum quattuor vērae relātiōnēs sunt, quibus dīvīnae persōnae ad invicem referuntur. Quinta vērō nōtiō, scīlicet innāscibilitās, ad relātiōnem pertinet, sīcut relātiōnis negātiō; nam negātiōnēs ad genus affirmātiōnum redūcuntur, et prīvātiōnēs ad genus habituum, sīcut nōn homō ad genus hominis, et nōn album ad genus albēdinis.

in-nōtēscere (< nōscere) = nōscere incipere

observāre = spectandō animadvertere
cōn-spīrātiō -ōnis *f* < *cōnspīrāre* : con-spīrāre (< cum + spīrāre) = spīrāre (simul)

bi-pēs bi-pedis *adi* = II pedēs habēns
quādru-pēs quādru-pedis *n* = animal quod IV pedēs habet

negātiō -ōnis *f* < negāre

Sciendum tamen quod ... persōnae
... referuntur : *Sciendum tamen*
est *...personas ... referri*

in-nōminātus ↔ nōminātus

nātivitās -ātis *f* < nātus

Sciendum tamen quod relationum, quibus persōnae ad invicem referuntur, quaedam nōminātae sunt, ut paternitās et fīliātiō, quae propriē relātiōnem significant; quaedam vērō innōminātae, illae scīlicet quibus Pater et Fīlius ad Spīritum Sānctum referuntur, et Spīritus Sānctus ad eōs; sed locō relātiōnum ūtimur nōminibus orīginum. Manifestum est enim quod commūnis spīrātiō et prōcessiō orīginem significant; nōn autem relātiōnēs orīginem cōnsequentēs: quod potest perpendī ex relātiōnibus Patris et Fīliī. Generātiō enim significat āctīvam orīginem, quam cōnsequitur paternitātis relātiō; nātivitās vērō significat passīvam Fīliī, quam cōnsequitur relātiō fīliātiōnis. Similiter igitur ad commūnem spīrātiōnem sequitur aliqua relātiō, et etiam ad prōcessiōnem. Sed quia relātiōnēs innōminātae sunt, ūtimur nōminibus āctuum prō nōminibus relātiōnum.

Capitulus 60

Quod licet relātiōnēs in dīvīnīs subsistentēs sint quattuor, tamen nōn sunt nisi trēs persōnae

Cōnsiderandum autem, quod quamvis relātiōnēs subsistentēs in dīvīnīs sint ipsae persōnae dīvīnae, ut suprā dictum est, nōn tamen oportet esse quinque, vel quattuor persōnās secundum numerum relātiōnum. Numerus enim distīnctiōnem aliquam cōnsequitur. Sīcut autem ūnum est indīvīsibile vel indīvīsum, ita plūrālitās est dīvīsibile vel dīvīsum. Ad plūrālitātem enim persōnārum requiritur quod relātiōnēs vim distīnctīvam habeant ratiōne oppositiōnis, nam fōrmālis distīnctiō nōn est nisi per oppositiōnem.

in-dīvīsibilis -ē = quī dīvidī nōn potest
in-dīvīsus -a -um : ūnus, nōn dīvīsus
dīvīsibilis -e = quī dīvidī potest

distīnctīvus -a -um (< distinguere) : proprius

Sī ergō praedictae relātiōnēs īnspiciantur, paternitās et fīliātiō oppositiōnem ad invicem habent relātīvam, unde nōn sē compatiuntur in eōdem suppositō: propter hoc oportet quod paternitās et fīliātiō sint duae persōnae subsistentēs. Innāscibilitās autem oppōnitur quidem fīliātiōnī, nōn autem paternitātī: unde paternitās et innāscibilitās possunt ūnī et eīdem persōnae convenīre. Similiter commūnis spīrātiō nōn oppōnitur neque paternitātī, neque fīliātiōnī, nec etiam innāscibilitātī. Unde nihil prohibet commūnem spīrātiōnem inesse et persōnae Patris, et persōnae Fīliī. Propter quod commūnis spīrātiō nōn est persōna subsistēns seōrsum ā persōnā Patris et Fīliī.

relātīvus -a -um : quī refert, quī relātiōnem habet
com-patī (< cum + patī) : sinere
suppositum -ī *n* (< sub + pōnere) : hypostasis, substantia, subiectum

Prōcessiō autem oppositiōnem relātīvam habet ad commūnem spīrātiōnem. Unde, cum commūnis spīrātiō conveniat Patrī et Fīliō, oportet quod prōcessiō sit alia persāna ā persōna Patris et Fīliī.

quīnus -a -um : V
(singulus, bīnus, trīnus, quaternus, quīnus)
quīnarius -a -um (< quīnus) : habēns V
trīnus -a -um : III
trīnārius -a -um : habēns III

Hinc autem patet quārē Deus nōn dīcitur quīnus, propter quīnārium numerum nōtiōnum, sed dīcitur trīnus propter trīnārium persōnārum. Quinque enim nōtiōnēs nōn sunt quinque subsistentēs rēs, sed trēs persōnae sunt trēs rēs subsistentēs. Licet autem ūnī persōnae plūrēs nōtiōnēs aut proprietātes conveniant, ūnā tamen sōla est quae persōnam cōnstituit. Nōn enim sīc cōnstituitur persōna proprietātibus quasi ex plūribus cōnstitūta, sed eō quod proprietās ipsa relātīva subsistēns persōna est. Sī igitur intellegerentur plūrēs proprietātēs ut seorsum per sē subsistentēs, essent iam plūrēs persōnae, et nōn ūnā. Oportet igitur intellegī, quod plūrium proprietātum seu nōtiōnum ūnī persōnae convenientium illa quae prōcēdit secundum ōrdinem nātūrae, persōnam cōnstituit; aliae vērō intelleguntur ut persōnae iam cōnstitūtae inhaerentēs.

seorsus -a -um = sēparātus

Manifestum est autem quod innāscibilitās nōn potest esse prīma nōtiō Patris quae persōnam eius cōnstituat, tum quia nihil negātiōne cōnstituitur, tum quia nātūrāliter affirmātiō negātiōnem praecēdit. Commūnis autem spīrātiō ōrdine nātūrae prae-

affirmātiō -ōnis f

supponit paternitātem et fīliātiōnem, sīcut prōcessiō
amōris prōcessiōnem Verbī. Unde nec commūnis
spīrātiō potest esse prīma nōtiō Patris, sed nec Fīliī.
Relinquitur ergō quod prīma nōtiō Patris sit paternitās, Fīliī autem fīliātiō, spīritūs autem sānctī sōla
prōcessiō nōtiō est.

Relinquitur igitur quod trēs sunt nōtiōnēs cōnstituentēs persōnās, scīlicet paternitās, fīliātiō et
prōcessiō. Et hās quidem nōtiōnēs necesse est proprietātēs esse. Id enim quod persōnam cōnstituit, oportet sōlī illī persōnae convenīre, prīncipia enim
indīviduātiōnis nōn possunt plūribus convenīre.
Dīcuntur igitur praedictae trēs nōtiōnēs persōnālēs
proprietātēs, quasi cōnstituentēs trēs persōnās modō
praedictō. Aliae vērō dīcuntur proprietātēs seu
nōtiōnēs persōnārum, nōn autem persōnālēs, quia
persōnam nōn cōnstituunt.

indīviduātiō -ōnis *f* < indīviduāre

Capitulus 61

Quod remōtīs per intellēctum proprietātibus persōnālibus, nōn remanent hypostasēs

Ex hoc autem appāret quod remōtīs per intellēctum proprietātibus persōnālibus, nōn remanent hypostasēs. In resolūtiōne enim quae fit per intellēctum, remōtā fōrmā, remanet subiectum fōrmae, sīcut remōtā albēdine remanet superficiēs, quā remōtā, remanet substantia, cuius fōrma remōta remanet māteria prīma; sed remōtō subiectō nihil remanet. Proprietātēs autem persōnālēs sunt ipsae persōnae subsistentēs, nec cōnstituunt persōnās, quasi praeexistentibus suppositīs advenientēs: quia nihil in dīvīnīs potest esse distīnctum quod absolūtā dīcitur, sed sōlum quod relātīvum est. Relinquitur igitur quod proprietātibus remōtīs persōnālibus per intellēctum, nōn remanent aliquae hypostasēs distīnctae; sed remōtīs nōtiōnibus nōn persōnālibus, remanent hypostasēs distīnctae.

re-solūtiō -ōnis *f* (< *re-solvere*): Prīmum Sōcratēs quamdam fōrmam scrīptam videt; deinde illam fōrmam generālem in mente suā per *resolūtiōnem* imāginātur

ab-solūtus -a -um = perfectus

Capitulus 62

Quōmodo, remōtīs per intellēctum proprietātibus persōnālibus, remaneat essentia dīvīna

Sī quis autem quaerat, utrum remōtīs per intellēctum proprietātibus persōnālibus remaneat essentia dīvīna, dīcendum est quod quōdam modōo remanet, quōdam vērō modō nōn. Est enim duplex resolūtiō quae fit per intellēctum. Ūnā secundum abstractiōnem fōrmae ā māteriā, in quā quidem prōcēditur ab eō quod fōrmālius est, ad id quod est māteriālius: nam id quod est prīmum subiectum, ultimō remanet; ultima vērō fōrma prīmō removētur. Alia vērō resolūtiō est secundum abstractiōnem ūniversālis ā particulārī, quae quōdam modō contrāriō ōrdine sē habet: nam prius removentur condiciōnēs māteriālēs indīviduantēs, ut accipiātur quod commūne est.

Quamvīs autem in dīvīnīs nōn sit māteria et fōrma, neque ūniversāle et particulāre, est tamen in dīvīnīs commūne et proprium, et suppositum nātūrae commūnī. Persōnae enim comparantur ad essentiam, secundum modum intellegendī, sīcut supposita propria ad nātūram commūnem. Secundum igitur prīmum modum resolūtiōnis quae fit per intellēctum, remōtīs proprietātibus persōnālibus, quae sunt ipsae

dīcendum est *quod....remanet* = dīcendum est ... *remanēre*

abstractiō -ōnis *f* (< *abs-trahere*) : resolūtiō

ūniversālis -e < ūniversus
particulāris -e (< pars) ↔ ūniversālis

persōnae subsistentēs, nōn remanet nātūra commūnis; modō autem secundō remanet.

Capitulus 63

Dē ōrdine āctuum persōnālium ad proprietātēs persōnālēs

Potest autem ex dictīs manifestum esse, quālis sit ōrdō secundum intellēctum āctuum persōnālium ad proprietātēs persōnālēs. Proprietātēs enim persōnālēs sunt subsistentēs persōnae: persōna autem subsistēns in quācumque nātūrā agit commūnicandō suam nātūram in virtūte suae nātūrae; nam fōrma speciēī est prīncipium generandī simile secundum speciem. Cum igitur āctūs persōnālēs ad commūnicātiōnem nātūrae dīvīnae pertineant, oportet quod persōna subsistēns commūnicet nātūram commūnem virtūte ipsīus nātūrae.

commūnicāre : partīrī

commūnicātiō -ōnis *f* < commūnicāre

Et ex hōc duo possunt conclūdī. Quōrum ūnum est quod potentia generātīva in Patre sit ipsa nātūra dīvīna, nam potentia quodcumque agendī, est prīncipium cuius virtūte aliquid agitur. Aliud est quod āctus persōnālis, scīlicet generātiō, secundum modum intellegendī praesuppōnit et nātūram dīvīnam et proprietātem persōnālem Patris, quae est ipsa hypostasis Patris, licet huius modī proprietās, in quantum relātiō est, ex āctū cōnsequātur. Unde sī in Patre attendātur quod subsistēns persōna est, dīcī potest, quod quia Pater est, generat; sī autem attendātur

prae-suppōnere : sūmptum habēre; velut: Sōlem crās ortum īrī *praesuppōnimus.*

quod relātiōnis est, ē conversō dīcendum vidētur, quod quia generat, Pater est.

Capitulus 64

Quōmodo oportet recipere generātiōnem respectū Patris, et respectū Fīliī

Sciendum est tamen, quod aliō modō oportet accipere ōrdinem generātiōnis āctīvae ad paternitātem, aliō modō generātiōnis passīvae, sīve nātivitātis ad fīliātiōnem. Generātiō enim āctīva praesuppōnit ōrdine nātūrae persōnam generantis; sed generātiō passīva sīve nātivitās ōrdine nātūrae praecēdit persōnam genitam, quia persōna genita nātivitāte suā habet ut sit. Sīc igitur generātiō āctīva secundum modum intellegendī praesuppōnit paternitātem, secundum quod est cōnstitūtīva persōnae Patris; nātivitās autem nōn praesuppōnit fīliātiōnem, secundum quod est cōnstitūtīva persōnae Fīliī, sed secundum intellegendī modum praecēdit eam utrōque modō, scīlicet et secundum quod est cōnstitūtīva persōnae, et secundum quod est relātiō. Et similiter intellegendum est dē hīs quae pertinent ad prōcessiōnem Spīritūs Sānctī.

cōnstitūtīvus -a -um (< cōnstituere) : (novam rem) prīmum statuēns

87

Capitulus 65

Quōmodo āctūs nōtiōnālēs ā persōnīs nōn differunt nisi secundum ratiōnem

nōtiōnālis -e < nōtiō

assignātiō -ōnis *f* < assignāre

Ex ōrdine autem assignātō inter āctūs nōtiōnālēs et proprietātēs nōtiōnālēs, nōn intendimus quod āctūs nōtiōnālēs, secundum rem ā proprietātibus persōnālibus differant, sed sōlum secundum modum intellegendī. Sīcut enim intellegere Deī est ipse Deus intellegēns, ita et generātiō Patris est ipse Pater generāns, licet aliō modō significentur. Similiter etiam licet ūna persōna plūrēs nōtiōnēs habeat, nōn tamen in eā est aliqua compositiō. Innāscibilitās enim, cum sit proprietās negātīva, nūllam compositiōnem facere potest. Duae vērō relātiōnēs quae sunt in persōnā Patris, scīlicet paternitās et commūnis spīrātiō, sunt quidem idem secundum rem prout comparantur ad persōnam Patris: sīcut enim paternitās est Pater, ita et commūnis spīrātiō in Patre est Pater, et in Fīliō est Fīlius. Differunt autem secundum ea ad quae referuntur: nam paternitāte Pater refertur ad Fīlium, commūnī spīrātiōne ad Spīritum Sānctum; et similiter Fīlius fīliātiōne quidem ad Patrem, commūnī vērō spīrātiōne ad Spīritum Sānctum.

negātīvus -a -um < negāre

Capitulus 66

Quod proprietātēs relātīvae sunt ipsa dīvīna essentia

Oportet autem quod ipsae proprietātēs relātīvae sint ipsa dīvīna essentia. Proprietātēs enim relātīvae sunt ipsae persōnae subsistentēs. Persōna autem subsistēns in dīvīnīs nōn potest esse aliud quam dīvīna essentia: essentia autem dīvīna est ipse Deus, ut suprā ostēnsum est. Unde relinquitur quod proprietātēs relātīvae sint secundum rem idem quod dīvīna essentia.

Item. Quidquid est in aliquō praeter essentiam eius, inest eī accidentāliter. In Deō autem nūllum accidēns esse potest, ut suprā ostēnsum est. Proprietātēs igitur relātīvae nōn sunt aliud ab essentiā dīvīnā secundum rem.

COMPENDIUM THEOLOGIAE

Capitulus 67

Quod relātiōnēs nōn sunt exterius affīxae, ut Porretānī dīxērunt

af-fīgere -xisse -xum < ad-fīgere

Nōn autem dīcī potest quod proprietātēs praedictae nōn sint in persōnīs, sed exterius ad eās sē habeant, sīcut Porretānī dixerunt. Relātiōnēs enim rēālēs oportet esse in rēbus relātīs, quod quidem in creātūrīs manifestum est: sunt enim relātiōnēs rēālēs in eīs sīcut accidentia in subiectīs. Relātiōnēs autem istae quibus persōnae distinguuntur in dīvīnīs, sunt relātiōnēs rēālēs, ut suprā ostēnsum est. Igitur oportet quod sint in persōnīs dīvīnīs, nōn quidem sīcut accidentia: nam et alia quae in creātūrīs sunt accidentia, ad Deum trānslāta ā ratiōne accidentium cadunt, ut sapientia et iūstitia, et alia huius modī, ut suprā ostēnsum est.

sapientia -ae *f* < sapiēns
iūstitia -ae *f* < iūstus
iūstus -a -um = rēctus, plēnus

Praetereā. In dīvīnīs nōn potest esse distīnctiō nisi per relātiōnēs: nam quaecumque absolūte dīcuntur, commūnia sunt. Sī igitur relātiōnēs exterius sē habeant ad persōnās, nūlla in ipsīs persōnīs distīnctiō remanēbit. Sunt igitur proprietātēs relātīvae in persōnīs, ita tamen quod sunt ipsae persōnae, et etiam ipsa essentia dīvīna; sīcut sapientia et bonitās dīcuntur esse in Deō, et sunt ipse Deus et essentia dīvīna, ut suprā ostēnsum est.

Capitulus 68

Dē effectibus dīvīnitātis, et prīmō dē esse

Hīs igitur cōnsīderātīs quae ad ūnitātem essentiae dīvīnae pertinent et ad persōnārum Trīnitātem, restat dē effectibus Trīnitātis cōnsīderandum. Prīmus autem effectus Deī in rēbus est ipsum esse, quod omnēs aliī effectūs praesuppōnunt, et suprā quod fundantur. Necesse est autem omne quod aliquō modō est, ā Deō esse. In omnibus autem ōrdinātīs hoc commūniter invenītur, quod id quod est prīmum et perfectissimum in aliquō ōrdine, est causa eōrum quae sunt post in ōrdine illō; sīcut ignis, quī est maximē calidus, est causa caliditātis in reliquīs corporibus calidīs. Semper enim imperfecta ā perfectīs inveniuntur habēre orīginem, sīcut sēmina ab animālibus et plantīs. Ostēnsum est autem suprā, quod Deus est prīmum et perfectissimum ēns: unde oportet quod sit causa essendī omnibus quae esse habent.

Adhūc. Omne quod habet aliquid per participātiōnem, rēdūcitur in id quod habet illud per essentiam, sīcut in prīncipium et causam; sīcut ferrum ignītum participat igneitātem ab eō quod est ignis per essentiam suam. Ostēnsum est autem suprā, quod Deus est ipsum suum esse, unde esse convenit eī per suam essentiam, omnibus autem aliīs convenit per participātiōnem: nōn enim alicuius alterīus essentia

fundāre : prīmam partem aedificiī aedificāre

commūniter *adv* < commūnis

caliditās -ātis *f* < calidus

participātiō -ōnis *f* < participāre

ignīre -īvisse -ītum = ignem facere
igneitās -ātis *f* < ignis

est suum esse, quia esse absolūtum et per sē subsistēns non potest esse nisi ūnum, ut suprā ostēnsum
est. Igitur oportet Deum esse causam existendī omnibus quae sunt.

Capitulus 69

Quod Deus in creandō rēs nōn praesuppōnit māteriam

Hoc autem ostendit quod Deus in creandō rēs nōn praeexigit māteriam ex quā operētur. Nūllum enim agēns praeexigit ad suam āctiōnem id quod per suam āctiōnem prōdūcit, sed sōlum ea praeexigit quae suā āctiōne prōdūcere nōn potest: aedificātor enim lapidēs et ligna ad suam āctiōnem praeexigit, quia ea suā āctiōne prōdūcere nōn potest; domum autem prōdūcit in agendō, sed non praesuppōnit. Necesse est autem māteriam prōdūcī per āctiōnem Deī, cum ostēnsum sit, quod omne quod quōlibet modō est, Deum habeat causam existendī. Relinquitur igitur quod Deus in agendō māteriam nōn praesuppōnit.

Adhūc. Āctus nātūrāliter prior est potentiā, unde et per prius competit sibi ratiō prīncipiī. Omne autem prīncipium quod in creandō aliud prīncipium praesuppōnit, per posterius habet ratiōnem prīncipiī. Cum igitur Deus sit prīncipium rērum sīcut āctus prīmus, māteria autem sīcut ēns in potentiā, inconveniēns est quod Deus in agendō māteriam praesuppōnat.

prae-exigere : praesuppōnere / praeexsistēns requīrere

aedificātor -ōris *m* = quī aedificat

com-petere (cum + petere) = convenīre, idoneum aut proprium esse

in-conveniēns -entis *adi* ↔ conveniēns, idoneum

93

appropriāre = sibi proprium facere
dēterminātiō -ōnis *f* < dētermināre

Item. Quantō aliqua causa est magis ūniversālis, tantō effectus eius est ūniversālior. Nam causae particulārēs, effectūs ūniversālium causārum ad aliquid dēterminātum appropriant, quae quidem dēterminātiō ad effectum ūniversālem comparātur sīcut āctus ad potentiam. Omnis igitur causa quae facit aliquid esse in āctū, praesuppositō eō quod est in potentiā ad āctum illum, est causa particulāris respectū alicuius ūniversāliōris causae. Hoc autem Deō nōn competit, cum ipse sit causa prīma, ut suprā ostēnsum est. Nōn igitur praeexigit māteriam ad suam āctiōnem. Ipsīus igitur est prōdūcere rēs in esse ex nihilō, quod est creāre: et inde est quod fidēs catholica eum creātōrem cōnfitētur.

creātor -ōris *m* = quī creat

Capitulus 70

Quod creāre sōlī Deō convenit

Hoc etiam appāret, quod sōlī Deō convenit esse creātōrem. Nam creāre illī causae convenit quae aliam ūniversāliōrem nōn praesuppōnit, ut ex dictīs patet. Hoc autem sōlī Deō competit. Sōlus igitur ipse est creātor.

Item. Quantō potentia est magis remōta ab āctū, tantō oportet esse maiōrem virtūtem per quam rēdūcātur in āctum. Sed quantacumque distantia potentiae ad āctum dētur, semper remanet maior distantia, sī ipsa potentia subtrahātur. Creāre igitur aliquid ex nihilō requīrit īnfīnītam virtūtem. Sed sōlus Deus est īnfīnītae virtūtis, cum ipse sit īnfīnītae essentiae. Sōlus igitur Deus potest creāre.

quantus -a -um -cumque : quam
    magnum aut quam parvum
distantia -ae *f* (< *di-stāre* = ab-esse)
    = spatium inter duo loca
re-manēre

Capitulus 71

Quod māteriae dīversitās nōn est causa dīversitātis in rēbus

prae-ostēnsus -a -um

Manifestum est autem ex praeostēnsīs, quod causa dīversitātis in rēbus nōn est māteriae dīversitās. Ostēnsum est enim, quod māteria nōn praesuppōnitur āctiōnī dīvīnae, quā rēs in esse prōdūcit. Causa autem dīversitātis rērum nōn est ex māteriā, nisi secundum quod māteria ad rērum prōductiōnem praeexigitur, ut scīlicet secundum dīversitātem māteriae dīversae indūcantur fōrmae. Nōn igitur causa dīversitātis in rēbus ā Deō prōductīs est māteria.

prōductiō -ōnis *f* < prō-dūcere

Adhūc. Secundum quod rēs habent esse, ita habent plūrālitātem et ūnitātem, nam ūnumquodque secundum quod est ēns, est etiam ūnum. Sed nōn habent esse fōrmae propter māteriam, sed magis māteriae propter fōrmās: nam āctus melior est potentiā, id autem propter quod aliquid est, oportet melius esse. Neque igitur fōrmae ideō sunt dīversae ut competant māteriīs dīversīs, sed māteriae ideō sunt dīversae, ut competant dīversīs fōrmīs.

Capitulus 72

Quōmodo Deus dīversa prōdūxit,
et quōmodo plūrālitās rērum causāta est

Sī autem hōc modō sē habeant rēs ad ūnitātem et multitūdinem, sīcut sē habent ad esse, tōtum autem esse rērum dēpendet ā Deō, ut ostēnsum est, plūrālitātis rērum causam ex Deō esse oportet. Quod quidem quāliter sit, cōnsīderandum est. Necesse est enim quod omne agēns agat sibi simile, secundum quod possibile est. Nōn autem erat possibile quod similitūdinem dīvīnae bonitātis rēs ā Deō prōductae cōnsequerentur in eā simplicitāte secundum quam invenītur in Deō: unde oportuit quod id quod est ūnum et simplex, repraesentāretur in rēbus causātīs dīversimodē et dissimiliter. Necesse igitur fuit dīversitātem esse in rēbus ā Deō prōductīs, ut dīvīnam perfectiōnem rērum dīversitās secundum suum modum imitārētur.

diversi-modē *adv* = dīversō modō
dis-similiter ↔ similiter

Item. Ūnumquodque causātum fīnītum est: sōlīus enim Deī est essentia īnfīnīta, ut suprā ostēnsum est. Quodlibet autem fīnītum per additiōnem alterīus redditur māius. Melius igitur fuit dīversitātem in rēbus creātīs esse, ut sīc plūra bona essent, quam quod esset ūnum tantum genus rērum ā Deō prōductum. Optimī autem est optima addūcere. Conveniēns igitur fuit Deō quod in rēbus dīversitātem prōdūceret.

Capitulus 73

Dē dīversitāte rērum, gradū et ōrdine

Oportuit autem dīversitātem in rēbus cum ōrdine quōdam īnstituī, ut scīlicet quaedam aliīs essent potiōra. Hoc enim ad abundantiam dīvīnae bonitātis pertinet, ut suae bonitātis similitūdinem rēbus causātīs commūnicet, quantum possibile est. Deus autem nōn tantum in sē bonus est, sed etiam alia in bonitāte excellit, et ea ad bonitātem addūcit. Ut igitur perfectior esset rērum creātārum similitūdō ad Deum, necessārium fuit, ut quaedam rēs aliīs cōnstituerentur meliōrēs, et ut quaedam in alia agerent, ea ad perfectiōnem dūcendō.

Prīma autem dīversitās rērum prīncipāliter in dīversitāte fōrmārum cōnsistit. Fōrmālis autem dīversitās secundum contrāriētātem est. Dīviditur enim genus in dīversās speciēs differentiīs contrāriīs. In contrāriētāte autem ōrdinem necesse est esse, nam semper alterum contrāriōrum perfectius est. Oportet igitur rērum dīversitātem cum quōdam ōrdine ā Deō esse īnstitūtam, ut scīlicet quaedam sint aliīs potiōra.

īnstituere : creāre

abundantia -ae *f* = cōpia

excellere + *acc* = melius/praeferendum est, prius oportet + *dat*

Capitulus 74

Quōmodo rēs creātae quaedam plūs habent dē po-
tentiā,
minus dē āctū, quaedam ē conversō

Quia vērō ūnumquodque in tantum nobile et perfectum est, in quantum ad dīvīnam similitūdinem accedit, Deus autem est āctus pūrus absque potentiae
permixtiōne; necesse est ea quae sunt suprēma in
entibus, magis esse in āctū, et minus dē potentiā
habēre, quae autem īnferiōra sunt magis in potentiā
esse. Hoc autem quāliter sit, cōnsīderandum est.

Cum enim Deus sit sempiternus et incommūtābi-
lis in suō esse, illa sunt in rēbus īnfima, utpote dē similitūdine dīvīnā minus habentia, quae sunt
generātiōnī et corruptiōnī sūbiecta, quae quandōque
sunt, et quandōque nōn sunt. Et quia esse sequitur
fōrmam reī, sunt quidem huius modī quandō fōrmam
habent, dēsinunt autem esse quandō fōrma prīvantur.

in tantum : in quantum

sempiternus -a -um = quī semper
　　manet
in-commūtabilis -e : mūtābilis
utpote *adv* : quidem, quoniam

99

creātiō -ōnis *f* < creāre
ad-ipīscī -eptus = (rem optandam)
   cōnsequī, habēre incipere

in-corporālis -e = quī corpus nōn
   habet

sēparātiō -ōnis *f* < sēparāre

ā-mittere < ab + mittere

Oportet igitur in eīs esse aliquid quod possit quandōque fōrmam habēre, quandōque vērō fōrmā prīvārī, quod dīcimus māteriam. Huius modī igitur quae sunt in rēbus īnfima, oportet esse ex māteria et fōrma composita. Illa vērō quae sunt suprēma in entibus creātīs, ad similitūdinem dīvīnī esse maximē accēdunt, nec est in eīs potentia ad esse et nōn esse, sed ā Deō per creātiōnem sempiternum esse adepta sunt. Cum autem māteria hoc ipsum quod est, sit potentia ad esse quod est per fōrmam, huius modi entia in quibus nōn est potentia ad esse et nōn esse, nōn sunt composita ex māteria et fōrma, sed sunt fōrmae tantum subsistentēs in suō esse, quod accēpērunt ā Deō. Necesse est autem huius modī substantiās incorporālēs incorruptibilēs esse. In omnibus enim corruptibilibus est potentia ad nōn esse. In iīs autem nōn est, ut dictum est. Sunt igitur incorruptibilēs.

Item. Nihil corrumpitur nisi per sēparātiōnem fōrmae ab ipsō, nam esse semper cōnsequitur fōrmam. Huius modī autem substantiae, cum sint fōrmae subsistentēs, nōn possunt sēparārī ā suīs fōrmīs, et ita esse āmittere nōn possunt. Ergō sunt incorruptibilēs.

Sunt autem inter utraque praedictōrum quaedam media, in quibus etsī nōn sit potentia ad esse et nōn esse, est tamen in eīs potentia ad ubi. Huius modī autem sunt corpora caelestia, quae generātiōnī et corruptiōnī nōn subiciuntur, quia in iīs contrāriētātēs nōn inveniuntur, et tamen sunt mūtābilia secundum locum: sīc autem invenītur in aliquibus māteria sīcut et mōtus, est enim mōtus āctus existentis in potentiā. Habent igitur huius modī corpora māteriam nōn subiectam generātiōnī et corruptiōnī, sed sōlum locī mūtātiōnī.

prae-dīcere = anteā dīcere
praedictōrum : rērum praedicārum

'potentia ad ubi' = 'potentia locī, positiōnis'

sub-icere = sub imperiō pōnere

sub-icere -iēcisse - iectum

Capitulus 75

Quod quaedam sunt substantiae intellēctuālēs, quae immāteriālēs dīcuntur

Praedīctās autem substantiās, quās immāteriālēs dīximus, necesse est etiam intellēctuālēs esse. Ex hōc enim aliquid intellēctuāle est quod immūne est ā māteriā, quod ex ipsō intellegendī modō percipī potest. Intellegibile enim in āctū et intellēctus in āctū sunt ūnum. Manifestum est autem aliquid esse āctū intellegibile per hoc quod est ā māteriā sēparātum: nam et dē rēbus māteriālibus intellēctuālem cogni- tiōnem habēre nōn possumus nisi per abstractiōnem ā māteriā. Unde oportet idem iūdicium dē intellēctū esse, ut scīlicet quae sunt immāteriālia, sint intel- lēctuālia.

cognitiō -ōnis *f* < cognōscere

Item. Substantiae immāteriālēs sunt prīmae et suprēmae in entibus, nam āctus nātūrāliter est prior potentiā. Omnibus autem rēbus appāret intellēctus esse superior: intellēctus enim ūtitur corporālibus quasi īnstrūmentīs. Oportet igitur substantiās imma- teriālēs intellēctuālēs esse.

Adhūc. Quantō aliqua sunt superiōra in entibus, tantō magis pertingunt ad similitūdinem dīvīnam. Vidēmus enim rēs quāsdam īnfimī gradūs participāre dīvīnam similitūdinem quantum ad esse tantum, velut inanimāta; quaedam autem quantum ad esse et vīvere, ut plantae; quaedam autem quantum ad sentīre, ut animālia; suprēmus autem modus est per intellēctum, et maximē Deō conveniēns. Suprēmae igitur creātūrae sunt intellēctuālēs: et quia inter cēterās creātūrās magis ad Deī similitūdinem accēdunt, propter hoc dīcuntur ad imāginem Deī cōnstitūtae.

per-tingere (per + tangere) = sē trahere, extendere

in-animātus -a -um = inanimus
in-animus = sine animā, mortuus

103

Capitulus 76

Quōmodo tālēs substantiae sunt arbitriō līberae

arbītrium -ī *n* = iūs statuendī, voluntās

Per hoc autem ostenditur, quod sunt arbitriō līberae. Intellēctus enim nōn agit aut appetit sine iūdiciō, sīcut inanimāta; neque est iūdicium intellēctus ex nātūrālī impetū, sīcut in brūtīs, sed ex propriā apprehēnsiōne: quia intellēctus et fīnem cognōscit, et id quod est ad fīnem, et habitūdinem ūnīus ad alterum; et ideō ipse suī iūdiciī causā esse potest, quō appetat et agat aliquid propter fīnem. Līberum autem dīcimus quod suī causā est. Appetit igitur et agit intellēctus līberō iūdiciō, quod est esse līberum arbitriō. Suprēmae igitur substantiae sunt arbitriō līberae.

brūtum -ī *n* = animal, bēstia

Adhūc. Līberum est quod nōn est obligātum ad aliquid ūnum dēterminātum. Appetītus autem substantiae intellēctīvae nōn est obligātus ad aliquid ūnum dēterminātum bonum: sequitur enim apprehēnsiōnem intellēctus, quae est dē bonō ūniversāliter. Igitur appetītus substantiae intellegentis est līber, utpote commūniter sē habēns ad quodcumque bonum.

ob-ligāre = officiō tenēre

Capitulus 77

Quod in eīs est ōrdō et gradus secundum perfectiōnem nātūrae

Sīcut autem hae substantiae intellegentēs quōdam gradū aliīs substantiīs praepōnuntur, ita etiam ipsās substantiās necesse est aliquibus gradibus ab invicem distāre. Nōn enim ab invicem differre possunt māteriālī differentiā, cum māteriā careant: unde sī in eīs est plūrālitās, necesse est eam per distīnctiōnem formalem causari, quae dīversitātem speciēī cōnstituit. In quibuscumque autem est speciēī dīversitātem accipere, necesse est in eīs gradum quemdam et ōrdinem cōnsīderāre: cuius ratiō est, quia sīcut in numerīs additiō vel subtractiō ūnitātis speciem variat, ita per additiōnem et subtractiōnem differentiārum rēs nātūrālēs speciē differentēs inveniuntur; sīcut quod est animātum tantum, ab eō differt quod est animātum et sēnsibile; et quod est animātum et sēnsibile tantum, ab eō quod est animātum, sēnsibile et ratiōnāle. Necesse est igitur praedictās immāteriālēs substantiās secundum quōsdam gradūs et ōrdinēs esse distīnctās.

prae-pōnī : melius esse

dif-ferre = nōn similis esse

distīnctiō -ōnis *f* < distinguere

additiō -ōnis *f* (< addere) : I + I = II
subtractiō -ōnis *f* (< sub-trahere) : III - II = I
variāre = varium facere

animātus ↔ inanimus
sēnsibilis -e = quī sentīre potest

dis-tinguere -īnxisse -īnctum

Capitulus 78

Quāliter est in eīs ōrdō et gradus in intellegendō

Et quia secundum modum substantiae rēī est modus operātiōnis, necesse est quod superiōrēs eārum nōbilius intellegant, utpote fōrmās intellegibilēs et virtūtēs magis ūniversālēs et magis ūnitās habentēs: inferiōrēs autem esse dēbiliōrēs in intellegendō, et habēre fōrmās magis multiplicātās et minus ūniversālēs.

Capitulus 79

Quod substantia per quam homō intellegit, est īnfima in genere substantiārum intellēctuālium

Cum autem nōn sit in rēbus in īnfīnītum prōcēdere, sīcut est invenīre suprēmam in praedictīs substantiīs, quae propinquissimē accēdit ad Deum, ita necesse est invenīrī īnfimam, quae maximē appropinquat māteriae corporālī. Et hoc quidem tāliter potest esse manifestum. Intellegere enim homini suprā alia animālia convenit. Manifestum est enim quod homō sōlus ūniversālia cōnsīderat, et habitūdinēs rērum, et rēs immāteriālēs, quae sōlum intellegendō percipiuntur. Impossibile est autem quod intellegere sit āctus exercitus per organum corporāle, sīcut vīsiō exercētur per oculum. Necesse est enim quod omne īnstrūmentum virtūtis cognōscitīvae careat illō genere rērum quod per ipsum cognōscitur, sīcut pūpilla caret colōribus ex suā nātūrā: sīc enim cognoscuntur colōrēs, in quantum colōrum speciēs recipiuntur in pūpillā; recipiēns autem oportet esse dēnūdātum ab eō quod recipitur. Intellēctus autem cognōscitīvus est omnium nātūrārum sēnsibilium. Sī igitur cognōsceret per organum corporāle, oporteret illud organum esse dēnūdātum ab omnī nātūrā sēnsibilī, quod est impossibile.

propinquissimus = proximus

ap-propinquāre (< ad + pro-pinquāre) + *dat* = prope venīre
tāliter = tālī modō

habitūdō -inis *f* : condiciō, speciēs

ex-ercēre -uisse -itum : regere, agere,

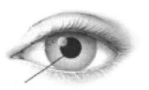

pūpilla -ae *f*

dē-nūdāre = nūdum facere

Item. Omnis ratiō cognōscitīva eō modō cognōscitur quō speciēs cognitī est apud ipsam, nam haec est sibi prīncipium cognōscendī. Intellēctus autem cognōscit rēs immāteriāliter, etiam eās quae in suā nātūrā sunt māteriālēs, abstrahendō fōrmam ūniversālem ā māteriālibus conditiōnibus indīviduantibus. Impossibile est ergō quod speciēs rēī cognitae sit in intellēctū māteriāliter: ergō nōn recipitur in organō corporālī, nam omne organum corporāle est māteriāle.

Idem etiam appāret ex hōc quod sēnsus dēbilitātur et corrumpitur ab excellentibus sēnsibilibus, sīcut audītus ā magnīs sonīs, et vīsus ā rēbus valdē fulgidīs, quod accidit, quia solvitur organī harmonia. Intellēctus autem magis rōborātur ex excellentiā intellegibilium: nam quī intellegit altiōra intellegibilium, nōn minus potest intellegere alia, sed magis. Sī igitur homō inveniātur intellegēns, et intellegere hominis nōn sit per organum corporāle, oportet quod sit aliqua substantia incorporea, per quam homō intellegat. Nam quod per sē potest operārī sine corpore, etiam eius substantia nōn dependet ā corpore. Omnēs enim virtūtēs et fōrmae quae per sē subsistere nōn possunt sine corpore, operātiōnem habēre nōn possunt sine corpore: nōn enim calor per sē calefacit, sed corpus per calōrem. Haec igitur substantia incorporea per quam homō intellegit, est īnfima in genere

immāteriāliter *adv* < immāteriālis

abs-trahere -trāxisse -tractum

māteriāliter *adv* < māteriālis

fulgidus -a -um = quī lūcet sīcut fulgor

cale-facere = calidum facere

substantiārum intellēctuālium, et maximē māteriae propinqua.

Capitulus 80

Dē differentiā intellēctūs, et modō intellegendī

Cum autem esse intellegibile sit suprā esse sēnsibile, sīcut intellēctus suprā sēnsum, ea autem quae sunt īnferiōra in entibus, imitantur ut possunt superiōra, sīcut corpora generābilia et corruptibilia imitantur aliquō modō circulātiōnem caelestium corporum, neccsse est et sēnsibilia intellegibilibus suō modō assimilārī; et sīc ex similitūdine sēnsibilium utcumque possumus dēvenīre in nōtitiam intellegibilium.

Est autem in sēnsibilibus aliquid quasi suprēmum quod est āctus, scīlicet fōrma, et aliquid īnfimum quod est potentia tantum, scīlicet māteria, et aliquid medium, scīlicet compositum ex māteriā et fōrmā. Sīc etiam in esse intellegibilī cōnsīderandum est: nam suprēmum intellegibile, quod est Deus, est āctus pūrus; substantiae vērō intellēctuālēs aliae sunt habentēs aliquid dē āctū et dē potentiā secundum esse intellegibile; īnfima vērō intellēctuālium substantiārum, per quam homō intellegit, est quasi in potentiā tantum in esse intellegibilī. Huic etiam attestātur quod homō invenītur ā prīncipiō potentiā tantum intellegēns, et postmodum paulātim redūcitur in āctum; et inde est quod id per quod homō intellegit, vocātur intellēctus possibilis.

generābilis -e (> *generāre*) : quī generātiōne fierī potest

circulātiō -ōnis *f* : Terra it circum Solem in circulātiōne:

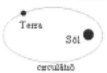

assimulāre : alquid simile facere

ut-cumque : quōlibet modō, ullō modō

dē-venīre : advenīre

at-testārī (< ad+testārī) : probāre, dōmōnstrāre

postmodum *adv* = mox posteā

paulātim *adv* : per gradūs (i.e. nōn statim)

Capitulus 81

Quod intellectus possibilis in homine accipit formas intelligibiles a rebus sensibilibus

Quia vero, ut dictum est, quanto substantia intellectualis est altior, tanto formas intelligibiles universaliores habet, consequens est ut intellectus humanus, quem possibilem diximus, inter alias intellectuales substantias formas habeat minus universales, et inde est quod formas intelligibiles a rebus sensibilibus accipit.

Hoc etiam aliter consideranti manifestum esse potest. Oportet enim formam esse proportionatam susceptibili. Sicut igitur intellectus possibilis humanus inter omnes substantias intellectuales propinquior invenitur materiae corporali, ita necesse est quod eius formae intelligibiles rebus materialibus sint maxime propinquae.

Capitulus 82

Quod homo indiget potentiis sensitivis ad intelligendum

Considerandum autem quod formae in rebus corporeis particulares sunt, et materiale esse habentes; in intellectu vero universales sunt, et immateriales: quod quidem demonstrat intelligendi modus. Intelligimus enim universaliter et immaterialiter. Modus autem intelligendi speciebus intelligibilibus, quibus intelligimus, necesse est quod respondeat. Oportet igitur, cum de extremo ad extremum non perveniatur nisi per medium, quod formae a rebus corporeis ad intellectum perveniant per aliqua media.

Huiusmodi autem sunt potentiae sensitivae, quae formas rerum materialium recipiunt sine materia: fit enim in oculo species lapidis, sed non materia, recipiuntur tamen in potentiis sensitivis formae rerum particulariter, nam potentiis sensitivis non nisi particularia cognoscimus. Necesse igitur fuit hominem, ad hoc quod intelligat, etiam sensus habere. Huius autem signum est quod cui deficit unus sensus, deficit scientia sensibilium quae illo sensu comprehenduntur, sicut caecus natus de coloribus scientiam habere non potest.

Capitulus 83

Quod necesse est ponere intellectum agentem

Inde manifestum fit quod scientia rerum in intellectu nostro non causatur per participationem aut influxum aliquarum formarum actu intelligibilium per se subsistentium, sicut Platonici posuerunt, et alii quidam ipsos sequentes, sed intellectus acquirit eam a rebus sensibilibus, mediantibus sensibus.

Sed cum in potentiis sensitivis formae rerum sint particulares, ut dictum est, non sunt intelligibiles actu, sed potentia tantum. Intellectus enim non nisi universalia intelligit. Quod autem est in potentia, non reducitur in actum nisi ab aliquo agente. Oportet igitur quod sit aliquod agens quod species in potentiis sensitivis existentes faciat intelligibiles actu. Hoc autem non potest facere intellectus possibilis, ipse enim magis est in potentia ad intelligibilia quam intelligibilium activus. Necesse est igitur ponere alium intellectum, qui species intelligibiles in potentia faciat intelligibiles actu, sicut lumen facit colores visibiles potentia, esse visibiles actu, et hunc dicimus intellectum agentem, quem ponere non esset necesse, si formae rerum essent intelligibiles actu, sicut Platonici posuerunt.

Sic igitur ad intelligendum primo necessarius est nobis intellectus possibilis, qui est receptivus specierum intelligibilium; secundo intellectus agens qui facit intelligibilia actu. Cum autem intellectus possibilis iam fuerit per species intelligibiles perfectus, vocatur intellectus in habitu, cum species intelligibiles iam sic habet ut eis possit uti cum voluerit, medio quodam modo inter potentiam puram et actum completum. Cum vero praedictas species in actu completo habuerit, vocatur intellectus in actu. Sic enim actu intelligit res, cum species rei facta fuerit forma intellectus possibilis: propter quod dicitur quod intellectus in actu est intellectum in actu.

Capitulus 84

Quod anima humana est incorruptibilis

Necesse est autem secundum praemissa, intellectum quo homo intelligit, incorruptibilem esse. Unumquodque enim sic operatur secundum quod habet esse. Intellectus autem habet operationem in qua non communicat sibi corpus, ut ostensum est, ex quo patet quod est operans per seipsum. Ergo est substantia subsistens in suo esse. Ostensum est autem supra, quod substantiae intellectuales sunt incorruptibiles. Ergo intellectus quo homo intelligit, est incorruptibilis.

Adhuc. Proprium subiectum generationis et corruptionis est materia. Intantum igitur unumquodque a corruptione recedit, inquantum recedit a materia: ea enim quae sunt composita ex materia et forma, sunt per se corruptibilia; formae autem materiales sunt corruptibiles per accidens, et non per se; formae autem immateriales, quae materiae proportionem excedunt, sunt incorruptibiles omnino. Intellectus autem omnino secundum suam naturam supra materiam elevatur, quod eius operatio ostendit: non enim intelligimus aliqua nisi per hoc quod ipsa a materia separamus. Est igitur intellectus secundum naturam incorruptibilis.

Item. Corruptio absque contrarietate esse non potest, nihil enim corrumpitur nisi a suo contrario: unde corpora caelestia, in quibus non est contrarietas, sunt incorruptibilia. Sed contrarietas longe est a natura intellectus, in tantum quod ea quae secundum se sunt contraria, in intellectu contraria non sunt: est enim contrariorum ratio intelligibilis una, quia per unum intelligitur aliud. Impossibile est igitur quod intellectus sit corruptibilis.

Capitulus 85

De unitate intellectus possibilis

Forte autem aliquis dicet, quod intellectus quidem incorruptibilis est, sed est unus in omnibus hominibus, et sic quod post corruptionem omnium hominum remanet, non est nisi unum. Quod autem sit unus tantum intellectus in omnibus, multipliciter adstrui potest.

Primo quidem ex parte intelligibilis. Quia si est alius intellectus in me, alius in te, oportebit quod sit alia species intelligibilis in me, et alia in te, et per consequens aliud intellectum quod ego intelligo, et aliud quod tu. Erit ergo intentio intellecta multiplicata secundum numerum individuorum, et ita non erit universalis, sed individualis. Ex quo videtur sequi quod non sit intellecta in actu, sed in potentia tantum: nam intentiones individuales sunt intelligibiles in potentia, non in actu.

Deinde quia, cum ostensum sit quod intellectus est substantia subsistens in suo esse, substantiae autem intellectuales plures numero non sint in specie una, ut supra etiam ostensum est, sequitur quod si alius est intellectus in me et alius in te secundum numerum, quod sit etiam alius specie, et sic ego et tu non sumus eiusdem speciei.

Item. Cum in natura speciei omnia individua communicent, oportet poni aliquid praeter naturam speciei, secundum quod ab invicem individua distinguuntur. Si igitur in omnibus hominibus est unus intellectus secundum speciem, plures autem secundum numerum, oportet ponere aliquid quod faciat numero differre unum intellectum ab alio. Hoc autem non potest esse aliquid quod sit de substantia intellectus, cum intellectus non sit compositus ex materia et forma. Ex quo sequitur quod omnis differentia quae accipi posset secundum id quod est de substantia intellectus, sit differentia formalis et diversificans speciem. Relinquitur ergo quod intellectus unius hominis non possit esse alius numero ab intellectu alterius, nisi propter diversitatem corporum. Corruptis ergo corporibus diversis, videtur quod non remaneant plures intellectus, sed unus tantum.

Hoc autem quod impossibile sit, evidenter apparet. Ad quod ostendendum, procedendum est sicut proceditur contra negantes principia, ut ponamus aliquid quod omnino negari non possit. Ponamus igitur quod hic homo, puta Sōcrates vel Platō, intelligat: quod negare non posset respondens, nisi intelligeret esse negandum. Negandō igitur ponit: nam affirmare et negare intelligentis est. Si autem hic homo intelligit, oportet quod id quo formaliter intelligit, sit forma eius, quia nihil agit nisi secundum quod est actu. Illud ergo quo agit agens, est actus eius, sicut calor quo calidum calefacit, est actus eius. Intellectus igitur quo homo intelligit, est forma huius hominis, et eadem ratione illius. Impossibile est autem quod forma eadem numero sit diversorum secundum numerum, quia diversorum secundum numerum, non est idem esse. Unumquodque autem habet esse per suam formam. Impossibile est igitur quod intellectus quo homo intelligit, sit unus in omnibus.

Huius autem rationis difficultatem aliqui cognoscentes, conantur invenire viam evadendi. Dicunt enim, quod intellectus possibilis, de quo supra est habitum, recipit species intelligibiles, quibus fit in actu. Species autem intelligibiles sunt quodammodo in phantasmatibus. Inquantum igitur species intelligibilis est in intellectu possibili et in phantasmatibus quae sunt in nobis, intantum intellectus possibilis continuatur et unitur nobiscum, ut sic per ipsum intelligere possimus.

Haec autem responsio omnino nulla est. Primo quidem, quia species intelligibilis secundum quod est in phantasmatibus, est intellecta in potentia tantum, secundum autem quod est in intellectu possibili, est intellecta in actu. Secundum igitur quod est in intellectu possibili non est in phantasmatibus, sed magis a phantasmatibus abstracta. Nulla ergo remanet unio intellectus possibilis ad nos. Deinde dato quod sit aliqua unio, non tamen sufficeret ad hoc quod faceret nos intelligentes. Per hoc enim quod species alicuius est in intellectu, non sequitur quod se ipsum intelligat, sed quod intelligatur: non enim lapis intelligit, etiam si eius species sit in intellectu possibili. Neque igitur per hoc quod species phantasmatum quae sunt in nobis, sunt in intellectu possibili, sequitur quod nos simus intelligentes, sed magis quod nos simus intellecti, vel potius phantasmata quae sunt in nobis.

Hoc autem evidentius apparet, si quis consideret comparationem quam facit Aristoteles in III De anima, dicens, quod intellectus se habct ad phantasmata sicut visus ad colores. Manifestum est autem quod per hoc quod species colorum qui sunt in pariete, sunt in visu, non habet paries quod videat, sed magis videatur. Neque ergo etiam ex hoc quod species phantasmatum quae sunt in nobis, fiunt in intellectu, sequitur quod nos simus intelligentes, sed quod simus intellecti.

Amplius, si nos per intellectum formaliter intelligimus, oportet quod ipsum intelligere intellectus, sit intelligere hominis, sicut eadem est calefactio ignis et caloris. Si igitur idem est intellectus numero in me et in te, sequitur de necessitate quod respectu eiusdem intelligibilis sit idem intelligere meum et tuum, dum

scilicet simul aliquid idem intelligimus; quod est impossibile: non enim diversorum operantium potest
esse una et eadem numero operatio. Impossibile est
igitur quod sit unus intellectus in omnibus. Sequitur
ergo quod si intellectus est incorruptibilis, ut ostensum est, quod destructis corporibus remaneant plures
intellectus secundum numerum hominum.

Ea vero quae in contrarium obiiciuntur, facile est
solvere.

Prima enim ratio multipliciter deficit. Primo quidem concedimus idem esse intellectum ab omnibus hominibus: dico autem intellectum id quod est intellectus obiectum; obiectum autem intellectus non est species intelligibilis, sed quidditas rei. Non enim scientiae intellectuales omnes sunt de speciebus intelligibilibus, sed sunt de naturis rerum, sicut etiam obiectum visus est color, non species coloris, quae est in oculo. Quamvis igitur sint plures intellectus diversorum hominum, non tamen est nisi unum intellectum apud omnes, sicut unum coloratum est quod a diversis inspicientibus videtur. Secundo, quia non est necessarium, si aliquid est individuum, quod sit intellectum in potentia et non in actu, sed hoc est verum in illis tantum quae individuantur per materiam: oportet enim illud quod est intellectum in actu, esse immateriale. Unde substantiae immateriales, licet sint quaedam individua per se existentia, sunt tamen intellecta in actu: unde et species intelligibiles, quae sunt immateriales, licet sint aliae numero in me et in te, non propter hoc perdunt quin sint intelligibiles actu; sed intellectus intelligens per eas suum obiectum reflectitur supra se ipsum intelligendo ipsum suum intelligere, et speciem qua intelligit. Deinde considerandum est, quod si ponatur unus intellectus omnium hominum, adhuc est eadem difficultas, quia adhuc remanet multitudo intellectuum, cum sint plures substantiae separatae intelligentes, et ita sequeretur secundum eorum rationem quod intellecta essent secundum numerum diversa, et per consequens individualia, et non intellecta in actu primo. Patet igitur quod praemissa ratio si aliquid necessitatis haberet, auferret pluralitatem intellectuum simpliciter, et non sōlum in hominibus. Unde cum haec conclusio sit falsa, manifestum est quod ratio non ex necessitate concludit.

Secunda ratio solvitur facile, si quis consideret differentiam intellectualis animae ad substantias separatas. Anima enim intellectiva ex natura suae speciei hoc habet ut uniatur alicui corpori ut forma, unde et in definitione animae cadit corpus, et propter hoc secundum habitudinem ad diversa corpora diversificantur animae secundum numerum, quod non est in substantiis separatis.

Ex quo etiam patet qualiter tertia ratio sit solvenda. Non enim anima intellectiva ex natura suae speciei habet corpus partem sui, sed unibilitatem ad ipsum: unde per hoc quod est unibilis diversis corporibus, diversificatur secundum numerum, quod etiam manet in animabus, corporibus destructis: sunt enim unibiles corporibus diversis, licet non actu unitae.

Capitulus 86

De intellectu agente, quod non est unus in omnibus

Fuerunt autem quidam, qui licet concederent intellectum possibilem diversificari in hominibus, posuerunt tamen intellectum agentem unum respectu omnium esse. Quae quidem opinio licet sit tolerabilior quam praemissa, similibus tamen rationibus confutari potest.

Est enim actio intellectus possibilis recipere intellecta et intelligere ea; actio autem intellectus agentis facere intellecta in actu abstrahendo ipsa. Utrumque autem horum huic homini convenit: nam hic homo, ut Socrates vel Plato, et recipit intellecta, et abstrahit, et intelligit abstracta. Oportet igitur quod tam intellectus possibilis quam intellectus agens uniatur huic homini ut forma, et sic oportet quod uterque multiplicetur numero secundum numerum hominum.

Item. Agens et patiens oportet esse ad invicem proportionata, sicut materia et forma, nam materia fit in actu ab agente; et inde est quod cuilibet potentiae passivae respondet potentia activa sui generis. Actus enim et potentia unius generis sunt. Intellectus autem agens comparatur ad possibilem sicut potentia activa ad passivam, ut ex dictis patet. Oportet igitur utrumque esse unius generis. Cum igitur intellectus possibilis non sit secundum esse separatus a nobis, sed unitus nobis ut forma, et multiplicetur secundum multitudinem hominum, ut ostensum est, necesse est etiam quod intellectus agens sit aliquid unitum nobis formaliter, et multiplicetur secundum numerum hominum.

Capitulus 87

Quod intellectus possibilis et agens fundantur in essentia animae

Cum autem intellectus agens et possibilis nobis formaliter uniantur, necesse est dicere quod in eadem essentia animae conveniant. Omne enim quod alicui unitur formaliter, unitur eī per modum formae substantialis, aut per modum formae accidentalis. Si igitur intellectus possibilis et agens uniantur homini per modum formae substantialis, cum unius rei non sit nisi una forma substantialis, necesse est dicere quod intellectus possibilis et agens conveniant in una essentia formae, quae est anima. Si vero uniantur homini per modum formae accidentalis, manifestum est quod neutrum potest esse accidens corpori; et ex hoc quod operationes eorum sunt absque organo corporali, ut supra ostensum est, sequitur quod uterque eorum sit accidens animae. Non est autem in uno homine nisi una anima. Oportet igitur quod intellectus agens et possibilis in una essentia animae conveniant.

Item. Omnis actio quae est propria alicui speciei, est a principiis consequentibus formam quae dat speciem. Intelligere autem est operatio propria humanae speciei. Oportet igitur quod intellectus agens et possibilis, qui sunt principia huius operationis, sicut os-

126

tensum est, consequantur animam humanam, a qua homo habet speciem. Non autem sic consequuntur eam quasi ab ipsa procedentia in corpus, quia, ut ostensum est, praedicta operatio est sine organo corporali. Cuius autem est potentia, eius et actio. Relinquitur ergo quod intellectus possibilis et agens conveniant in una essentia animae.

Capitulus 88

Qualiter istae duae potentiae conveniant in una essentia animae

Considerandum autem relinquitur quomodo hoc possit esse. Videtur enim circa hoc aliqua difficultas suboriri. Intellectus enim possibilis est in potentia ad omnia intelligibilia. Intellectus autem agens facit intelligibilia in potentia esse intelligibilia in actu, et sic oportet quod comparetur ad ea sicut actus ad potentiam. Non videtur autem possibile quod idem respectu eiusdem sit in potentia et in actu. Sic igitur impossibile videtur quod in una substantia animae conveniant intellectus possibilis et agens.

Haec autem dubitatio de facili solvitur, si quis consideret qualiter intellectus possibilis sit in potentia respectu intelligibilium, et qualiter intellectus agens faciat ea esse in actu. Est enim intellectus possibilis in potentia ad intelligibilia secundum quod non habet in sui natura aliquam determinatam formam rerum sensibilium, sicut pupilla est in potentia ad omnes colores. Inquantum ergo phantasmata a rebus sensibilibus abstracta sunt similitudines determinatarum rerum sensibilium, comparantur ad intellectum possibilem sicut actus ad potentiam: sed tamen phantasmata sunt in potentia ad aliquid quod anima intellectiva habet in actu, scilicet esse abstractum a materialibus conditionibus. Et quantum ad hoc anima intellectiva comparatur ad ipsam ut actus ad potentiam. Non est autem inconveniens quod aliquid respectu eiusdem sit in actu et in potentia secundum diversa: propter hoc enim naturalia corpora agunt et patiuntur ad invicem, quia utrumque est in potentia respectu alterius. Sic igitur non est inconveniens quod eadem anima intellectiva sit in potentia respectu omnium intelligibilium, prout ponitur in ea intellectus possibilis, et comparetur ad ea ut actus, prout ponitur in ea intellectus agens.

Et hoc manifestius apparebit ex modo quo intellectus facit intelligibilia in actu. Non enim intellectus agens sic facit intelligibilia in actu quasi ab ipso ef-

129

fluant in intellectum possibilem. Sic enim non indigeremus phantasmatibus et sensu ad intelligendum; sed facit intelligibilia in actu abstrahendo ea a phantasmatibus, sicut lumen facit quodammodo colores in actu, non quasi habeat eos apud se, sed inquantum dat eis quodammodo visibilitatem. Sic igitur aestimandum est unam esse animam intellectivam quae caret naturis rerum sensibilium et potest eas recipere per modum intelligibilem, et quae phantasmata facit intelligibilia in actu abstrahendo ab eis species intelligibiles. Unde potentia eius secundum quam est receptiva intelligibilium specierum, dicitur intellectus possibilis; potentia autem eius secundum quam abstrahit species intelligibiles a phantasmatibus, vocatur intellectus agens, qui est quasi quoddam lumen intelligibile, quod anima intellectiva participat ad imitationem superiorum substantiarum intellectualium.

Capitulus 89

Quod omnes potentiae in essentia animae radicantur

Non sōlum autem intellectus agens et possibilis in una essentia animae humanae conveniunt, sed etiam omnes aliae potentiae, quae sunt principia operationum animae. Omnes enim huiusmodi potentiae quodammodo in anima radicantur: quaedam quidem, sicut potentiae vegetativae et sensitivae partis, in anima sunt sicut in principio, in coniuncto autem sicut in subiecto, quia earum operationes coniuncti sunt, et non sōlum animae: cuius est enim actio, eius est potentia; quaedam vero sunt in anima sicut in principio et in subiecto, quia earum operationes sunt animae absque organo corporali, et huiusmodi sunt potentiae intellectivae partis. Non est autem possibile esse plures animas in homine. Oportet igitur quod omnes potentiae animae ad eamdem animam pertineant.

Capitulus 90

Quod unica est anima in uno corpore

Quod autem impossibile sit esse plures animas in uno corpore, sic probatur. Manifestum est enim animam esse formam substantialem habentis animam, ex hoc quod per animam animatum genus et speciem sortitur. Impossibile est autem plures formas substantiales eiusdem esse rei. Forma enim substantialis in hoc differt ab accidentali, quia forma substantialis facit esse hoc aliquid simpliciter; forma autem accidentalis advenit eī quod iam est hoc aliquid, et facit ipsum esse quale vel quantum, vel qualiter se habens. Si igitur plurcs formae substantiales sint unius et eiusdem rei, aut prima earum facit hoc aliquid, aut non. Si non facit hoc aliquid, non est forma substantialis. Si autem facit hoc aliquid, ergo omnes formae consequentes adveniunt eī quod iam est hoc aliquid. Nulla igitur consequentium erit forma substantialis, sed accidentalis. Sic igitur patet quod impossibile est formas substantiales esse plures unius et eiusdem rei. Neque igitur possibile est plures animas in uno et eodem esse.

Adhuc: patet quod homo dicitur vivens secundum quod habet animam vegetabilem, animal autem secundum quod habet animam sensitivam, homo autem secundum quod habet animam intellectivam. Si igitur sunt tres animae in homine, scilicet vegetabilis, sensibilis et rationalis, sequitur quod homo secundum aliam animam ponatur in genere, et secundum aliam speciem sortiatur. Hoc autem est impossibile: sic enim ex genere et differentia non fieret unum simpliciter, sed unum per accidens, vel quasi congregatum, sicut musicum et album, quod non est esse unum simpliciter. Necesse est igitur in homine unam tantum animam esse.

Capitulus 91

Rationes quae videntur probare quod in homine sunt plures animae

Videntur autem quaedam huic sententiae adversari. Primo quidem quia differentia comparatur ad genus ut forma ad materiam. Animal autem est genus hominis, rationale autem est differentia constitutiva eius. Cum igitur animal sit corpus animatum anima sensitiva, videtur quod corpus animatum anima sensitiva adhuc sit in potentia respectu animae rationalis, et sic anima rationalis esset anima alia a sensitiva.

Item. Intellectus non habet organum corporale; sensitivae autem potentiae et nutritivae habent organum corporale. Impossibile igitur videtur quod eadem anima sit et intellectiva et sensitiva, quia non potest esse idem separatum et non separatum.

Adhuc. Anima rationalis est incorruptibilis, ut supra ostensum est, vegetabilis autem anima et sensibilis sunt corruptibiles, quia sunt actus corruptibilium organorum. Non est igitur eadem anima vegetabilis et sensibilis et rationalis, cum impossibile sit idem esse corruptibile et incorruptibile.

Praeterea. In generatione hominis apparet vita, quae est per animam vegetabilem, antequam conceptum appareat esse animal per sensum et motum, et prius demonstratur animal esse per motum et sensum quam habeat intellectum. Si igitur est eadem anima per quam conceptum primo vivit vita plantae, secundo vita animalis, et tertio vita hominis, sequeretur quod vegetabilis, sensibilis et rationalis sint ab exteriori principio, vel etiam intellectiva sit ex virtute quae est in semine. Utrumque autem horum videtur inconveniens: quia cum operationes animae vegetabilis et sensibilis non sint sine corpore, nec earum principia sine corpore possunt esse; operatio autem animae intellectivae est sine corpore, et sic impossibile videtur quod aliqua virtus in corpore sit eius causa. Impossibile igitur videtur quod eadem anima sit vegetabilis, sensibilis et rationalis.

Capitulus 92

Solutio rationum praemissarum

Ad huiusmodi igitur dubitationes tollendas considerandum est, quod sicut in numeris species diversificantur per hoc quod una earum super alteram addit, ita etiam in rebus materialibus una species aliam in perfectione excedit. Quidquid enim perfectionis est in corporibus inanimatis, hoc habent plantae, et adhuc amplius; et rursus quod habent plantae, habent animalia, et aliquid plus; et sic quousque veniatur ad hominem, qui est perfectissimus inter creaturas corporeas. Omne autem quod est imperfectum, se habet ut materia respectu perfectioris. Et hoc quidem in diversis manifestum est.

Nam elementa sunt materia corporum similium partium; et rursus corpora similium partium sunt materia respectu animalium. Et similiter in uno et eodem considerandum est. Quod enim in rebus naturalibus ad altiorem gradum perfectionis attingit, per suam formam habet quidquid perfectionis convenit inferiori naturae, et per eamdem habet id quod eidem de perfectione superadditur, sicut planta per suam animam habet quod sit substantia, et quod sit corporea, et ulterius quod sit animatum corpus. Animal autem per suam animam habet haec omnia, et ultra, quod sit sentiens; homo autem super haec omnia habet per suam animam quod sit intelligens. Si igitur in re aliqua consideretur id quod ad inferioris gradus perfectionem pertinet, erit materiale respectu eius quod pertinet ad perfectionem superioris gradus, puta, si consideretur in animali quod habet vitam plantae, hoc est quodammodo materiale respectu eius quod pertinet ad vitam sensitivam, quae est propria animali.

Genus autem non est materia, alioquin non praedicaretur de toto, sed est aliquid a materia sumptum: denominatio enim rei ab eo quod est materiale in ipsa, est genus eius; et per eumdem modum differentia sumitur a forma. Et propter hoc, corpus vivum seu animatum, est genus animalis, sensibile autem differentia constitutiva ipsius; et similiter animal est genus hominis, et rationale differentia constitutiva eius. Quia igitur forma superioris gradus habet in se omnes perfectiones inferioris gradus, non est alia forma secundum rem a qua sumitur genus, et a qua sumitur differentia, sed ab eadem forma, secundum quod habet inferioris gradus perfectionem, sumitur genus; secundum vero quod habet perfectionem superioris gradus, sumitur ab ea differentia. Et sic patet quod quamvis animal sit genus hominis, et rationale sit differentia constitutiva eius, non tamen oportet quod sit in homine alia anima sensitiva et alia intellectiva, ut prima ratio obiiciebat.

Per eadem autem apparet solutio secundae rationis. Dictum est enim quod forma superioris speciei comprehendit in se omnes inferiorum graduum perfectiones. Considerandum est autem, quod tanto species materialis est altior, quanto minus fuerit materiae subiecta, et sic oportet quod quanto aliqua forma est nobilior, tanto magis super materiam elevetur: unde anima humana, quae est nobilissima materialium formarum, ad summum elevationis gradum pertingit, ut scilicet habeat operationem absque communicatione materiae corporalis; tamen quia eadem anima inferiorum graduum perfectiones comprehendit, habet nihilominus et operationes in quibus communicat materia corporalis. Manifestum est autem quod operatio procedit a re secundum eius virtutem. Oportet igitur quod anima humana habeat aliquas vires sive potentias quae sunt principia operationum quae exercentur per corpus, et has oportet esse actus aliquarum partium corporis, et huiusmodi sunt potentiae vegetativae et sensitivae partis. Habet etiam aliquas potentias quae sunt principia operationum quae sine corpore exercentur, et huiusmodi sunt intellectivae partis potentiae, quae non sunt actus aliquorum organorum. Et ideo intellectus tam possibilis quam agens dicitur separatus, quia non habent organa quorum sunt actus, sicut visus et auditus, sed sunt tantum in anima, quae est corporis forma. Unde non oportet, propter hoc quod intellectus dicitur separatus et caret organo corporali, non autem sensus, quod alia sit anima intellectiva et sensitiva in homine.

Ex quo etiam patet quod nec ex hoc cogimur ponere aliam animam intellectivam et aliam sensitivam in homine, quia anima sensitiva est corruptibilis, intellectiva incorruptibilis, ut alia ratio procedebat. Esse enim incorruptibile competit intellectivae parti inquantum est separata. Sicut igitur in eadem essentia animae fundantur potentiae quae sunt separatae, ut dictum est, et non separatae, ita nihil prohibet quasdam potentiarum animae simul cum corpore deficere, quasdam autem incorruptibiles esse.

Secundum etiam praedicta patet solutio quartae obiectionis. Nam omnis motus naturalis paulatim ex imperfecto ad perfectum procedit; quod tamen aliter accidit in alteratione et generatione. Nam eadem qualitas suscipit magis et minus: et ideo alteratio, quae est motus in qualitate, una et continua existens, de potentia ad actum procedit de imperfecto ad perfectum. Forma vero substantialis non recipit magis et minus, quia esse substantiale uniuscuiusque est indivisibiliter se habens. Unde naturalis generatio non procedit continue per multa media de imperfecto ad perfectum, sed oportet esse ad singulos gradus perfectionis novam generationem et corruptionem. Sic igitur in generatione hominis conceptum quidem primo vivit vita plantae per animam vegetabilem; deinde remota hac forma per corruptionem, acquirit quadam alia generatione animam sensibilem, et vivit vita animalis; deinde remota hac anima per corruptionem, introducitur forma ultima et completa, quae est anima rationalis, comprehendens in se quidquid perfectionis in praecedentibus formis erat.

Capitulus 93

De productione animae rationalis, quod non sit ex traductione

Haec autem ultima et completa forma, scilicet anima rationalis, non educitur in esse a virtute quae est in semine, sed a superiori agente. Virtus enim quae est in semine, est virtus corporis cuiusdam. Anima autem rationalis excedit omnem corporis naturam et virtutem, cum ad eius intellectualem operationem nullum corpus pertingere possit. Cum igitur nihil agat ultra suam speciem, eo quod agens est nobilius patiente, et faciens facto, impossibile est quod virtus alicuius corporis producat animam rationalem: neque igitur virtus quae est in semine.

Adhuc. Secundum quod unumquodque habet esse de novo, sic de novo competit eī fieri: nam eius est fieri cuius est et esse, ad hoc enim aliquid fit ut sit. Eis igitur quae secundum se habent esse, competit per se fieri, sicut rebus subsistentibus; eis autem quae per se non habent esse, non competit per se fieri, sicut accidentibus, et formis materialibus. Anima autem rationalis secundum se habet esse, quia secundum se habet operationem, ut ex dictis patet. Animae igitur rationali secundum se competit fieri. Cum igitur non sit composita ex materia et forma, ut supra ostensum est, sequitur quod non possit educi in esse nisi per creationem. Solius autem Dei est creare, ut supra ostensum est. A solo igitur Deo anima rationalis in esse producitur.

Hoc etiam rationabiliter accidit. Videmus enim in artibus ad invicem ordinatis, quod suprema ars inducit ultimam formam; artes autem inferiores disponunt materiam ad ultimam formam. Manifestum est autem quod anima rationalis est ultima et perfectissima forma quam potest consequi materia generabilium et corruptibilium. Convenienter igitur naturalia agentia in inferiora causant praecedentes dispositiones et formas; supremum vero agens, scilicet Deus, causat ultimam formam, quae est anima rationalis.

Capitulus 94

Quod anima rationalis non est de substantia Dei

Non tamen credendum est animam rationalem esse de substantia Dei, secundum quorumdam errorem. Ostensum est enim supra quod Deus simplex et indivisibilis est. Non igitur animam rationalem corpori unit quasi eamdem a sua substantia separando.

Item. Ostensum est supra quod impossibile est Deum esse formam alicuius corporis. Anima autem rationalis unitur corpori ut forma. Non igitur est de substantia Dei.

Adhuc. Ostensum est supra quod Deus non movetur neque per se neque per accidens, cuius contrarium in anima rationali apparet: mutatur enim de ignorantia ad scientiam, et de vitio ad virtutes. Non est igitur de substantia Dei.

Capitulus 95

Quod illa quae dicuntur inesse a virtute extrinseca, sunt immediate a Deo

Ex his autem quae supra ostensa sunt, ex necessitate concluditur, quod illa quae non possunt produci in esse nisi per creationem, a Deo immediate sint. Manifestum est autem quod corpora caelestia non possunt produci in esse nisi per creationem. Non enim potest dici quod ex materia aliqua praeiacenti sunt facta, quia sic essent generabilia et corruptibilia et contrarietati subiecta, quod eis non competit, ut motus eorum declarat: moventur enim circulariter, motus autem circularis non habet contrarium. Relinquitur igitur quod corpora caelestia sint immediate in esse a Deo producta.

Similiter etiam elementa secundum se tota non sunt ex aliqua materia praeiacenti, quia illud quod praeexisteret, haberet aliquam formam; et sic oporteret quod aliquod corpus aliud ab elementis esset prius eis in ordine causae materialis. Si tamen materia praeexistens elementis haberet formam aliam, oporteret quod unum eorum esset aliis prius in eodem ordine, si materia praecedens formam elementi haberet formam aliam. Oportet igitur etiam ipsa elementa immediate esse a Deo producta.

Multo igitur magis impossibile est substantias incorporeas et invisibiles ab aliquo alio creari: omnes enim huiusmodi substantiae immateriales sunt. Non enim potest esse materia nisi dimensioni subiecta, secundum quam materia distinguitur, ut ex una materia fieri possint. Unde impossibile est quod ex materia praeiacenti causentur. Relinquitur igitur quod per creationem sōlum a Deo producuntur in esse: et propter hoc fides catholica confitetur Deum esse *creatorem caeli et terrae, et omnium visibilium,* nec non etiam *invisibilium.*

Capitulus 96

Quod Deus nōn agit nātūrālī necessitāte, sed ā voluntāte

Ex hōc autem ostenditur quod Deus rēs in esse prōdūxerit nōn nātūrālī necessitāte, sed voluntāte. Ab ūnō enim nātūrālī agente nōn est immediātē nisi ūnum; agēns autem voluntārium dīversa prōdūcere potest: quod ideō est, quia omne agēns agit per suam fōrmam. Fōrma autem nātūrālis, per quam nātūrāliter aliquid agit, ūnīus ūna est; fōrmae autem intellēctīvae, per quās aliquid voluntāte agit, sunt plūrēs. Cum igitur ā Deō immediātē plūrā prōdūcantur in esse, ut iam ostēnsum est, manifestum est quod Deus in esse rēs prōdūxit voluntāte, et nōn nātūrālī necessitāte.

Adhūc. Agēns per intellēctum et voluntātem est prius in ordine agentium agente per necessitātem nātūrae: nam agēns per voluntātem praestituit sibi fīnem propter quem agit; agēns autem nātūrāle agit propter fīnem sibi ab aliō praestitūtum. Manifestum est autem ex praemissīs, Deum esse prīmum agēns. Est igitur agēns per voluntātem, et nōn per necessitātem nātūrae.

Item. Ostēnsum est in superiōribus, Deum esse īnfīnītae virtūtis. Nōn igitur dēterminātur ad hunc effectum vel illum, sed indēterminātē sē habet ad omnēs. Quod autem indētermināte sē habet ad dīversōs effectūs, dēterminātur ad ūnum prōdūcendum per dēsīderium, vel per dēterminātiōnem voluntātis; sīcut homō quī potest ambulāre et nōn ambulāre, quandō vult ambulat. Oportet igitur quod effectūs ā Deō prōcēdant secundum dēterminātiōnem voluntātis. Nōn igitur agit per necessitātem nātūrae, sed per voluntātem. Inde est quod fidēs catholica Deum omnipotentem nōn sōlum creātōrem, sed etiam factōrem nōminat: nam facere propriē est artificis quī per voluntātem operātur. Et quia omne agēns voluntārium, per conceptiōnem suī intellēctūs agit, quae verbum ipsīus dicītur, ut suprā ostēnsum est, Verbum autem Deī Fīlius est: ideō fidēs catholica cōnfitētur dē Fīliō, quod per eum omnia facta sunt.

Capitulus 97

Quod Deus in suā āctiōne est immūtābilis

Ex hōc autem quod voluntāte rēs in esse prōdūcit, manifestum est quod absque suī mūtātiōne rēs dē novō in esse prōdūcere potest. Haec est enim differentia inter agēns nātūrāle et agēns voluntārium: quod agēns nātūrāle eōdem modō agit quamdiū eōdem modō sē habet, eō quod quale est, tālia agit; agēns autem voluntārium agit quālia vult. Potest autem contingere absque eius mūtātiōne quod velit nunc agere, et prius nōn agere. Nihil enim prohibet adesse alicuī voluntātem dē operandō in posterum, etiam quandō nōn operātur, absque suī mūtātiōne. Ita absque Deī mūtātiōne contingere potest quod Deus, quamvis sit aeternus, rēs in esse prōdūxerit nōn ab aeternō.

Capitulus 98

Ratio probans motum ab aeterno fuisse, et solutio eius

Videtur autem quod si Deus voluntate aeterna et immutabili novum effectum producere possit, tamen oporteat quod novum effectum aliquis motus praecedat. Non enim videmus quod voluntas illud quod vult facere, retardet, nisi propter aliquid quod nunc est et cessat in posterum, vel quod non est, et expectatur futurum; sicut homo in aestate habet voluntatem ut induat se aliquo indumento, quod tamen ad praesens induere non vult, sed in futurum, quia nunc est calor, qui cessabit frigore adveniente in posterum.

Si igitur Deus ab aeterno voluit aliquem effectum producere, et non ab aeterno produxit, videtur quod vel aliquid expectaretur futurum quod nondum erat, vel esset aliud auferendum, quod tunc erat. Neutrum autem horum sine motu contingere potest. Videtur igitur quod a voluntate praecedente non posset effectus aliquis produci in posterum nisi aliquo motu praecedente: et sic si voluntas Dei fuit aeterna de rerum productione, et res non sunt ab aeterno productae, oportet quod earum productionem praecedat motus, et per consequens mobilia; quae si a Deo producta sunt, et non ab aeterno, iterum oportet praeexistere alios motus et mobilia usque in infinitum.

Huius autem obiectionis solutio facile potest perpendi, si quis differentiam consideret universalis et particularis agentis. Nam agens particulare habet actionem proportionatam regulae et mensurae quam agens universale praestituit, quod quidem in civilibus apparet. Nam legislator proponit legem quasi regulam et mensuram, secundum quam iudicari oportet ab aliquo particulari iudice. Tempus autem est mensura actionum quae fiunt in tempore. Agens enim particulare habet actionem tempori proportionatam, ut scilicet nunc et non prius agat propter aliquam determinatam rationem. Agens autem universale, quod Deus est, huiusmodi mensuram, quae tempus est, instituit, et secundum suam voluntatem. Inter res igitur productas a Deo etiam tempus est. Sicut igitur talis est uniuscuiusque rei quantitas et mensura, qualem Deus eī tribuere voluit, ita et talis est quantitas temporis qualem eī Deus dare voluit: ut scilicet tempus et ea quae sunt in tempore tunc inciperent quando Deus ea esse voluit.

Obiectio autem praemissa procedit de agente quod praesupponit tempus et agit in tempore, non autem instituit tempus. Quaestio ergo qua quaeritur quare voluntas aeterna producit effectum nunc, et non prius, praesupponit tempus praeexistens, nam nunc et prius partes sunt temporis. Circa universalem igitur rerum productionem, inter quas etiam consideratur tempus, non est quaerendum quare nunc et non prius, sed quare huius temporis voluit esse mensuram: quod ex divina voluntate dependet, cui indifferens est vel hanc quantitatem vel aliam tempori assignare. Quod quidem et circa quantitatem dimensivam mundi considerari potest. Non enim quaeritur quare Deus corporalem mundum in tali situ constituit et non supra vel subtus vel secundum aliam positionis differentiam, quia non est locus extra mundum; sed hoc ex divina voluntate provenit quod talem quantitatem mundo corporali tribueret, ut nihil eius esset extra hunc situm secundum quamcumque positionis differentiam.

Licet autem ante mundum tempus non fuerit, nec extra mundum sit locus, utimur tamen tali modo loquendi, ut si dicamus, quod antequam mundus esset, nihil erat nisi Deus, et quod extra mundum non est aliquod corpus, non intelligentes per ante et extra, tempus aut locum nisi secundum imaginationem tantum.

Capitulus 99

Rationes ostendentes quod est necessarium materiam ab aeterno creationem mundi praecessisse, et solutiones earum

Videtur autem quod etsi rerum perfectarum productio ab aeterno non fuerit, quod materiam necesse sit ab aeterno fuisse. Omne enim quod habet esse post non esse, mutatur de non esse ad esse. Si igitur res creatae, ut puta caelum et terra et alia huiusmodi, ab aeterno non fuerint, sed inceperunt esse postquam non fuerant, necesse est dicere eas mutatas esse de non esse ad esse. Omnis autem mutatio et motus subiectum aliquod habet: est enim motus actus existentis in potentia; subiectum autem mutationis per quam aliqua res in esse producitur, non est ipsa res producta, hoc enim est terminus motus; non est autem idem motus terminus et subiectum; sed subiectum praedictae mutationis est id quo res producitur, quod materia dicitur. Videtur ergo, si res in esse productae sint postquam non fuerant, quod oporteat eis materiam praeextitisse: quae si iterum producta est postquam non fuerat, oportet quod habeat aliam materiam praecedentem. Non autem est procedere in infinitum. Relinquitur igitur quod oporteat devenire ad aliquam materiam aeternam, quae non sit producta postquam non fuerat.

Item. Si mundus incepit postquam non fuerat, antequam mundus esset, aut erat possibile mundum esse vel fieri, aut non possibile. Si autem non possibile erat esse vel fieri, ergo ab aequipollenti impossibile erat mundum esse vel fieri. Quod autem impossibile est fieri, necesse est non fieri. Necesse est igitur mundum non esse factum. Quod cum manifeste sit falsum, necesse est dicere, quod si mundus incepit esse postquam non fuerat, quod possibile erat antequam esset, ipsum esse vel fieri. Erat igitur aliquid in potentia ad fieri et esse mundi. Quod autem est in potentia ad fieri et esse alicuius, est materia eius, sicut lignum se habet ad scamnum. Sic igitur videtur quod necesse est materiam semper fuisse, etiam si mundus semper non fuit.

Sed cum ostensum sit supra quod etiam materia non est nisi a Deo, pari ratione fides catholica non confitetur materiam esse aeternam, sicut nec mundum aeternum. Oportet enim hoc modo exprimi in ipsis rebus causalitatem divinam, ut res ab eo productae esse inciperent postquam non fuerant. Hoc enim evidenter et manifeste ostendit eas non a se ipsis esse, sed ab aeterno auctore.

Non autem praemissis rationibus arctamur ad ponendum aeternitatem materiae: non enim universalis rerum productio proprie mutatio dici potest. In nulla enim mutatione subiectum mutationis per mutationem producitur, quia non est idem subiectum mutationis et terminus, ut dictum est. Cum igitur universalis productio rerum a Deo, quae creatio dicitur, se extendat ad omnia quae sunt in re, huiusmodi productio rationem mutationis proprie habere non potest, etiam si res creatae producantur in esse postquam non fuerant. Esse enim post non esse non sufficit ad veram rationem mutationis, nisi supponatur quod subiectum nunc sit sub privatione, et nunc sub forma: unde in quibusdam invenitur hoc post illud, in quibus proprie ratio motus aut mutationis non est, sicut cum dicitur quod ex die fit nox. Sic igitur etsi mundus esse inceperit postquam non fuerat, non oportet quod hoc per aliquam mutationem sit factum, sed per creationem, quae vere mutatio non est, sed quaedam relatio rei creatae, a creatore secundum suum esse dependentis, cum ordine ad non esse praecedens. In omni enim mutatione oportet esse aliquid idem, aliter et aliter se habens, utpote quod nunc sit sub uno extremo, et postmodum sub alio: quod quidem in creatione secundum rei veritatem non invenitur, sed sōlum secundum imaginationem, prout imaginamur unam et eamdem rem prius non fuissc, et postmodum esse: et sic secundum quamdam similitudinem creatio mutatio dici potest.

Similiter etiam secunda obiectio non cogit. Licet enim verum sit dicere quod antequam mundus esset, possibile erat mundum esse vel fieri, non tamen oportet hoc secundum aliquam potentiam dici. Dicitur enim possibile in enuntiabilibus quod significat aliquem modum veritatis: quod scilicet neque est necessarium neque impossibile: unde huiusmodi possibile non secundum aliquam potentiam dicitur, ut philosophus docet in VII Metaphys. Si autem secundum aliquam potentiam dicitur possibile mundum esse, non est necessarium quod dicatur secundum potentiam passivam, sed secundum potentiam activam: ut quod dicitur, quod mundum possibile fuit esse antequam esset, sic intelligatur quod Deus potuit mundum in esse producere antequam produceret: unde non cogimur ponere materiam praeextitisse mundo. Sic ergo fides catholica nihil Deo coaeternum ponit, et propter hoc creatorem et factorem omnium visibilium et invisibilium confitetur.

Capitulus 100

Quod Deus operātur omnia propter fīnem

Quōniam autem suprā ostēnsum est quod Deus rēs in esse prōdūxit nōn per necessitātem nātūrae, sed per intellēctum et voluntātem, omne autem tāle agēns agit propter fīnem, operātīvī enim intellēctus fīnis prīncipium est: necesse est igitur omnia quae ā Deō sunt facta, propter fīnem esse.

operātīvus -a -um < operārī

Adhūc. Prōductiō rērum ā Deō optimē facta est: optimī enim est optimē facere ūnumquodque. Melius est autem fierī aliquid propter fīnem quam absque fīnis intentiōne: ex fīne enim est ratiō bonī in hīs quae fiunt. Sunt igitur rēs ā Deō factae propter fīnem.

Huius etiam signum appāret in hīs quae ā nātūra aguntur, quōrum nihil in vānum est, sed propter fīnem ūnumquodque. Inconveniēns autem dīcere est, magis ōrdināta esse quae fiunt ā nātūra quam ipsa īnstitūtiō nātūrae ā prīmō agente, cum totus ōrdō nātūrae exinde dērīvētur. Manifestum est igitur rēs ā Deō prōductās esse propter fīnem.

īnstitūtiō -ōnis *f* < īnstituere

Capitulus 101

Quod ultimus fīnis omnium est dīvīna bonitās

Oportet autem ultimum fīnem rērum dīvīnam bonitātem esse. Rērum enim factārum ab aliquō agente per voluntātem, ultimus fīnis est quod est prīmō et per sē volitum ab agente, et propter hoc agit agēns omne quod agit. Prīmum autem volitum dīvīnae voluntātis est eius bonitās, ut ex superiōribus patet. Necesse est igitur omnium rērum factārum ā Deō, ultimum fīnem dīvīnam bonitātem esse.

Item. Fīnis generātiōnis unīuscuiusque rēī generātae est fōrma eiusdem, hac enim adepta generātiō quiēscit. Ūnumquodque enim generātum, sīve per artem sīve per nātūram, secundum suam fōrmam simulātur aliquō modō agenti, nam omne agēns agit aliquāliter sibi simile. Domus enim quae est in māteriā, prōcēdit ā domō quae est in mente artificis. In nātūrālibus etiam homō generat hominem; et sī aliquid sit genitum vel factum secundum nātūram, quod nōn sit simile generantī secundum speciem, simulātur tamen suīs agentibus sīcut imperfectum perfectō. Ex hōc enim contingit quod generātum generantī secundum speciem nōn simulātur, quia ad eius perfectam similitūdinem nōn possit pervenīre, sed aliquāliter eam imperfectē participat; sīcut animālia et plantae quae generantur ex vir-

simulāre : alquid simile facere

sī aliquid : sī quid

157

tūte sōlis. Omnium igitur quae fiunt, fīnis generātiōnis sīve perfectiōnis est fōrma facientis vel generantis, ut scīlicet ad eius similitūdinem perveniātur. Fōrma autem primi agentis, scīlicet Deī, nōn est aliud quam eius bonitās. Propter hoc igitur omnia facta sunt ut dīvīnae bonitātī assimulentur.

Capitulus 102

Quod dīvīna assimulātiō est dīversitātis causa in rēbus

Ex hōc igitur accipienda est ratiō dīversitātis et distīnctiōnis in rēbus. Quia enim dīvīnam bonitātem perfectē repraesentārī impossibile fuit propter distantiam ūnīuscuiusque creātūrae ā Deō, necessārium fuit ut repraesentārētur per multa, ut quod dēest ex ūnō, supplērētur ex aliō. Nam et in conclūsiōnibus syllogisticīs quandō per ūnum medium nōn sufficienter dēmōnstrātur conclūsiō, oportet media multiplicārī ad conclūsiōnis manifestātiōnem, ut in syllogismīs dialecticus accidit. Nec tōta tamen ūniversitās creātūrārum perfectē dīvīnam bonitātem repraesentat per aequiparantiam, sed secundum perfectiōnem creātūrae possibilem.

sup-plēre (< sub+plēre) : in rēī absentis locum dare
syllogisticus -a -um = (*Lat*: *ratiōcinātīvus*) quī ad ratiōcinandum pertinet
sufficienter *adv* = satis

manifestātiō -ōnis *f* = āctiō manifestī faciendī
dialecticus -a -um quī ad artem ratiōcinandī pertinet

aequiparantia -ae *f* = *comparātiō* (< comparāre)

ūnitē *adv* = sīcut ūnus est
multipliciter *adv* : multīs modīs

distīnctē *adv* < distīnctus -a -um

in-distīnctus -a -um ↔ distīnctus

casuāliter *adv* = secundum casum
fortuītō *adv* = forte, sine cōnsiliō

causālis -e < causa

putā (imperātīvum) = cōnsīderā hoc

deinceps *adv* = alius post alium

numerōsus -a -um : multus, magnus

Item. Illud quod inest causae ūniversālī simpliciter et ūnitē, invenītur in effectibus multipliciter et distīnctē: nōbilius est enim aliquid in causā quam in effectibus. Dīvīna autem bonitās ūna et simplex prīncipium est et rādīx tōtius bonitātis quae in creātūrīs invenītur. Necesse est igitur sīc creātūrās dīvīnae bonitātī assimulārī sīcut multa et indistīncta assimulantur ūnī et simplicī. Sīc igitur multitūdō et distīnctiō prōvenit in rēbus nōn casuāliter aut fortuītō, sīcut nec rērum prōductiō est ā cāsū vel ā fortūna, sed propter fīnem. Ex eōdem enim prīncipiō est esse et ūnitās et multitūdō in rēbus. Neque enim distīnctiō rērum causātur ex māteriā: nam prīma rērum īnstitūtiō est per creātiōnem, quae māteriam nōn requīrit. Similiter quae sōlum ex necessitāte māteriae prōveniunt, casuālia esse videntur.

Similiter autem neque multitūdō in rēbus causātur propter ōrdinem mediōrum agentium, putā quod ab ūnō prīmō simplicī prōcēdere immediātē nōn potuerit nisi ūnum, distāns tamen ā prīmō in simplicitāte, ita quod ex eō iam prōcēdere potuerit multitūdō, et sīc deinceps quantō magis ā prīmō simplicī recēditur, tantō numerōsior multitūdō invenītur, ut aliquī posuērunt. Iam enim ostēnsum est quod plūra sunt quae in esse prōdīre nōn potuērunt nisi per creātiōnem, quae sōlīus Deī est, ut suprā ostēnsum est. Unde relinquitur quod ab ipsō Deō sunt plūra immediātē creāta.

Manifestum est etiam quod secundum hanc positiōnem, rērum multitūdō et distīnctiō casuālis esset, quasi nōn intenta ā prīmō agente. Est enim multitūdō rērum et distīnctiō ab intellēctū dīvīnō excōgitāta et īnstitūta in rēbus ad hoc quod dīversimodē dīvīna bonitās ā rēbus creātīs repraesentētur, et eam secundum dīversōs gradūs dīversa participārent, ut sīc ex ipsō dīversārum rērum ōrdine quaedam pulchritūdō resultet in rēbus quae dīvīnam sapientiam commendaret.

positiō -ōnis *f* < pōnere

intentus -a -um = attentus; + *dat*: i. reī = i. in rem

re-sultāre (< re-salire) : dēmōnstrārī

com-mendāre -āvisse -ātum (< cum + mandāre) = curandum et cūstōdiendum trādere (fideī alicuius)

Capitulus 103

Quod nōn sōlum dīvīna bonitās est causa rērum, sed etiam omnis mōtus et operātiōnis

operātiō -ōnis *f* < operārī

Nōn sōlum autem īnstitūtiōnis rērum fīnis est dīvīna bonitās, sed etiam omnis operātiōnis et mōtus creātūrae cuiuslibet necesse est dīvīnam bonitātem fīnem esse. Ūnumquodque enim quāle est tālia agit, sīcut calidum calefacit. Quaelibet autem rēs creāta secundum suam fōrmam similitūdinem quamdam participat dīvīnae bonitātis, ut ostēnsum est. Ergō et omnis āctiō et mōtus creātūrae cuiuslibet in dīvīnam bonitātem ōrdinātur sīcut in fīnem.

Praetereā. Omnis mōtus et operātiō reī cuiuslibet in aliquid perfectum tendere vidētur. Perfectum autem habet ratiōnem bonī, perfectiō enim cuiuslibet reī est bonitās eius. Omnis igitur mōtus et āctiō reī cuiuslibet ad bonum tendit. Bonum autem quodlibet est similitūdō quaedam summī bonī, sīcut et ēns quodlibet est similitūdō prīmī entis. Igitur mōtus et āctiō cuiuslibet reī tendit in assimulātiōnem bonitātis dīvīnae.

tendere = extendere, īre

Praetereā. Sī sint multa agentia ōrdinem habentia, necesse est quod omnium agentium āctiōnēs et mōtūs ōrdinentur in bonum prīmī agentis sīcut in fīnem ultimum. Cum enim ā superiōrī agente īnferiōra agentia moveantur, et omne movēns moveat ad fīnem proprium, oportet quod āctiōnēs et mōtus īnferiōrum agentium tendant in fīnem prīmī agentis: sīcut in exercitū omnium ōrdinum āctiōnēs ōrdinantur sīcut in ultimum ad victōriam, quae est fīnis ducis. Ostēnsum autem est suprā quod prīmum movēns et agēns est Deus; fīnis autem eius nōn est aliud quam sua bonitās, ut etiam suprā ostēnsum est. Necesse est igitur quod omnēs āctiōnēs et mōtūs quārumcumque creātūrārum sint propter dīvīnam bonitātem, nōn quidem causandam, neque augendam, sed suō modō acquirendam, participandō siquidem aliquam similitūdinem eius.

ad/ac-quīrere -īvisse -ītum = (< ad + quīrere) ↔ āmittere: novōs amīcōs a.

Dīvīnae autem bonitātis similitūdinem rēs creātae per suās operātiōnēs dīversimodē cōnsequuntur, sīcut et dīversimodē secundum suum esse ipsam repraesentant: ūnumquodque enim operātur secundum quod est. Quia igitur omnibus creātūrīs commūne est ut dīvīnam bonitātem repraesentent in quantum sunt, ita omnibus commūne est ut per operātiōnēs suās consequantur dīvīnam similitūdinem in cōnservātiōne suī esse et commūnicātiōne suī esse ad alterum. Ūnaquaeque enim creātūra in suā operātiōne prīmō quidem sē in esse perfectō secundum quod est possibile cōnservāre nītitur, in quō suō modō tendit in similitūdinem dīvīnae perpetuitātis. Secundō vērō per suam operātiōnem unaquaeque creātūra suum esse perfectum alteri commūnicāre cōnātur secundum suum modum, et per hoc tendit in similitūdinem dīvīnae causālitātis.

cōnservātiō -ōnis *f* < cōn-servāre = integrum servāre

nītī = (valdē) labōrāre, studēre

perpetuitās -ātis *f* < perpetuus = quī numquam fīniētur, sine fīne

casuālitās -ātis *f* < casuālis

Sed creātūra ratiōnālis per suam operātiōnem tendit in dīvīnam similitūdinem singulārī quōdam modō prae cēterīs, sīcut et prae cēterīs creātūrīs nōbilius esse habet: esse enim creātūrārum cēterārum, cum sit per māteriam cōnstrictum, est fīnītum, ut īnfīnītātem nōn habeat nec āctū nec potentiā. Omnis vērō nātūra ratiōnālis īnfīnītātem habet vel āctū vel potentiā, secundum quod intellēctus continet in se intellegibilia. In nōbīs igitur intellēctuālis nātūra in suō prīmō esse cōnsīderāta est in potentiā ad sua intellegibilia, quae cum sint īnfīnīta, infinitatem quamdam habent in potentia. Unde intellēctus est speciēs speciērum, quia nōn habet tantum speciem dēterminātam ad ūnum, ut lapis, sed speciem omnium speciērum capācem. Nātūra vērō intellēctuālis in Deō īnfīnīta est in āctū, utpote in sē praehabēns tōtīus entis perfectiōnem, ut suprā ostēnsum est. Creātūrae vērō aliae intellēctuālēs mediō modō sē habent inter potentiam et āctum. Tendit igitur intellēctuālis creātūra per suam operātiōnem in dīvīnam similitūdinem, nōn in hōc sōlum quod se in esse cōnservet, vel suum esse quōdammodō commūnicandō multiplicet, sed ut in sē habeat āctū quod per nātūram in potentiā habet. Est igitur fīnis intellēctuālis creātūrae, quem per suam operātiōnem cōnsequitur, ut intellēctus eius tōtāliter efficiātur in

cōn-stringere -strinxisse -strictum : vincīre
īnfīnītās -ātis *f* ∞

capāx -ācis = quī multum capit (: continet)

tōtāliter *adv* = in tōtā rē, plānē;

āctū secundum omnia intellegibilia quae in potentiā habet: secundum hoc enim maximē Deō similis erit.

Capitulus 104

Dē duplicī potentiā, cui in rēbus respondet duplex
intellēctus,
et quis sit fīnis intellēctuālis creātūrae

Est autem aliquid in potentiā dupliciter: ūnō modō nātūrāliter, respectū eōrum scīlicet quae per agēns nātūrāle possunt redūcī in āctum; aliō modō respectū eōrum quae redūcī nōn possunt in āctum per agēns nātūrāle, sed per aliquod aliud ageēs, quod quidem in rēbus corporālibus appāret. Quod enim ex puerō fiat vir, est in potentiā nātūrālī, vel quod ex sēmine fiat animal. Sed quod ex lignō fiat scamnum, vel ex caecō fiat vidēns, nōn est in potentiā nātūrālī.

Sīc autem et circā intellēctum nostrum accidit. Est enim intellēctus noster in potentiā nātūrālī respectū quōrumdam intellegibilium, quae scīlicet redūcī possunt in āctum per intellēctum agentem, quī est prīncipium innātum nōbīs, ut per ipsum efficiāmur intellegentēs in āctū. Est autem impossibile nōs ultimum fīnem cōnsequī per hoc quod intellēctus noster sīc redūcātur in āctum: nam virtūs intellēctus agentis est ut phantasmata, quae sunt intellegibilia in potentiā, faciat intellegibilia in āctū, ut ex superiōribus patet. Phantasmata autem sunt accepta per sēnsum. Per intellēctum igitur agentem intellēctus noster in āctum redūcitur respectū hōrum intellegibilium

in-nātus -a -um : quī hominī inest
cum nāscitur

tantum in quōrum nōtitiam per sēnsibilia possumus dēvenīre.

Impossibile est autem in tāli cognitiōne ultimum hominis fīnem cōnsistere. Nam ultimō fīne adeptō, dēsīderium nātūrāle quiēscit. Quantumcumque autem aliquis prōficiat intellegendō secundum praedictum modum cognitiōnis quō ā sēnsū scientiam percipimus, adhūc remanet nātūrāle dēsīderium ad alia cognōscenda. Multa enim sunt ad quae sēnsus pertingere nōn potest, dē quibus per sēnsibilia nōn nisi modicam nōtitiam accipere possumus, ut forte sciāmus dē eīs quod sint, nōn autem quid sint, eō quod substantiārum immāterialium quidditātēs alterīus generis sunt ā quidditātibus rērum sēnsibilium, et eās quasi imprōportiōnābiliter trānscendentēs.

Circā ea etiam quae sub sēnsum cadunt, multa sunt quōrum ratiōnem cognōscere per certitūdinem nōn possumus, sed quōrumdam quidem nūllō modō, quōrumdam vērō dēbiliter. Unde semper remanet nātūrāle dēsīderium respectū perfectiōris cognitiōnis. Impossibile est autem nātūrāle dēsīderium esse vānum.

---

prō-ficere = prōcēdere (ad exitum)

quidditās -ātis *f* (< quid) : essentia, fōrma, nātūra

im-prōportiōnābiliter = nōn secundum prōportiōnem

per certitūdinem : certō *adv*

dēbiliter ↔ validē

Cōnsequimur igitur ultimum fīnem in hōc quod intellēctus noster fiat in āctū, aliquō sublimiōrī agente quam sit agēns nōbīs connātūrāle, quod quiēscere faciat dēsīderium quod nōbīs inest nātūrāliter ad sciendum. Tāle est autem in nōbīs sciendī dēsīderium, ut cognōscentēs effectum, dēsīderēmus cognōscere causam, et in quācumque rē cognitīs quibuscumque eius circumstantiīs, nōn quiēscit nostrum dēsīderium, quōusque eius essentiam cognōscāmus. Nōn igitur nātūrāle dēsīderium sciendī potest quiētārī in nōbīs, quōusque prīmam causam cognōscāmus, nōn quōcumque modō, sed per eius essentiam. Prīma autem causa Deus est, ut ex superiōribus patet. Est igitur fīnis ultimus intellēctuālis creātūrae, Deum per essentiam vidēre.

con-nātūrālis -e = eiusdem nātūrae, nātūrālis

circumstantia -ae (< *circum-stāre*) : condiciō rērum praesentum accidēns

quōusque *adv* = quam-diū

quiētāre = tranquillum facere, mollīre

Capitulus 105

Quōmodo fīnis ultimus intellēctuālis creātūrae est Deum per essentiam vidēre, et quōmodo hoc possit

Hoc autem quōmodo possibile sit cōnsīderandum est. Manifestum est autem quod cum intellēctus noster nihil cognōscat nisi per aliquam speciem eius, impossibile est quod per speciem reī ūnīus cognōscat essentiam alterīus; et quantō magis speciēs per quam cognōscit intellēctus, plūs distat ā rē cognitā, tantō intellēctus noster imperfectiōrem cognitiōnem habet dē essentiā reī illīus, ut putā, sī cognōsceret bovem per speciem asinī, cognōsceret eius essentiam imperfectē, scīlicet quantum ad genus tantum; magis autem imperfectē sī cognōsceret per lapidem, quia cognōsceret per genus magis remōtum. Sī autem cognōsceret per speciem alicuius reī quae nūllī bovī commūnicāret in genere, nūllō modō essentiam bovis cognōsceret.

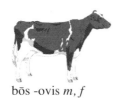

bōs -ovis *m, f*

Manifestum est autem ex superiōribus quod nūllum creātum commūnicat cum Deō in genere. Per quamcumque igitur speciem creātam nōn sōlum sēnsibilem, sed intellegibilem, Deus cognōscī per essentiam nōn potest. Ad hoc igitur quod ipse Deus per essentiam cognōscātur, oportet quod ipse Deus fiat fōrma intellēctus ipsum cognōscentis, et coniungātur eī nōn ad ūnam nātūram cōnstituendam, sed sīcut speciēs intellegibilis intellegentī. Ipse enim sīcut est suum esse, ita est sua vēritās, quae est fōrma intellēctus.

Necesse est autem quod omne quod cōnsequitur aliquam fōrmam, cōnsequātur dispositiōnem aliquam ad fōrmam illam. Intellēctus autem noster nōn est ex ipsā suā nātūrā in ultimā dispositiōne existēns respectū fōrmae illīus quae est vēritās, quia sīc ā prīncipiō ipsam assequerētur. Oportet igitur quod cum eam cōnsequitur, aliquā dispositiōne dē novō additā ēlevētur, quam dīcimus glōriae lūmen: quō quidem intellēctus noster ā Deō perficitur, quī sōlus secundum suam nātūram hanc propriam fōrmam habet, sīcut nec dispositiō calōris ad fōrmam ignis potest esse nisi ab igne: et dē hōc lūmine in Psal. XXXV, 10, dīcitur: in lūmine tuō vidēbimus lūmen.

dispositiō -ōnis *f* (< *dispōnere*) = ōrdō et locus rērum, modus quō rēs sunt positae

Psal. = *Psalma* : carmen sacrum

Capitulus 106

Quōmodo nātūrāle dēsīderium quiēscit ex dīvīnā vīsiōne per essentiam, in quā beātitūdō cōnsistit

Hōc autem fīne adeptō, necesse est nātūrāle dēsīderium quiētārī, quia essentia dīvīna, quae modō praedictō coniungētur intellēctuī Deum videntis, est sufficiēns prīncipium omnia cognōscendī, et fōns tōtīus bonitātis, ut nihil restāre possit ad dēsīderandum. Et hic etiam est perfectissimus modus dīvīnam similitūdinem cōnsequendī, ut scīlicet ipsum cognōscāmus eō modō quō sē ipse cognōscit, scīlicet per essentiam suam, līcet nōn comprehendāmus ipsum sīcut ipse sē comprehendit: nōn quod aliquam partem eius ignōrēmus, cum partem nōn habeat, sed quia nōn ita perfectē ipsum cognōscēmus sīcut cognōscibilis est, cum virtūs intellēctūs nostrī in intellegendō nōn possit adaequārī veritati ipsīus secundum quam cognōscibilis est, cum eius clāritās seu vēritās sit īnfīnīta, intellēctus autem noster fīnītus. Intellēctus autem eius īnfīnītus est, sīcut et vēritās eius, et ideō ipse tantum sē cognōscit quantum cognōscibilis est. Sīcut conclūsiōnem dēmōnstrābilem ille comprehendit qui eam per dēmōnstrātiōnem cognōscit, nōn autem quī cognōscit eam imperfectiōrī modō, scīlicet per ratiōnem probābilem.

fōns fontis *m* :

cognōscibilis -e = quī cognōscī potest
adaequāre : aequum facere

clāritās -ātis *f* < clārus

dēmōnstrābilis -e = quī dēmōnstrārī potest
dēmōnstrātiō -ōnis < dēmōnstrāre

probābilis -e : vērō similis, paene certus

Et quia ultimum fīnem hominis dīcimus beātitūdinem, in hōc cōnsistit hominis fēlīcitās, sīve beātitūdō, quod Deum videat per essentiam, licet in perfectiōne beātitūdinis multum distet ā Deō, cum hanc beātitūdinem Deus per suam nātūram habeat, homō vērō eam cōnsequātur per dīvīnī lūminis participātiōnem, ut suprā dictum est.

fēlīcitās -ātis *f* < fēlīx

Capitulus 107

Quod mōtus in Deum ad beātitūdinem cōnsequendam
assimulātur mōtuī nātūrālī, et quod beātitūdō est in āctū intellēctus

Cōnsīderandum est autem, quod cum prōcēdere dē potentiā in āctum vel sit mōtus, vel sit simile mōtuī, circā prōcessum huius beātitūdinis cōnsequendum similiter sē habet sīcut in mōtū vel in mūtātiōne nātūrālī. In mōtū enim nātūrālī prīmō quidem cōnsīderātur aliqua proprietās per quam prōportiōnātur vel inclīnātur mōbile ad tālem fīnem, sīcut gravitās in terrā ad hoc quod ferātur deōrsum: nōn enim moverētur aliquid nātūrāliter ad certum fīnem, nisi habēret prōportiōnem ad illum. Secundō autem cōnsīderātur ipse mōtus ad fīnem. Tertiō autem ipsa fōrma vel locus. Quartō autem quiēs in fōrmā vel in locō.

Sīc igitur in intellēctuālī mōtū ad fīnem, prīmum quidem est amor inclīnāns in fīnem; secundum autem est dēsīderium, quod est quasi mōtus in fīnem, et operātiōnēs ex tālī dēsīderiō prōvenientēs; tertium autem est ipsa fōrma, quam intellēctus cōnsequitur; quartum autem est dēlectātiō cōnsequēns, quae nihil est aliud quam quiētātiō voluntātis in fīne adeptō.

Sīcut igitur nātūrālis generātiōnis fīnis, est fōrma et mōtūs locālis locus, nōn autem quiēs in fōrmā vel

---

proprietās ātis *f* < proprium
prōportiōnāre = prōportiōnem facere
in-clīnāre : turris inclīnātur / inclīnat
gravitās -ātis *f* (< gravis) : vis quā malum ex arbore cadit.

quiēs -ētis *f* = tempus quiēscendī, somnus

prō-venīre

dēlectātiō -ōnis f <dēlectāre

quiētātiō -ōnis *f* < quiētāre

---

locō, sed hoc est cōnsequēns fīnem, et multō minus mōtus est fīnis, vel prōportiō ad fīnem: ita ultimus fīnis creātūrae intellēctuālis est vidēre Deum, nōn autem dēlectārī in ipsō, sed hoc est comitāns fīnem, et quasi perficiēns ipsum. Et multō minus dēsīderium vel amor possunt esse ultimus fīnis, cum etiam hoc ante fīnem habeātur.

Capitulus 108

Dē errōre pōnentium fēlīcitātem in creātūrīs

voluptās -ātis *f*
voluptās corporālis : gaudium quod ex corpore orītur

potestās -ātis *f* : potentia

dis-pōnere : in locō propriō pōnere

Manifestum est ergō quod fēlīcitās falsō ā quibusdam quaeritur, in quibuscumque praeter Deum quaerātur, sīve in voluptātibus corporālibus, quae sunt et brūtīs commūnēs; sīve in dīvitiīs, quae ad cōnservātiōnem habentium propriē ōrdinantur, quae est commūnis fīnis omnis entis creātī; sīve in potestātibus, quae ōrdinantur ad commūnicandam perfectiōnem suam aliīs, quod etiam dīximus omnibus esse commūne; sīve in honōribus vel fāma, quae alicui dēbentur secundum quod fīnem iam habet, vel ad fīnem bene dispositus est; sed nec in cognitiōne quārumcumque rērum etiam suprā hominem existentium, cum in sōlā dīvīnā cognitiōne dēsīderium hominis quiētētur.

Capitulus 109

Quod sōlus Deus est bonus per essentiam, creātūrae vērō per participātiōnem

Ex praemissīs igitur appāret quod dīversimodē sē habent ad bonitātem Deus et creātūrae, secundum duplicem modum bonitātis quae in creātūrīs potest cōnsīderārī. Cum enim bonum habeat ratiōnem perfectiōnis et fīnis, secundum duplicem perfectiōnem et fīnem creātūrae attenditur duplex eius bonitās. Attenditur enim quaedam creātūrae perfectiō secundum quod in suā nātūrā persistit, et haec est fīnis generātiōnis aut factiōnis ipsīus. Alia vērō perfectiō ipsīus attenditur, quam cōnsequitur per suum mōtum vel operātiōnem, et haec est fīnis mōtūs vel operātiōnis ipsīus.

per-sistere = pergere

Secundum utramque vērō creātūra dēficit ā bonitāte dīvīnā: nam cum fōrmā et esse rēī sit bonum et perfectiō ipsīus secundum quod in suā nātūrā cōnsiderātur, substantia composita neque est sua fōrma neque suum esse; substantia vērō simplex creāta etsī sit ipsa fōrma, nōn tamen est suum esse. Deus vērō est sua essentia et suum esse, ut suprā ostēnsum est.

adeptiō -ōnis *f* < adipīscī

essentiāliter *adv* < essentiālis

Similiter etiam omnēs creātūrae cōnsequuntur perfectam bonitātem ex fīne extrinsecō. Perfectiō enim bonitātis cōnsistit in adeptiōne fīnis ultimī. Fīnis autem ultimus cuiuslibet creātūrae est extrā ipsam, quī est dīvīna bonitās, quae quidem nōn ōrdinātur ad ulteriōrem fīnem. Relinquitur igitur quod Deus modīs omnibus est sua bonitās, et est essentiāliter bonus; nōn autem creātūrae simplicēs, tum quia nōn sunt suum esse, tum quia ōrdinantur ad aliquid extrinsecum sīcut ad ultimum fīnem. In substantiīs vērō compositīs manifestum est quod nūllō modō sunt sua bonitās. Sōlus igitur Deus est sua bonitās et essentiāliter bonus; alia vērō dīcuntur bona secundum participātiōnem aliquam ipsīus.

Capitulus 110

Quod Deus nōn potest suam bonitātem āmittere

Per hoc autem appāret quod Deus nūllō modō potest dēficere ā bonitāte. Quod enim alicui essentiāliter inest, nōn potest eī abesse, sīcut animal nōn potest ab homine removērī. Neque igitur Deum possibile est nōn esse bonum. Et ut magis propriō ūtāmur exemplō, sīcut nōn potest esse quod homō nōn sit homō, ita nōn potest esse quod Deus nōn sit perfectē bonus.

Capitulus 111

Quod creātūra possit dēficere ā suā bonitāte

In creātūrīs autem cōnsīderandum est, quāliter possit esse bonitātis dēfectus. Manifestum est autem quod duōbus modīs aliqua bonitās īnsēparābiliter in-est creātūrae: ūnō modō ex hōc quod ipsa bonitās est dē essentiā eius; aliō modō ex hōc quod est dētermināta ad ūnum. Prīmō ergō modō in substantiīs simplicibus ipsa bonitās, quae est fōrma, īnsēparābiliter sē habet ad ipsās, cum ipsae essentiāliter sint fōrmae. Secundō autem modō bonum quod est esse, āmittere nōn possunt. Nōn enim fōrma est sīcut māteria, quae sē habet ad esse et nōn esse, sed fōrma cōnsequitur esse, etsī etiam nōn sit ipsum esse.

Unde patet quod substantiae simplicēs bonum nātūrae in quā subsistunt āmittere nōn possunt, sed immūtābiliter sē habent in illō. Substantiae vērō compositae, quia nōn sunt suae fōrmae nec suum esse, bonum nātūrae āmissibiliter habent, nisi in illis in quibus potentia materiae non se habet ad diversas formas, neque ad esse et non esse, sicut in corporibus caelestibus patet.

īnsēparābiliter *adv* : modō ut sēparārī nōn potest

immūtābiliter *adv* < immūtābilis

āmissibiliter *adv* : modō ut āmittī potest

Capitulus 112

Quōmodo dēficiunt ā bonitāte secundum suās operātiōnēs

Et quia bonitās creātūrae nōn sōlum cōnsīderātur secundum quod in suā nātūrā subsistit, sed perfectiō bonitātis ipsīus est in hōc quod ōrdinātur ad fīnem, ad fīnem autem ōrdinātur per suam operātiōnem, restat cōnsīderāre quōmodo creātūrae dēficiant ā suā bonitāte secundum suās operatiōnēs, quibus ōrdinantur ad fīnem.

Ubi prīmō cōnsīderandum est, quod dē operātiōnibus nātūrālibus idem est iūdicium sīcut et dē nātūrā, quae est eārum prīncipium: unde quōrum nātūra dēfectum patī nōn potest, nec in operatiōnibus eōrum nātūrālibus dēfectus accidere potest; quōrum autem nātūra dēfectum patī potest, etiam operatiōnēs eōrum dēficere contingit.

angelus -ī *m* = dīvīnus nūntius:

ex-orbitāre (< ex + *orbita*) : errāre
    ex *orbitīs*.
orbita -ae *f*

sterilitās -ātis *f* ↔ fertilis, inūtilis
mōnstrōsitās -ātis *f* < mōnstrum

in-ōrdinātiō -ōnis *f* : quod nōn rēctē
    ōrdinātum est

Unde in substantiīs incorruptibilibus, sīve incorporeīs sīve corporeīs, nūllus dēfectus nātūrālis āctiōnis contingere potest: in angelīs enim semper virtūs nātūrālis manet potēns ad suās operātiōnēs exercendās; similiter mōtus corporum caelestium numquam exorbitāre invenītur. In corporibus vērō īnferiōribus multī dēfectūs nātūrālium āctiōnum contingunt propter corruptiōnēs et dēfectūs in nātūrīs eōrum accidentēs. Ex dēfectū enim alicuius nātūrālis prīncipiī contingit plantārum sterilitās, mōnstrōsitas in generātiōne animālium, et aliae huiusmodī inōrdinātiōnēs.

Capitulus 113

Dē duplicī prīncipiō āctiōnis, et quōmodo aut in quibus potest dēfectus esse

Sunt autem quaedam āctiōnēs quārum prīncipium nōn est nātūra, sed voluntās, cuius obiectum est bonum, et fīnis quidem prīncipāliter, secundāriō autem quod est ad fīnem. Sīc igitur sē habet operātiō voluntāria ad bonum, sīcut sē habet nātūrālis operātiō ad fōrmam per quam rēs agit. Sīcut igitur dēfectus nātūrālium āctiōnum accidere nōn potest in illīs quae nōn patiuntur dēfectum secundum suās fōrmās, sed sōlum in corruptibilibus, quōrum fōrmae dēficere possunt: ita voluntāriae āctiōnēs dēficere possunt in illīs in quibus voluntās potest ā fīne dēficere. Sīcubi autem nōn potest voluntās ā fīne dēficere, manifestum est quod ibi dēfectus voluntāriae āctiōnis esse nōn potest.

Voluntās autem dēficere nōn potest respectū bonī quod est ipsīus volentis nātūra: quaelibet enim rēs suō modō appetit suum esse perfectum, quod est bonum unīuscuiusque; respectū bonī vērō exteriōris dēficere potest bonō sibi connātūrālī contenta. Cuius igitur volentis nātūra est ultimus fīnis voluntātis ipsīus, in hōc dēfectus voluntāriae āctiōnis contingere nōn potest.

secundarius -a -um : secundus

voluntārius -a -um < voluntās

sīcubi *adv* = sī ubi; sī in ūllō locō

fīgere -xisse -xum

Hoc autem solīus Deī est: nam eius bonitās, quae est ultimus fīnis rērum, est sua nātūra. Aliōrum autem volentium nātūra nōn est ultimus fīnis voluntātis eōrum: unde potest in eīs dēfectus voluntāriae āctiōnis contingere per hoc quod voluntās remanet fīxa in propriō bonō nōn tendendō ulterīus in summum bonum, quod est ultimus fīnis. In omnibus igitur substantiīs intellēctuālibus creātīs potest dēfectus voluntāriae āctiōnis contingere.

Capitulus 114

Quid nōmine bonī vel malī intellegātur in rēbus

Est igitur cōnsīderandum, quod sīcut nōmine bonī intellegitur esse perfectum, ita nōmine malī nihil aliud intellegitur quam prīvātiō esse perfectī. Quia vērō prīvātiō propriē accepta, est eius quod nātum est, et quandō nātum est, et quōmodo nātum est habērī, manifestum est quod ex hōc aliquid dīcitur malum quod caret perfectiōne quam dēbet habēre. Unde homō sī vīsū careat, malum est eī, nōn autem malum est lapidī, quia nōn est nātus vīsum habēre.

Capitulus 115

Quod impossibile est esse aliquam nātūram malum

Impossibile est autem malum esse aliquam nātūram. Nam omnis nātūra vel est āctus, vel potentia, aut compositum ex utrōque. Quod autem est āctus, perfectiō est, et bonī obtinet rationem, cum id quod est in potentiā, appetat nātūrāliter esse āctū: bonum vērō est quod omnia appetunt. Unde et compositum ex āctū et potentiā, in quantum participat āctum, participat bonitātem. Potentia autem in quantum ōrdinātur ad āctum, bonitātem habet: cuius signum est quod quantō potentia est capācior āctūs et perfectiōnis, tantō magis commendātur. Relinquitur igitur quod nūlla nātūra secundum sē sit malum.

ob-tinēre = tenēre in suā potestāte, adipīscī

Item. Ūnumquodque secundum hoc complētur quod fit in āctū, nam āctus est perfectiō rēī. Nūllum autem oppositōrum complētur per admixtiōnem alterīus, sed magis dēstruitur vel minuitur, et sīc neque malum complētur per participātiōnem bonī. Omnis autem nātūra complētur per hoc quod habet esse in āctū: et sīc cum esse bonum sit ab omnibus appetībile, omnis nātūra complētur per participātiōnem bonī. Nūlla igitur nātūra est malum.

ad-mixtiō -ōnis *f* < *ad-miscēre*
ad-miscēre -uisse -mixtum

dēstruere : dēlēre

appetībilis -e = appetendus

Adhūc. Quaelibet nātūra appetit cōnservātiōnem suī esse, et fugit dēstructiōnem quantum potest. Cum igitur bonum sit quod omnia appetunt, malum vērō ē

dēstructiō -ōnis *f* < dēstruere

contrāriō quod omnia fugiunt, necesse est dīcere, quod esse ūnamquamque nātūram sit bonum secundum sē, nōn esse vērō malum. Esse autem malum nōn est bonum, sed magis nōn esse malum sub bonī comprehenditur ratiōne. Nūlla igitur nātūra est malum.

Capitulus 116

*Qualiter bonum et malum sunt differentiae entis,
et contraria, et genera contrariorum*

Considerandum igitur restat quomodo bonum et malum dicantur contraria, et contrariorum genera, et differentiae aliquas species, scilicet habitus morales, constituentes. Contrariorum enim utrumque est aliqua natura. Non ens enim non potest esse neque genus neque differentia, cum genus praedicetur de re in eo quod quid, differentia vero in eo quod quale quid.

Sciendum est igitur, quod sicut naturalia consequuntur speciem a forma, ita moralia a fine, qui est voluntatis obiectum, a quo omnia moralia dependent. Sicut autem in naturalibus uni formae adiungitur privatio alterius, puta formae ignis privatio formae aeris, ita in moralibus uni fini adiungitur privatio finis alterius. Cum igitur privatio perfectionis debitae sit malum in naturalibus, formam accipere cui adiungitur privatio formae debitae, malum est, non propter formam, sed propter privationem ei adiunctam: sicut igniri malum est ligno. Et in moralibus etiam inhaerere fini cui adiungitur privatio finis debiti, malum est, non propter finem, sed propter privationem adiunctam; et sic duae actiones morales, quae ad contrarios fines ordinantur, secundum bonum et malum differunt, et per consequens contrarii habitus differunt bono et malo quasi differentiis existentibus, et contrarietatem ad invicem habentibus, non propter privationem ex qua dicitur malum, sed propter finem cui privatio adiungitur.

Per hunc etiam modum quidam intelligunt ab Aristotele dictum, quod bonum et malum sunt genera contrariorum, scilicet Moralium. Sed si recte attendatur, bonum et malum in genere Moralium magis sunt differentiae quam species. Unde melius videtur dicendum, quod bonum et malum dicuntur genera secundum positionem Pythagorae, qui omnia reduxit ad bonum et malum sicut ad prima genera: quae quidem positio habet aliquid veritatis, inquantum omnium contrariorum unum est perfectum, et alterum diminutum, ut patet in albo et nigro, dulci et amaro, et sic de aliis. Semper autem quod perfectum est, pertinet ad rationem boni, quod autem diminutum ad rationem mali.

Capitulus 117

Quod nihil potest esse essentiāliter malum, vel summē, sed est corruptiō alicuius bonī

habitō ablātīvus absolūtus
habēre : scīre

caecitās -ātis *f* < caecus

Habitō igitur quod malum est prīvātiō perfectiōnis dēbitae, iam manifestum est quāliter malum bonum corrumpit, in quantum scīlicet est eius prīvātiō, sīcut et caecitās dīcitur corrumpere vīsum, quia est ipsa vīsūs prīvātiō. Nec tamen tōtum bonum corrumpit: quia suprā dictum est quod nōn sōlum fōrma est bonum, sed etiam potentia ad fōrmam, quae quidem potentia est subiectum prīvātiōnis, sīcut et fōrmae. Unde oportet quod subiectum malī sit bonum, nōn quidem quod est oppositum malō, sed quod est potentia ad ipsum. Ex quō etiam patet quod nōn quodlibet bonum potest esse subiectum malī, sed sōlum bonum quod est in potentiā respectū alicuius perfectiōnis quā potest prīvārī: unde in hīs quae sōlum āctus sunt, vel in quibus āctus ā potentiā sēparārī nōn potest, quantum ad hoc nōn potest esse malum.

Patet etiam ex hōc, quod non potest esse aliquid quod sit essentiāliter malum, cum semper oporteat malum in aliō subiectō bonō fundārī: ac per hoc nihil potest esse summē malum, sīcut est summē bonum, quod est essentiāliter bonum.

190

Secundum idem etiam patet quod malum nōn potest esse dēsīderātum, nec aliquid agere nisi virtūte bonī adiūnctī. Dēsīderābile enim est perfectiō et fīnis, prīncipium autem āctiōnis est fōrma. Quia vērō ūnī perfectiōnī vel fōrmae adiungitur prīvātiō alterīus perfectiōnis aut fōrmae, contingit per accidēns quod prīvātiō seu malum dēsīderātur, et est alicuius āctiōnis prīncipium, nōn in quantum est malum, sed propter bonum adiūnctum, sīcut mūsicus aedificat nōn in quantum mūsicus, sed in quantum domificātor.

Ex quō etiam patet quod impossibile est malum esse prīmum prīncipium, eō quod prīncipium per ac-cidēns est posterius eō quod est per sē.

ad-iungere -iūnxisse -iūnctum

mūsicus -a -um

domificātor -ōris *m* : quī domōs aedificat

Capitulus 118

Quod malum fundātur in bonō sīcut in subiectō

quis : aliquis

Sī quis autem contrā praedicta obicere velit, quod bonum nōn potest esse subiectum malī, et quod ūnum oppositōrum nōn sit subiectum alterīus, nec unquam in aliīs oppositīs invenītur quod sint simul, cōnsīderāre dēbet, quod alia opposita sunt alicuius generis dēterminātī, bonum autem et malum commūnia. Nam omne ēns, in quantum huiusmodī, bonum est; omnis autem prīvātiō, in quantum tālis, est mala. Unde sīcut subiectum prīvātiōnis oportet esse ēns, ita et bonum; nōn autem subiectum prīvātiōnis oportet esse album, aut dulce, aut vidēns, quia haec nōn dīcuntur dē ente in quantum huius-modī; et ideō nigrum nōn est in albō, nec caecitās in vidente; sed malum est in bonō, sīcut et caecitās est in subiectō vīsūs; sed quod subiectum vīsūs nōn dīcātur vidēns, hoc est quia vidēns nōn est commūne omni enti.

Capitulus 119

Dē duplicī genere malī

Quia igitur malum est prīvātiō et dēfectus; dēfectus autem, ut ex dictīs patet, potest contingere in rē aliquā nōn sōlum secundum quod in nātūrā suā cōnsīderātur, sed etiam secundum quod per āctiōnem ōrdinātur ad fīnem, cōnsequēns est ut malum utrōque modo dīcātur, scīlicet secundum dēfectum in ipsā rē, prout caecitās est quoddam malum animālis, et secundum dēfectum in āctiōne prout claudicātiō significat āctiōnem cum dēfectū. Malum igitur āctiōnis ad aliquem fīnem ōrdinātae, ad quem nōn dēbitō modō sē habet, peccātum dīcitur tam in voluntāriīs quam in nātūrālibus. Peccat enim medicus in āctiōne suā, dum nōn operātur convenienter ad sānitātem; et nātūra etiam peccat in suā operātiōne, dum ad dēbitam dispositiōnem et fōrmam rem generātam nōn perdūcit, sīcut cum accidunt mōnstra in nātūrā.

claudicātiō -ōnis *f* < claudus

sānitās -ātis *f* < sānus

Capitulus 120

Dē triplicī genere āctiōnis, et dē malō culpae

triplex -icis *adi* = ex tribus cōnstāns / in trēs partēs dīvīsus (simplex, duplex, triplex)

culpa -ae *f* = causa accūsandī/pūniendī

violentus -a -um (< vī+plēnus) ↔ voluntārius

extrā : extrinsecum

ignōrantia -ae *f* < ignōrāre

vituperium -ī *n* ↔ laus

in-voluntārius ↔ voluntārius

minōrāre (< minus) = minōris facere

trāns-mūtāre = mūtāre

Et sciendum, quod aliquandō est āctiō in potestāte agentis, ut sunt omnēs voluntāriae āctiōnēs. Voluntāriam autem āctiōnem dīcō, cuius prīncipium est in agente sciente ea in quibus āctiō cōnsistit. Aliquandō vērō āctiōnēs nōn sunt voluntāriae: huiusmodī sunt āctiōnēs violentae, quārum prīncipium est extrā, et āctiōnēs nātūrālēs, vel quae per ignōrantiam aguntur, quia nōn prōcēdunt ā prīncipiō cognōscitīvō. Sī igitur in āctiōnibus nōn voluntāriīs ōrdinātīs ad fīnem dēfectus accidat, peccātum tantum dīcitur; sī autem in voluntāriīs, dīcitur nōn sōlum peccātum, sed culpa, eō quod agēns voluntārium, cum sit dominus suae āctiōnis, vituperiō dignus est et poenā. Sī quae vērō āctiōnēs sunt mixtae, habentēs scīlicet aliquid dē voluntāriō et aliquid dē involuntāriō, tanto ibi minōrātur culpa, quantō plūs dē involuntāriō admiscētur.

Quia vērō nātūrālis āctiō nātūram reī cōnsequitur, manifestum est quod in rēbus incorruptibilibus, quārum nātūra trānsmūtārī nōn potest, nātūrālis āctiōnis peccātum accidere nōn potest. Voluntās autem intellēctuālis creātūrae dēfectum patī potest in voluntāriā āctiōne, ut suprā ostēnsum est. Unde relinquitur quod licet carēre malō nātūrae omnibus in-

194

corruptibilibus sit commūne, carēre tamen ex necessitāte suae nātūrae malō culpae, cuius sōla ratiōnālis
nātūra est capāx, solīus Deī proprium invenītur.

Capitulus 121

Quod aliquod malum habet ratiōnem poenae, et nōn culpae

in-ferre in-tulisse il-lātum

ōrdinātīvus -a -um : ōrdināns

in-ōrdinātus -a -um ↔ ōrdinātus
dīmittere = solvere/līberāre
foret : esset
placēre -uisse -itum

trāns-gredī = trānsīre

mēta -ae *f* = fīnis circī; fīnis
    dēterminātus
tribuere = offerre, dare
redūctiō -ōnis *f* < re-dūcere
sub-trahere

contrāriārī : contrārius esse

Sīcut autem dēfectus āctiōnis voluntāriae cōnstituit ratiōnem peccātī et culpae, ita dēfectus cuiuslibet bonī prō culpā illātus contrā voluntātem eius cui īnfertur, poenae obtinet ratiōnem. Poena enim infertur ut medicīna culpae, et ut ōrdinātīva eius. Ut medicīna quidem, in quantum homō propter poenam retrahitur ā culpā dum nē patiātur quod est suae contrārium voluntātī, dīmittit agere inōrdinātam āctiōnem, quae suae foret placita voluntati. Est etiam ōrdinātīva ipsīus, quia per culpam homō trānsgreditur mētas ōrdinis nātūrālis, plūs suae voluntātī tribuēns quam oportet. Unde ad ōrdinem iūstitiae fit redūctiō per poenam, per quam subtrahitur aliquid voluntātī. Unde patet quod conveniēns poena prō culpā nōn redditur, nisi plūs contrāriētur voluntātī poena quam placeat culpa.

Capitulus 122

Quod nōn eōdem modō omnis poena contrāriātur voluntātī

Nōn eōdem autem modō omnis poena est contrā voluntātem. Quaedam enim poena est contrā id quod homō āctū vult, et haec poena māximē sentītur. Quaedam vērō nōn contrāriātur voluntātī in āctū, sed in habitū, sīcut cum aliquis prīvātur rē aliquā, putā fīliō, vel possessiōne, eō ignōrante. Unde per hoc nōn agitur āctū aliquid contrā eius voluntātem, esset autem contrārium voluntātī, sī scīret. Quandōque vērō poena contrāriātur voluntātī secundum nātūram ipsīus potentiae. Voluntās enim nātūrāliter ōrdinātur ad bonum. Unde sī aliquis prīvātur virtūte, quandōque quidem nōn est contrā āctuālem voluntātem eius, quia virtūtem forte contemnit, neque contrā habituālem, quia forte est dispositus secundum habitum ad volendum contrāria virtūtī; est tamen contrā nātūrālem rectitūdinem voluntātis, quā homō nātūrāliter appetit virtūtem.

habituālis -e (< habitus) : quī ad solitum agendī modum pertinet

rēctitūdō -inis *f* < rēctus

Ex quō etiam patet quod gradūs poenārum dupliciter mēnsūrārī possunt: ūnō modō secundum quantitātem bonī quod per poenam prīvātur; aliō modō secundum quod magis vel minus est contrārium voluntātī: est enim magis contrārium voluntātī maiōrī bonō prīvārī quam prīvārī minōrī.

mēnsūrāre = modum/quantitātem statuere numerandō

Capitulus 123

Quod omnia reguntur dīvīnā prōvidentia

prōvidentia -ae *f* < prōvidēre =
    praeparāre, cūrāre

Ex praedictīs autem manifestum esse potest quod omnia dīvīnā prōvidentiā gubernantur. Quaecumque enim ōrdinantur ad fīnem alicuius agentis, ab illō agente dīriguntur in fīnem, sīcut omnēs quī sunt in exercitū, ōrdinantur ad fīnem dūcis, quī est victōria, et ab eō dīriguntur in fīnem. Suprā autem ostēnsum est quod omnia suīs āctibus tendunt in fīnem dīvīnae bonitātis. Ab ipsō igitur Deō, cuius hic fīnis proprius est, omnia dīriguntur in fīnem. Hoc autem est prōvidentiā alicuius regī et gubernārī. Omnia igitur dīvīnā prōvidentiā reguntur.

dī-rigere -rēxisse -rēctum : secun-
    dum ōrdine vertere

Adhūc. Ea quae dēficere possunt, et nōn semper eōdem modō sē habent, ōrdinārī inveniuntur ab hīs quae semper eōdem modō sē habent, sīcut omnēs mōtūs corporum īnferiōrum, quī dēfectibiles sunt, ōrdinem habent secundum invariābilem mōtum caelestis corporis. Omnēs vērō creātūrae mūtābilēs et dēfectibiles sunt. Nam in creātūrīs intellēctuālibus, quantum ex eōrum nātūrā est, dēfectus voluntāriae āctiōnis invenīrī potest; creātūrae vērō aliae mōtum participant vel secundum generātiōnem et corruptiōnem, vel secundum locum tantum: sōlus autem Deus est in quem nūllus dēfectus cadere potest. Relinquitur igitur quod omnia alia ōrdinantur ab ipsō.

dēfectibilis -e : quī deficit,
    dēficiēns
in-variabilis -e : quī aut variārī aut
    variāre nōn potest

Item. Ea quae sunt per participātiōnem, redūcuntur in id quod est per essentiam, sīcut in causam: omnia enim ignita suae ignitiōnis ignem causam habent aliquō modō. Cum igitur sōlus Deus per essentiam sit bonus, cētera vērō omnia per quamdam participātiōnem complēmentum obtineant bonitātis, necesse est quod omnia ad complēmentum bonitātis perdūcantur ā Deō. Hoc autem est regī et gubernārī; secundum hoc enim aliqua gubernantur vel reguntur, quod in ōrdine bonī statuuntur. Omnia ergō gubernantur et reguntur ā Deō.

ignitiō -ōnis *f* < ignīre

complēmentum -ī *n* : obiectum

Capitulus 124

Quod Deus per superiōrēs creātūrās regit inferiōrēs

Secundum hoc autem appāret quod īnferiōrēs creātūrae ā Deō per superiōrēs reguntur. Secundum hoc enim aliquae creātūrae superiōrēs dīcuntur quod in bonitāte perfectiōrēs existunt: ōrdinem autem bonī creātūrae cōnsequuntur ā Deō in quantum reguntur ab ipsō. Sīc igitur superiōrēs creātūrae plūs participant dē ōrdine gubernātiōnis dīvīnae quam īnferiōrēs. Quod autem magis participat quamcumque perfectiōnem comparātur ad id quod minus ipsam participat, sīcut āctus ad potentiam, et agēns ad patiēns. Superiōrēs igitur creātūrae comparantur ad īnferiōrēs in ōrdine dīvīnae prōvidentiae sīcut agēns ad patiēns. Per superiōrēs igitur creātūrae īnferiores gubernantur.

Item. Ad dīvīnam bonitātem pertinet quod suam similitūdinem commūnicet creātūrīs; sīc enim propter suam bonitātem Deus omnia dīcitur fēcisse, ut ex suprā dictīs patet. Ad perfectiōnem autem dīvīnae bonitātis pertinet et quod in sē bonus sit, et quod alia ad bonitātem redūcat. Utrumque igitur creātūrae commūnicat: et quod in sē bona sit, et quod ūna aliam ad bonum indūcat. Sīc igitur per quāsdam creātūrās, aliās ad bonum indūcit: hās autem oportet esse superiōrēs creātūrās. Nam quod participat ab aliquō agente similitūdinem fōrmae et āctiōnis, perfectius est eō quod participat similitūdinem fōrmae, et nōn āctiōnis, sīcut lūna perfectius recipit lūmen ā sōle, quae nōn sōlum fit lūcida, sed etiam illūminat, quam corpora opāca, quae illūminantur tantum, et nōn illūminant. Deus igitur per creātūrās superiōrēs īnferiōrēs gubernat.

lūmen -inis *n* = lūx

lūcidus -a -um : plēnus lūce
illūmināre (< in-lūmināre) :
   splendēre
opācus -a -um = quī umbram habet

Adhūc. Bonum multōrum melius est quam bonum ūnīus tantum, et per cōnsequēns est magis dīvīnae bonitātis repraesentātīvum, quae est bonum tōtīus ūniversī. Sī autem creātūra superior, quae abundantiōrem bonitātem ā Deō participat, nōn cooperārētur ad bonum īnferiōrum creātūrārum, illa abundantia bonitātis esset ūnīus tantum: per hoc autem fit commūnis multōrum quod ad bonum multōrum cooperātur. Pertinet igitur hoc ad dīvīnam

repraesentātīvus -a -um : ad repraesentandum pertinēns

abundantior -ius *adi* < abundāns -antis
co-operārī (< con+operārī) ūnā laborāre

bonitātem ut Deus per superiōrēs creātūrās īnferiōrēs regat.

Capitulus 125

Quod īnferiōrēs substantiae intellēctuālēs reguntur per superiōrēs

Quia igitur intellēctuālēs creātūrae cēterīs creātūrīs sunt superiōrēs, ut ex praemissīs patet, manifestum est quod per creātūrās intellēctuālēs omnēs aliae creātūrae gubernantur ā Deō. Item: Cum inter ipsās creātūras intellēctuālēs quaedam aliīs sint superiōrēs, per superiōrēs īnferiōrēs reguntur ā Deō. Unde fit ut hominēs, quī īnfimum locum secundum nātūrae ōrdinem in substantiīs intellēctuālibus tenent, gubernantur per superiōrēs spiritūs, quī ex eō quod dīvīna hominibus nūntiant, angelī vocantur, id est nūntiī. Ipsōrum etiam angelōrum īnferiōrēs per superiōrēs reguntur, secundum quod in ipsīs dīversae hierarchiae, id est sacrī prīncīpātūs, et in singulīs hierarchiīs dīversī ōrdinēs distinguuntur.

hierarchia -ae *f* : ōrdō sacra
prīncīpātus -ūs *m* (< prīncīpium) :
iūs imperandī, potentia

203

Capitulus 126

Dē gradū et ōrdine angelōrum

intellegentia -ae *f* (< intellegere) = potestās intellegendī

sublīmis -e = altus, superiōre locō situs

Et quia omnis substantiae intellēctuālis operātiō, in quantum huius modi, ab intellēctū prōcēdit, oportet quod secundum dīversum intellegentiae modum dīversitās operātiōnis et praelātiōnis et ōrdinis in substantiīs intellēctuālibus inveniātur. Intellēctus autem quantō est sublīmior seu dignior, tantō magis in altiōrī et ūniversāliōrī causā ratiōnēs effectuum cōnsīderāre potest. Superius etiam dictum est quod superior intellēctus speciēs intellegibilēs ūniversāliōrēs habet.

Prīmus igitur intellegendī modus substantiīs intellēctuālibus conveniēns est, ut in ipsā prīmā causā, scīlicet Deō, effectuum ratiōnēs participent, et per cōnsequēns suōrum operum, cum per eās Deus īnferiōrēs effectus dispēnsat. Et hoc est proprium prīmae hierarchiae, quae in trēs ōrdinēs dīviditur secundum tria quae in quālibet operātīvā arte cōnsīderantur: quōrum prīmum est fīnis, ex quō ratiōnēs operum sūmuntur; secundum est ratiōnēs operum in mente artificis existentēs; tertium est applicātiōnēs operum ad effectūs. Prīmī ergō ōrdinis est in ipsō summō bonō, prout est ultimus fīnis, rērum dē effectibus ēdocērī: unde ab ardore amōris Seraphīm dicuntur, quasi ardentēs vel incendentēs: amōris enim obiectum est bonum. Secundī vērō ōrdinis est effectus Deī in ipsīus ratiōnibus intellegibilibus contemplārī, prout sunt in Deō: unde Cherūbīm dīcuntur ā plēnitūdine scientiae. Tertiī vērō ōrdinis est cōnsīderāre in ipsō Deō, quōmodo ā creātūrīs participētur ratiōnibus intellegibilibus ad effectūs applicātīs: unde ab habendō in sē Deum īnsidentem Thronī sunt dictī.

artifex -icis *m* = vir quī artem scit

Seraphīm *n pl indēcl* : ōrdō angelōrum

Cherūbīm *n pl indecl* : ōrdō angelōrum
plēnitūdō -inis *f* < plēnus

īn-sidēre = occupātum tenēre
Thronus -ī *m* : ōrdō angelōrum
thronus -ī *m* = sēdēs rēgia magnifica

praeceptīvus -a -um : quī ad *praecipiendum* pertinet
prae-cipere = imperāre, iubēre
architectonicus -a -um : quī ad artem aedificandī pertinet

dominātiō -ōnis *f* < domināri

exsecūtio -ōnis *f* : āctiō officiī cuiusdam propria

Gregorius -ī *m* (c. 540 - 604 p.C.n.)

Dionȳsius -ī *m*

virtuōsus -a -um : secundum virtūtem

impedīmenta -ōrum *n pl* : quod aliquid difficile / tardum facit

obviāre + *dat*: resistere

coercēre : prohibēre

Secundus autem intellegendī modus est ratiōnēs effectuum prout sunt in causīs ūniversālibus cōnsīderāre, et hoc est proprium secundae hierarchiae, quae etiam in trēs ōrdinēs dīviditur secundum tria quae ad ūniversālēs causās, et maximē secundum intellēctum agentēs pertinent. Quōrum prīmum est praeōrdināre quae agenda sunt, unde in artificibus suprēmae artēs praeceptīvae sunt, quae architectonicae vocantur: et ex hōc prīmus ōrdō hierarchiae huius dīcuntur Dominātiōnēs: dominī enim est praecipere et praeōrdināre. Secundum vērō quod in causīs ūniversālibus invenītur, est aliquid prīmō movēns ad opus quasi prīncipātum exsecūtiōnis habēns, et ex hōc secundus ōrdō huius hierarchiae Prīncipātūs vocātur, secundum Gregorium, vel Virtūtēs secundum Dionysium, ut virtūtēs intellegantur ex eō quod prīmō operārī maximē est virtuōsum. Tertium autem quod in causīs ūniversālibus invenītur, est aliquid impedīmenta exsecūtiōnis removēns, unde tertius ōrdō huius hierarchiae est Potestātum, quārum officium est omne quod possit obviāre exsecūtiōnī dīvīnī imperiī, coercēre; unde et daemonēs arcēre dīcuntur.

Tertius vērō modus intellegendī est ratiōnēs effectuum in ipsīs effectibus cōnsīderāre, et hoc est proprium tertiae hierarchiae, quae immediātē nōbīs praeficitur, quī ex effectibus cognitiōnem dē ipsīs effectibus accipimus: et haec etiam trēs ōrdinēs habet. Quōrum īnfimus Angelī dīcuntur, ex eō quod hominibus nūntiant ea quae ad eōrum gubernātiōnem pertinent, unde et Hominum Custōdēs dīcuntur. Suprā hunc autem est ōrdō Archangelōrum, per quem hominibus ea quae sunt suprā ratiōnem nūntiantur, sīcut mystēria fideī. Suprēmus autem huius hierarchiae ōrdō secundum Gregorium Virtūtēs dīcuntur, ex eō quod ea quae sunt suprā nātūram operantur, in argumentum eōrum quae nōbīs suprā ratiōnem nūntiantur: unde ad Virtūtēs pertinēre dīcitur mīrācula facere. Secundum Dionysium vērō suprēmus ōrdō huius hierarchiae Prīncipātūs dīcitur, ut prīncipēs intellegāmus quī singulīs gentibus praesunt, Angelōs quī singulīs hominibus, Archangelōs quī singulāribus hominibus ea quae sunt ad commūnem salūtem pertinentia dēnūntiant.

---

prae-ficere = praepōnere

gubernātiō -ōnis *f* < gubernāre

Arch-angelus -ī *m* = magnus angelus

mystērium -ī *n* = sēcrētum, sacrum proprium cēterīs ignōtum

mīrāculum -ī *n* = = rēs mīrābilis

salūs -ūtis *f* < salvus

dē-nūntiāre

sortīrī : forte distribuere / accipere

Et quia inferior potentia in virtūte superiōris agit, īnferior ōrdō ea quae sunt superiōris exercet, in quantum agit eius virtūte; superiōrēs vērō ea quae sunt īnferiōrum propria excellentius habent. Unde omnia sunt in eīs quōdam modō commūnia, tamen propria nōmina sortiuntur ex hīs quae ūnīcuīque secundum se conveniunt. Īnfimus autem ōrdō commūne nōmen sibi retinuit quasi in virtūte omnium agēns. Et quia superiōris est in īnferiorem agere, actiō vērō intellēctuālis est īnstruere vel docēre, superiōrēs angelī in quantum inferiōrēs īnstruunt, dīcuntur eōs pūrgāre, illūmināre, et perficere. Pūrgāre quidem, in quantum nescientiam removent; illūmināre vērō, in quantum suō lūmine īnferiōrum intellēctūs confortant ad aliquid altius capiendum; perficere vērō, in quantum eōs ad superiōris scientiae perfectiōnem perdūcunt. Nam haec tria ad assūmptiōnem scientiae pertinent, ut Dionysius dīcit.

īn-struere : docēre

pūrgāre = pūrum facere

nescientia -ae *f* ↔ scientia

confortāre = validum/ fortem facere

assūmptiō -ōnis *f* < *assūmere* (< ad + sūmere)

Nec tamen per hoc removētur quīn omnēs angelī, etiam īnfimī, dīvīnam essentiam videant. Licet enim ūnusquisque beātōrum spīrituum Deum per essentiam videat, ūnus tamen aliō perfectius eum videt, ut ex superiōribus potest patēre. Quantō autem aliqua causa perfectius cognōscitur, tantō plūrēs effectēs eius cognōscuntur in eā. Dē effectibus igitur dīvīnīs quōs superiōrēs angelī cognōscunt in Deō prae aliīs, īnferiōrēs īnstruunt, nōn autem dē essentiā dīvīnā, quam immediātē vident omnēs.

Capitulus 127

Quod per superiōra corpora, īnferiōra, nōn autem intellēctus hūmānus, dispōnuntur

Sīcut igitur intellēctuālium substantiārum ūna per aliam dīvīnitus gubernātur, īnferior scīlicet per superiōrem, ita etiam īnferiōra corpora per superiōra dīvīnitus dispōnuntur. Unde omnis mōtus īnferiōrum ā mōtibus corporum caelestium causātur, et ex virtūte caelestium corporum haec īnferiōra fōrmās et speciēs cōnsequuntur, sīcut et ratiōnēs rērum intellegibilēs ad īnferiōrēs spīritūs per superiōrēs dēveniunt.

Cum autem intellēctuālis substantia in ōrdine rērum omnibus corporibus praeferātur, nōn est conveniēns secundum praedictum prōvidentiae ōrdinem ut per aliquam corporālem substantiam intellēctuālis quaecumque substantia regātur ā Deō. Cum igitur anima hūmāna sit intellēctuālis substantia, impossibile est secundum quod est intellegēns et volēns, ut secundum mōtus corporum caelestium dispōnātur. Neque igitur in intellēctum hūmānum neque in voluntātem corpora caelestia dīrēctē agere possunt vel imprimere.

Item. Nūllum corpus agit nisi per mōtum. Omne igitur quod ab aliquō corpore patitur, movētur ab eō. Animam autem hūmānam secundum intellēctīvam partem, in quā est voluntās, impossibile est mōtū

---

dīvīnitus adv = a diīs, dīvīnō modō

prae-ferre = mālle

volēns -entis < velle

corporālī movērī, cum intellēctus nōn sit āctus ali-cuius organī corporālis. Impossibile igitur est quod anima hūmāna secundum intellēctum aut voluntātem ā corporibus caelestibus aliquid patiātur.

Adhūc. Ea quae ex impressiōne corporum caelestium in istis īnferiōribus prōveniunt, nātūrālia sunt. Sī igitur operātiōnēs intellēctūs et voluntātis ex impressiōne caelestium prōvenīrent, ex nātūrālī īnstīnctū prōcēderent, et sīc homō nōn differret in suīs āctibus ab aliīs animālibus, quae nātūrālī īnstīnctū moventur ad suās āctiōnēs, et perīret līberum arbitrium et cōnsilium et ēlēctiō, et omnia huiusmodī quae homō prae cēterīs animālibus habet.

impressiō -ōnis *f* < imprimere

īnstīnctus -ūs *m* = intentiō nātūrālis

Capitulus 128

Quōmodo intellēctus hūmānus perficitur mediantibus potentiīs sēnsitīvīs, et sīc indīrēctē subditur corporibus caelestibus

indīrēctē ↔ dīrēctē
subdere = sub imperiō pōnī

Est autem cōnsīderandum, quod intellēctus hūmānus a potentiīs sēnsitīvīs accipit suae cognitiōnis orīginem: unde perturbātā phantasticā et imāginātīvā vel memorātīvā parte animae, perturbātur cognitiō intellēctūs, et praedictīs potentiīs bene sē habentibus, convenientior fit acceptiō intellēctūs. Similiter etiam immūtātiō appetītūs sēnsitīvī aliquid operatur ad mūtātiōnem voluntātis, quae est appetītus ratiōnis, ex eā parte quā bonum apprehēnsum est obiectum voluntātis. Ex eō enim quod dīversimodē dispositī sumus secundum concupīscentiam, īram et timōrem, et aliās passiōnēs, dīversimodē nōbīs aliquid bonum vel malum vidētur.

per-turbāre = valdē turbāre
phantasticus -a -um < phantasma
imāginātīvus -a -um < imāginārī
memorātīvus -a -um < memorāre

immūtātiō -ōnis f < immūtāre

obiectum -ī : fīnis

Omnēs autem potentiae sēnsitīvae partis, sīve sint apprehēnsīvae, seu appetītīvae, quārumdam corporālium partium āctūs sunt, quibus immūtātīs, necesse est per accidēns ipsās quoque potentiās immūtārī. Quia igitur immūtātiō īnferiōrum corporum subiacet mōtuī caelī, eīdem etiam mōtuī potentiārum sēnsitīvārum operātiōnēs, licet per accidēns, subduntur, et sīc indīrēctē mōtus caelestis aliquid operātur ad āctum intellēctūs et voluntātis hūmānae,

apprehēnsīvus -a -um < apprehendere
appetītīvus -a -um < appetere

sub-iacēre = sub imperiō esse

in quantum scīlicet per passiōnēs voluntās ad aliquid inclīnātur.

Sed quia voluntās passiōnibus nōn subditur ut eārum impetum ex necessitāte sequātur, sed magis in potestāte suā habet reprimere passiōnēs per iūdicium ratiōnis, cōnsequēns est ut nec etiam impressiōnibus corporum caelestium voluntās hūmāna subdātur, sed līberum iūdicium habet eās sequī et resistere, cum vidēbitur expedīre, quod tantum sapientium est. Sequī vērō passiōnēs corporālēs et inclīnātiōnēs est multōrum, quī scīlicet sapientiā et virtūte carent.

re-primere

impressiō -ōnis *f* < imprimere

subdātur *coni pass* < subdere

sapientia -ae *f* < *sapiēns*
sapiēns -entis = prūdēns et doctus

inclīnātiō -ōnis *f* < inclīnāre

Capitulus 129

Quod sōlus Deus movet voluntātem hominis, nōn rēs creāta

multi-formis -e (< multus + fōrma)
= multās fōrmās habēns

Cum autem omne mūtābile et multifōrme, in aliquod prīmum immōbile et ūnum redūcātur sīcut in causam, hominis autem intellēctus et voluntās mūtābilis et multifōrmis appāreat, necesse est quod in aliquam superiōrem causam immōbilem et

ūni-formis ↔ multi-formis

ūnifōrmem redūcantur. Et quia nōn redūcuntur sīcut in causam in corpora caelestia, ut ostēnsum est, oportet eās redūcere in causās altiōrēs.

Aliter autem sē habet circā intellēctum et voluntātem: nam āctus intellēctūs est secundum quod rēs intellēctae sunt in intellēctū, āctus autem voluntātis attenditur secundum inclīnātiōnem voluntātis ad rēs volitās. Intellēctus igitur nātus est perficī ab aliquō exteriōrī, quod comparātur ad ipsum sīcut ad potentiam: unde homō ad āctum intellēctūs adiuvārī potest ā quōlibet exteriōrī, quod est magis perfectum secundum esse intellegibile, nōn sōlum ā Deo, sed

īn-struere -ūxisse -ūctum

etiam ab angelō, et etiam ab homine magis īnstrūctō, aliter tamen et aliter.

Homō enim adiuvātur ab homine ad intellegendum per hoc quod ūnus eōrum alterī prōpōnit intel-

prō-pōnere = ostendere

legibile quod nōn cōnsīderābat, nōn autem ita quod lūmen intellēctūs ūnīus hominis ab alterō homine

perficiātur, quia utrumque lūmen nātūrāle est ūnīus
speciēī.

Sed quia lūmen nātūrāle angelī est secundum
nātūram sublīmius nātūrālī lūmine hominis, homō ab
angelō potest iuvārī ad intellegendum nōn sōlum ex
parte obiectī quod eī ab angelō prōpōnitur, sed etiam
ex parte lūminis, quod per lūmen angelī confortātur.
Nōn tamen lūmen nātūrāle hominis ab angelō est,
cum nātūrā ratiōnālis animae, quae per creātiōnem
esse accēpit, nōn nisi ā Deō īnstitūta sit.

īnstituere -ere -uisse -ūtum : creāre

Deus autem ad intellegendum hominem iuvat
nōn sōlum ex parte obiectī, quod hominī prōpōnitur ā
Deō, vel per additiōnem lūminis, sed etiam per hoc
quod lūmen nātūrāle hominis, quō intellēctuālis est, ā
Deō est, et per hoc etiam quod cum ipse sit veritās
prīma, ā quā omnis alia veritās certitūdinem habet,
sīcut secundae prōpositiōnēs ā prīmīs in scientiīs
dēmōnstrātīvīs, nihil intellēctui certum fierī potest
nisi virtūte dīvīnā, sīcut nec conclūsiōnēs fīunt cer-
tae in scientiīs nisi secundum virtūtem prīmōrum
prīncipiōrum.

prōpositiō -ōnis *f* (< prōpōnere) :
consilium
dēmōnstrātīvus -a -um <
dēmōnstrāre

Sed cum āctus voluntātis sit īnclīnātiō quaedam
ab interiōrī ad exterius prōcēdēns, et comparētur
īnclīnātiōnibus nātūrālibus, sīcut īnclīnātiōnēs
nātūrālēs rēbus nātūrālibus sōlum īnsunt ā causā suae
nātūrae, ita āctus voluntātis ā sōlō Deō est, quī sōlus

causa est nātūrae ratiōnālis voluntātem habentis. Unde patet quod nōn est contrā arbitriī lībertātem, sī Deus voluntātem hominis movet, sīcut nōn est contrā nātūram quod Deus in rēbus nātūrālibus operātur, sed tam īnclīnātiō nātūrālis quam voluntāria ā Deō est, utraque prōveniēns secundum conditiōnem reī cuius est: sīc enim Deus rēs movet secundum quod competit eārum nātūrae.

Patet igitur ex praedictīs quod in corpus hūmānum et virtūtēs eius corporeās imprimere possunt corpora caelestia, sīcut et in alia corpora, nōn autem in intellēctum, sed hoc potest creātūra intellēctuālis. In voluntātem autem sōlus Deus imprimere potest.

Capitulus 130

Quod Deus omnia gubernat, et quaedam movet mediantibus causās secundās

Quia vērō causae secundae nōn agunt nisi virtūte prīmae causae, sīcut īnstrūmenta agunt per dīrēctiōnem artis, necesse est quod omnia alia agentia, per quae Deus ōrdinem suae gubernātiōnis adimplet, virtūte ipsīus Deī agant. Agere igitur cuiuslibet ipsōrum ā Deō causātur, sīcut et mōtus mōbilis ā mōtiōne moventis. Movēns autem et mōtum oportet simul esse. Oportet igitur quod Deus cuilibet agentī adsit interius quasi in ipsō agēns, dum ipsum ad agendum movet.

dīrēctiō -ōnis *f* < dīrigere

ad-implēre

Adhūc. Nōn sōlum agere agentium secundōrum causātur ā Deō, sed ipsum eōrum esse, sīcut in superiōribus ostēnsum est. Nōn autem sīc intellegendum est quod esse rērum causētur ā Deō sīcut esse domus causātur ab aedificātōre, quō remōtō adhūc remanet esse domus. Aedificātor enim nōn causat esse domus nisi in quantum movet ad esse domus, quae quidem mōtiō est factiō domus, unde dīrēctē est causa fierī ipsīus domus, quod quidem cessat aedificātōre remōtō. Deus autem est per sē causa dīrēctē ipsīus esse, quasi esse commūnicāns omnibus rēbus, sīcut sōl commūnicat lūmen āerī, et aliīs quae ab ipsō illūminantur. Et sīcut ad cōnservātiōnem lūminis in āere requīritur perseverāns illūminātiō sōlis, ita ad hoc quod rēs cōnserventur in esse, requīritur quod Deus esse incessanter tribuat rēbus, et sīc omnia nōn sōlum in quantum esse incipiunt, sed etiam in quantum in esse cōnservantur, comparantur ad Deum sīcut factum ad faciēns. Faciēns autem et factum oportet esse simul, sīcut movēns et mōtum. Oportet igitur Deum adesse omnibus rēbus in quantum esse habent. Esse autem est id quod rēbus omnibus intimius adest. Igitur oportet Deum in omnibus esse.

cōnservātiō -ōnis *f* < *cōnservāre*
cōnservāre = integrum servāre

per-sevērāre = firmē stāre, cōnstāns manēre

in-cessanter *adv* = modō quī nōn cessat

Item. Quīcumque exsequitur suae prōvidentiae ōrdinem per aliquās mediās causās, necesse est quod effectūs illārum mediārum causārum cognōscat et ōrdinet, aliōquin extrā ōrdinem suae prōvidentiae caderent: et tantō perfectior est prōvidentia gubernantis, quantō eius cognitiō et ōrdinātiō magis dēscendit ad singulāria, quia sī aliquid singulārium ā cognitiāne gubernantis, subtrahitur dēterminātiō ipsīus singulāris eius prōvidentia diffugiet. Ostēnsum est autem suprā quod necesse est omnia dīvīnae prōvidentiae subdī; et manifēstum est quod dīvīna prōvidentia perfectissima est, quia quidquid dē Deō dīcitur, secundum māximum convenit eī. Oportet igitur quod ōrdinātiō prōvidentiae ipsīus sē extendat ūsque ad minimōs effectūs.

ex-sequī = facere (quod iubētur)

necesse est *quod* = necesse est *ut*

ōrdinātiō -ōnis *f* < ōrdināre

dif-fugere = omnīnō fugere

Capitulus 131

Quod Deus omnia dispōnit immediātē,

di-minuere = minuere

Secundum hoc igitur patet quod licet rērum gubernātiō fiat ā Deō mediantibus causīs secundīs, quantum pertinet ad prōvidentiae exsecūtiōnem, tamen ipsa dispositiō seu ōrdinātiō dīvīnae prōvidentiae immediātē sē extendit ad omnia. Nōn enim sīc prīma et ultima ōrdinat ut ultima et singulāria aliīs dispōnenda committat: hoc enim apud hominēs agitur propter dēbilitātem cognitiōnis ipsōrum, quae nōn potest simul vacāre plūribus: unde superiōrēs gubernātōrēs dispōnunt dē magnīs et minima aliīs committunt dispōnenda; sed Deus simul multa potest cognōscere, ut suprā ostēnsum est, unde nōn retrahitur ab ōrdinātiōne maximōrum per hoc quod dispēnsat minima.

exsecūtio -ōnis *f* : āctiō officiī cuiusdam propria

com-mittō -ere -mīsī -misum : tradere

vacāre : studēre

dispēnsāre = negōtia cūrāre

Capitulus 132

Ratiōnēs quae videntur ostendere quod Deus nōn habet prōvidentiam dē particulāribus

Posset tamen alicui vidērī quod singulāria nōn dispōnantur ā Deō. Nūllus enim per suam prōvidentiam dispōnit nisi quae cognōscit. Deō autem cognitiō singulārium vidērī potest dēesse, ex hōc quod singulāria nōn intellēctū, sed sēnsū cognōscuntur. In Deō autem, quī omnīnō incorporeus est, nōn potest esse sēnsitīva, sed sōlum intellēctīva cognitiō. Potest igitur alicui vidērī ex hōc quod singulāria ā dīvīnā prōvidentiā nōn ōrdinentur.

Item. Cum singulāria sint īnfīnīta, īnfīnītōrum autem nōn possit esse cognitiō (īnfīnītum enim ut sīc est ignōtum), vidētur quod singulāria dīvīnam cognitiōnem et prōvidentiam effugiant.

Adhūc. Singulārium multa contingentia sunt. Hōrum autem nōn potest esse certa scientia. Cum igitur scientiam Deī oporteat esse certissimam, vidētur quod singulāria nōn cognōscantur, nec dispōnantur ā Deō.

Praetereā. Singulāria nōn omnia simul sunt, quia quibusdam succēdentibus alia corrumpuntur. Eōrum autem quae nōn sunt, nōn potest esse scientia. Sī igitur singulārium Deus scientiam habeat, sequitur quod quaedam scīre incipiat et dēsinat, ex quō sequitur eum esse mūtābilem. Nōn igitur vidētur singulārium cognitor et dispositor esse.

cognitor -ōris *m* : quī cognōscit
dispositor -ōris *m* : quī dispōnit

Capitulus 133

Solūtiō praedictārum ratiōnum

Sed haec facile solvuntur, sī quis reī veritātem cōnsīderet. Cum enim Deus sē ipsum perfectē cognōscat, oportet quod cognōscat omne quod in ipsō est quōcumque modō. Cum autem ab eō sit omnis essentia et virtūs entis creātī, quod autem est ab aliquō, virtūte in ipsō est, necesse est quod sē ipsum cognōscēns cognōscat essentiam entis creātī et quidquid in eō virtūte est; et sīc cognōscit omnia singulāria quae virtūte sunt in ipsō et in aliīs suīs causīs.

Nec est simile dē cognitiōne intellēctūs dīvīnī et nostrī, ut prīma ratiō procēdēbat. Nam intellēctus noster cognitiōnem dē rēbus accipit per speciēs abstractās, quae sunt similitūdines fōrmārum, et nōn māteriae, nec māteriālium dispositiōnum, quae sunt indīviduātiōnis prīncipia: unde intellēctus noster singulāria cognōscere nōn potest, sed sōlum ūniversālia. Intellēctus autem dīvīnus cognōscit rēs per essentiam suam, in quā sīcut in prīmō prīncipiō virtūte continentur nōn sōlum fōrma, sed etiam māteria; et ideō nōn sōlum ūniversālium, sed etiam singulārium cognitor est.

Similiter etiam nōn est inconveniēns Deum īnfīnīta cognōscere, quamvis intellēctus noster īnfīnīta cognōscere nōn possit. Intellēctus enim nos-

solūtiō -ōnis *f* : negātiō

solvere : plānum facere

223

ter nōn potest simul āctū plūra cōnsīderāre, et sīc sī īnfīnīta cognōsceret, cōnsīderandō ea, oportēret quod numerāret īnfīnīta ūnum post ūnum, quod est contrā ratiōnem īnfīnītī; sed virtūte et potentiā intellēctus noster īnfīnīta cognōscere potest, putā omnēs speciēs numerōrum vel prōportiōnum, in quantum habet sufficiēns prīncipium ad omnia cognōscenda. Deus autem multa simul cognōscere potest, ut suprā ostēnsum est, et id per quod omnia cognōscit, scīlicet sua essentia, sufficiēns est prīncipium omnia cognōscendī nōn sōlum quae sunt, sed quae esse possunt. Sīcut igitur intellēctus noster potentiā et virtūte cognōscit īnfīnīta, quōrum cognitiōnis prīncipium habet, ita Deus omnia īnfīnīta āctū cōnsīderat.

Manifēstum est etiam quod licet singulāria corporālia et temporālia nōn simul sint, tamen simul eōrum Deus cognitiōnem habet: cognōscit enim ea secundum modum suī esse, quod est aeternum et sine successiōne. Sīcut igitur māteriālia immāteriāliter, et multa per ūnum cognōscit, sīc et quae nōn simul sunt, ūnō intuitū cōnspicit: et sīc nōn oportet quod eius cognitiōnī aliquid addātur vel subtrahātur, per hoc quod singulāria cognōscit.

Ex quō etiam manifēstum fit quod dē contingent-
ibus certam cognitiōnem habet, quia etiam antequam
fīant, intuētur ea prout sunt āctū in suō esse, et nōn
sōlum prout sunt futūra et virtūte in suīs causīs, sīcut
nōs aliqua futūra cognōscere possumus. Contingentia
autem licet prout sunt in suīs causīs virtūte futūra existentia, nōn sunt dētermināta ad ūnum, ut dē eīs certa cognitiō habērī possit, tamen prout sunt āctū in suō
esse, iam sunt dētermināta ad ūnum, et potest dē eīs
certa habērī cognitiō. Nam Sōcratēm sedēre dum sedet, per certitūdinem vīsiōnis cognōscere possumus.

Sōcratēs -is *m*, *acc*. Sōcratēm

Et similiter per certitūdinem Deus cognōscit omnia,
quaecumque per tōtum discursum temporis aguntur,

discursus -ūs *m* (< *discurrere*) :
    prōcessiō
praesentiāliter = modō praesentī,
    sīcut praesentī tempore rēs sē
    habent

in suō aeternō: nam aeternitās sua praesentiāliter tōtum temporis dēcursum attingit, et ultrā trānscendit,
ut sīc cōnsīderēmus Deum in suā aeternitāte flūxum
temporis cognōscere, sīcut quī in altitūdine speculae

dēcursus -ūs *m* :
flūxus -ūs *m* (< fluere) : prōcessiō
altitūdō -inis *f* < altus
specula -ae *f* = locus altus unde
    prōspicitur
trānsitus -ūs *m* < trānsīre
viātor -ōris *m* (< via) = quī iter facit

cōnstitūtus tōtum trānsitum viātōrum simul intuētur.

Capitulus 134

Quod Deus sōlus cognōscit singulāria futūra contingentia

contingēns -entis ↔ necessitās

Manifēstum est autem quod hōc modō futūra contingentia cognōscere, prout sunt āctū in suō esse, quod est certitūdinem dē ipsīs habēre, solīus Dei proprium est, cui propriē et vērē competit aeternitās: unde futūrōrum praenūntiātiō certa pōnitur esse dīvīnitātis signum, secundum illud Isaīae XLI, 23: annūntiāte quae ventūra sunt in futūrum, et sciēmus quia diī estis vōs. Sed cognōscere futūra in suīs causīs etiam aliīs competere potest; sed haec cognitiō nōn est certa, sed coniectūrālis magis, nisi circā effectūs quī dē necessitāte ex suīs causīs sequuntur: et per hunc modum medicus praenūntiat īnfirmitātēs futūrās, et nauta tempestātēs.

prae-nūntiātiō -ōnis *f* < prae-nūntiāre (= anteā nūntiāre)

an-nūntiāre < ad + nūntiāre

coniecturalis -e < coniectūra -ae *f*
coniectūram facere = intellegere id quod nōn palam dīcitur

Capitulus 135

Quod Deus omnibus adest per potentiam, essentiam et praesentiam, et omnia immediātē dispōnit

Sīc igitur nihil impedit quīn Deus etiam singulārium effectuum cognitiōnem habeat, et eōs immediātē ōrdinet per sē ipsum, licet per causās mediās exsequātur. Sed etiam in ipsā exsecūtiōne quōdammodō immediātē sē habet ad omnēs effectūs, in quantum omnēs causae mediae agunt in virtūte causae prīmae, ut quōdammodō ipse in omnibus agere videātur, et omnia opera secundārum causārum eī possunt attribuī, sīcut artificī attribuitur opus īnstrūmentī: convenientius enim dīcitur quod faber facit cultellum quam martellus. Habet etiam sē immediātē ad omnēs effectūs, in quantum ipse est per sē causa essendī, et omnia ab ipsō servantur in esse.

Et secundum hōs trēs immediātōs modōs dīcitur Deus in omnibus esse per essentiam, potentiam et praesentiam. Per essentiam quidem, in quantum esse cuiuslibet est quaedam participātiō dīvīnī esse, et sīc essentia dīvīna cuilibet exsistentī adest, in quantum habet esse, sīcut causa propriō effectuī; per potentiam vērō, in quantum omnia in virtūte ipsīus agunt; per praesentiam vērō, in quantum ipse immediātē omnia ōrdinat et dispōnit.

impedīre -īvisse -ītum = difficilem / tardum facere

quōdam-modō

at-tribuere -uisse -ūtum (< ad + tribuere) + *dat* = tribuere, addere

cultellus -ī *m* = parvus culter

martellus -ī *m* :

praesentia -ae *f* < praesēns

Capitulus 136

Quod sōlī Deō convenit mīrācula facere

Quia igitur tōtus ōrdō causārum secundārum et virtūs eārum est ā Deō, ipse autem nōn prōdūcit suōs effectūs per necessitātem, sed līberam voluntātem, ut suprā ostēnsum est, manifēstum est quod praeter ōrdinem causārum secundārum agere potest, sīcut quod sānet illōs quī secundum operātiōnem nātūrae sānārī nōn possunt, vel faciat aliqua huius modī quae nōn sunt secundum ōrdinem nātūrālium causārum, sunt tamen secundum ōrdinem dīvīnae prōvidentiae, quia hoc ipsum quod aliquandō ā Deō fiat praeter ōrdinem nātūrālium causārum, ā Deō dispositum est propter aliquem fīnem.

Cum autem aliqua huiusmodī dīvīnitus fīunt praeter ōrdinem causārum secundārum, tālia facta mīrācula dīcuntur: quia mīrum est, cum effectus vidētur, et causa ignōrātur. Cum igitur Deus sit causa simpliciter nōbīs occulta, cum aliquid ab eō fit praeter ōrdinem causārum secundārum nōbīs notārum, simpliciter mīrācula dīcuntur. Sī autem fiat aliquid ab aliquā aliā causā occulta huic vel illī, nōn est simpliciter mīrāculum, sed quoad illum quī causam ignōrat: unde contingit quod aliquid appāret mīrum ūnī, quod nōn est aliī mīrum, quī causam cognōscit.

quoad + *acc* = quod pertinet ad ...

con-tingere : fierī

Sīc autem praeter ōrdinem causārum secundārum operārī sōlīus Deī est, quī est huius ōrdinis īnstitūtor, et huic ōrdinī nōn obligātur. Alia vērō omnia huic ōrdinī subduntur, unde mīrācula facere, sōlīus Deī est, secundum illud Psalmistae: quī facit mīrābilia magna sōlus. Cum igitur ab aliquā creātūra mīrācula fierī videntur, vel nōn sunt vēra mīrācula, quia fīunt per aliquās virtūtēs nātūrālium rērum, licet nōbīs occultās, sīcut est dē mīraculīs daemonum, quae magicīs artibus fīunt; vel sī sunt vēra mīrācula, impetrantur per aliquem ā Deō, ut scīlicet tālia operētur. Quia igitur huiusmodī mīrācula sōlum dīvīnitus fīunt, convenienter in argūmentum fideī assūmuntur, quae sōlī Deō innītitur. Quod enim aliquid prōlātum ab homine auctōritāte dīvīnā dicātur, nunquam convenientius ostenditur quam per opera quae sōlus Deus facere potest.

īnstitūtor -ōris *m* = quī īnstitūtor

ob-ligāre = officiō tenēre

Psalmista -ae *m* = auctor
    Psalmārum
    [*Ps.* 135:3]

impetrāre : petītum capere

assūmere (< ad + sūmere)= capere
    et sustinēre
in-nītī = sustinērī
prō-ferre = prōmere, dīcere
dicāre = in mediō nūntiāre

re-flūxus -ūs *m*

Huiusmodī autem mīrācula, quamvis praeter ōrdinem causārum secundārum fīant, tamen nōn sunt simpliciter dīcenda contrā nātūram, quia hoc ipsum nātūrālis ōrdō habet ut īnferiōra āctiōnibus superiōrum subdantur. Unde quae in corporibus īnferiōribus ex impressiōne caelestium corporum prōveniunt, nōn dīcuntur simpliciter esse contrā nātūram, licet forte sint quandōque contrā nātūram particulārem huius vel illīus reī, sīcut patet dē mōtū aquae in flūxū et reflūxū maris, quī accidit ex lūnae āctiōne. Sīc igitur et ea quae in creātūrīs accidunt Deō agente, licet videantur esse contrā particulārem ōrdinem causārum secundārum, sunt tamen secundum ōrdinem ūniversālem nātūrae. Nōn igitur mīrācula sunt contrā nātūram.

Capitulus 137

Quod dīcantur esse aliqua cāsuālia et fortuita

Quamvis autem omnia etiam minima dīvīnitus dispēnsentur, ut ostēnsum est, nihil tamen prohibet aliqua accidere ā cāsū et fortūnā. Contingit enim aliquid respectū īnferiōris causae esse fortuitum vel cāsuāle, dum praeter eius intentiōnem aliquid agitur, quod tamen nōn est fortuitum vel casuāle respectū superiōris causae, praeter cuius intentiōnem nōn agitur; sīcut patet dē dominō, quī duōs servōs ad eumdem locum mittit, ita quod ūnus ignōret dē aliō: hōrum concursus cāsuālis est quantum ad utrumque, nōn autem quantum ad Dominum.

Sīc igitur cum aliqua accidunt praeter intentiōnem causārum secundārum, fortuita sunt vel cāsuālia habitō respectū ad illās causās, et simpliciter cāsuālia dīcī possunt, quia effectūs simpliciter dēnōminantur secundum conditiōnem proximārum causārum. Sī vēro habeātur respectus ad Deum, nōn sunt fortuita, sed prōvīsa.

cāsuālis -e < cāsus
fortuitus -a -um = quī forte fit

concursus -ūs *m* < concurrere (= in eundem locum currere)

dē-nōmināre = appellāre

prō-vidēre : vidēre et parāre antea
aliquid prōvisum : quod per prōvidentiam fit

Capitulus 138

Utrum fātum sit aliqua nātūra, et quid sit

cōnsīderātiō -ōnis *f* < cōnsīderāre

ōrdinātiō -ōnis *f* < ōrdināre

sīdus -eris *n* = stella

Ex hōc autem appāret quae sit ratiō fātī. Cum enim multī effectūs inveniantur cāsuāliter prōvenīre secundum cōnsīderātiōnem secundārum causārum, quidam huiusmodī effectūs in nūllam superiōrem causām ōrdinantem eōs redūcere volunt, quōs tōtāliter negāre fātum necesse est. Quidam vērō hōs effectūs quī videntur cāsuālēs et fortuitī, in superiōrem causam ōrdinantem eōs redūcere voluērunt, sed corporālium ōrdinem nōn trānscendentēs, attribuērunt ōrdinatiōnem corporibus prīmīs, scīlicet caelestibus: et hī fātum esse dīxērunt vim positiōnis sīderum, ex quā huiusmodī effectūs contingere dīcēbant. Sed quia ostēnsum est, quod intellēctus et voluntās, quae sunt propria prīncipia hūmānōrum āctuum, propriē corporibus caelestibus nōn subduntur, nōn potest dīcī, quod ea quae cāsuāliter vel fortuitō in rēbus hūmānīs accidere videntur, redūcantur in corpora caelestia sīcut in causam ōrdinantem.

Fātum autem nōn vidētur esse nisi in rēbus hūmānīs, in quibus est et fortūna. Dē hīs enim solent aliquī quaerere, futūra cognōscere volentēs, et dē hīs ā dīvīnantibus respondērī cōnsuēvit: unde et fātum ā fandō est appellātum, et ideō sīc fātum pōnere est aliēnum ā fidē. Sed quia nōn sōlum rēs nātūrālēs, sed etiam rēs hūmānae dīvīnae prōvidentiae subduntur, quae cāsuāliter in rēbus hūmānīs accidere videntur, in ōrdinātiōnem dīvīnae prōvidentiae redūcere oportet. Et sīc necesse est pōnere fātum pōnentibus dīvīnae prōvidentiae omnia subiacēre. Fātum enim sīc acceptum sē habet ad dīvīnam prōvidentiam sīcut proprius eius effectus. Est enim explicātiō dīvīnae prōvidentiae rēbus adhibita, secundum quod Boētius dīcit, quod fātum est dispositiō, id est ōrdinātiō immōbilis, rēbus mōbilibus inhaerēns.

explicātiō -ōnis *f* < *explicāre*
explicāre = explānāre
ad-hibēre - uisse -itum = ūtī

Sed quia cum īnfidēlibus quantum possumus, nec nōmina dēbēmus habēre commūnia, nē ā nōn intelligentibus errōris occāsiō sūmī possit, cautius est fidēlibus ut fātī nōmen reticeant, propter hoc quod fātum convenientius et commūnius secundum prīmam acceptiōnem sūmitur. Unde et Augustīnus dīcit V Dē cīvitāte Deī, quod sī quis secundō modō fātum esse crēdat, sententiam teneat et linguam corrigat.

īnfidēlis -e = quī alterīus fidem nōn meret.

occāsiō -ōnis f = tempus proprium

re-ticēre = tacēre, nōn dīcere

S. Augustīnus
Liber V (quīntus)

Capitulus 139

Quod nōn omnia sunt ex necessitāte

Quamvis autem ōrdō dīvīnae prōvidentiae rēbus adhibitus certus sit, ratiōne cuius Boētius dīcit quod fātum est dispositiō immōbilis rēbus mōbilibus inhaerēns, nōn tamen propter hoc sequitur omnia dē necessitāte accidere. Nam effectūs necessāriī vel contingentēs dīcuntur secundum conditiōnem proximārum causārum. Manifēstum est enim quod sī causa prīma fuerit necessāria, et causa secunda fuerit contingēns, effectus sequitur contingēns, sīcut prīma causa generātiōnis in rēbus corporālibus īnferiōribus est mōtus caelestis corporis, quī licet ex necessitāte prōveniat, generātiō tamen et corruptiō in istīs īnferiōribus prōvenit contingenter, propter hoc quod causae īnferiōrēs contingentes sunt, et dēficere possunt. Ostēnsum est autem quod Deus suae prōvidentiae ōrdinem per causās īnferiōrēs exsequitur. Erunt igitur aliquī effectūs dīvīnae prōvidentiae contingentēs secundum conditiōnem īnferiōrum causārum.

contingenter *adv* = mōre convenientī

Capitulus 140

Quod dīvīnā prōvidentiā manente, multa sunt contingentia

contingentia -ae *f* : contingēns

Nec tamen effectuum contingentia vel causārum, certitūdinem dīvīnae prōvidentiae perturbāre potest. Tria enim sunt quae prōvidentiae certitūdinem praestāre videntur: scīlicet infallibilitās dīvīnae praescientiae, efficācia dīvīnae voluntātis, et sapientia dīvīnae dispositiōnis, quae viās sufficientēs ad effectum cōnsequendum adinvenit, quōrum nūllum contingentiae rērum repugnat. Nam scientia Deī infallibilis est etiam contingentium futūrorum, in quantum Deus intuētur in suō aeternō futūra, prout sunt āctū in suō esse, ut suprā expositum est.

in-fallibilitās -ātis *f* : potestās quā aliquis fallī nōn potest
efficācia -ae *f* < *efficāx*
efficāx efficācis adi : efficiēns

ad-in-venīre

in-fallibilis -e = quī fallī nōn potest

Voluntās etiam Deī, cum sit ūniversālis rērum causa, nōn sōlum est dē hōc quod aliquid fiat, sed ut sīc fiat. Hoc igitur ad efficāciam dīvīnae voluntātis pertinet nōn sōlum ut fiat quod Deus vult, sed ut hōc modō fiat quōmodo illud fierī vult. Vult autem quaedam fierī necessāriō et quaedam contingenter, quia utrumque requīritur ad complētum esse ūniversī. Ut igitur utrōque modō rēs prōvenīrent, quibusdam adaptat necessāriās causās, quibusdam vērō contingentēs, ut sīc dum quaedam fīunt necessāriō, quaedam contingenter, dīvīna voluntās efficāciter impleātur.

ad-aptāre : parātum facere, efficere ut aliquid alicui conveniat

indēficienter = incessanter

sterilitās -ātis *f* < *sterilis -e*
sterilis -e ↔ fertilis

remedium -ī *n* = rēs quae aegrōs
sānat

tollere : dēlēre

exclūdere ↔ admittere

Manifēstum est etiam quod per sapientiam dīvīnae dispositiōnis, prōvidentiae certitūdō servātur, contingentiā rērum manente. Nam sī hoc per prōvidentiam hominis fierī potest ut causae quae dēficere potest ab effectū, sīc ferat auxilium ut interdum indēficienter sequātur effectus, sīcut patet in medicō sānante, et in vīneae cultōre contrā sterilitātem vitis adhibendō remedium, multō magis hoc ex sapientiā dīvīnae dispositiōnis contingit, ut quamvis causae contingentēs dēficere possint quantum est dē sē ab effectū, tamen quibusdam adminiculīs adhibitīs indēficienter sequātur effectus, quod eius contingentiam nōn tollit. Sīc ergō patet quod rērum contingentia dīvīnae prōvidentiae certitūdinem nōn exclūdit.

Capitulus 141

Quod dīvīnae prōvidentiae certitūdō nōn exclūdit mala ā rēbus

Eōdem etiam modō perspicī potest, quod dīvīnā prōvidentiā manente, mala in mundō accidere possunt propter dēfectum causārum secundārum. Vidēmus enim in causīs ōrdinātīs accidere malum in effectū ex dēfectū causae secundae, quī tamen dēfectus ā causā prīmā nūllō modō causātur, sīcut malum claudicātiōnis causātur ā curvitāte crūris, nōn autem ā virtūte animae mōtīva. Unde quidquid est in claudicātiōne dē mōtū, refertur in virtūtem mōtīvam sīcut in causam, quod autem est ibi dē oblīquitāte, nōn causātur ā virtūte mōtīva, sed ā crūris curvitāte. Et ideō quidquid malum in rēbus accidit, quantum ad hoc quod esse vel speciem vel nātūram aliquam habet, redūcitur in Deum sīcut in causam: nōn enim potest esse malum nisi in bonō, ut ex suprādictīs patet. Quantum vērō ad id quod habet dē dēfectū, redūcitur in causam īnferiōrem dēfectibilem. Et sīc licet Deus sit ūniversālis omnium causa, nōn tamen est causa malōrum in quantum sunt mala, sed quidquid bonī eīs adiungitur, causātur ā Deō.

per-spicere = plānē vidēre, dīligenter aspicere

curvitās -ātis *f* < curvus
curvus -a -um = quī fōrmam arcūs habet

mōtīvus -a -um < mōtus -ūs

oblīquitās -ātis *f* < obliquus
oblīquus -a -um : inclīnātus
līnea oblīqua: [/]

dēfectibilis -e = quī dēficere potest, quī dēfectum habēre potest

Capitulus 142

Quod nōn dērogat bonitātī Deī, quod mala permittat

dē-rogāre : dētrahere

Nec tamen hoc dīvīnae bonitātī repugnat quod mala esse permittit in rēbus ab eō gubernātīs. Prīmō quidem quia prōvidentiae nōn est nātūram gubernātōrum perdere, sed salvāre. Requīrit autem hoc perfectiō ūniversī ut sint quaedam in quibus malum nōn possit accidere, quaedam vērō quae dēfectum malī patī possint secundum suam nātūram. Sī igitur malum tōtāliter exclūderētur ā rēbus, prōvidentia dīvīna nōn regerentur rēs secundum eārum nātūram, quod esset maior dēfectus quam singulārēs dēfectus quī tollerentur.

nūtrīmentum -ī *n* = id quod alit

persecūtiō -ōnis *f* < per-sequī
in-iūstus ↔ iūstus

Secundō, quia bonum ūnīus nōn potest accidere sine malō alterīus, sīcut vidēmus quod generātiō ūnīus nōn est sine corruptiōne alterīus, et nūtrīmentum leōnis nōn est sine occisiōne alterīus animālis, et patientia iūstī nōn est sine persecūtiōne iniūstī. Sī igitur malum tōtāliter exclūderētur ā rēbus, sequerētur quod multa etiam bona tollerentur. Nōn igitur pertinet ad dīvīnam prōvidentiam ut malum tōtāliter exclūdātur ā rēbus, sed ut mala quae prōveniunt, ad aliquod bonum ōrdinentur.

Tertiō, quia ex ipsīs malīs particulāribus commendābiliōra redduntur bona dum eīs comparantur, sīcut ex obscūritāte nigrī magis dēclārātur clāritās albī. Et sic per hoc quod permittit mala esse in mundō, dīvīna bonitās magis dēclārātur in bonīs, et sapientia in ōrdinātiōne malōrum ad bona.

commendabilis -e : laudibus dignus

obscūritās -ātis *f* < obscūrus
dēclārāre = (clārē) dīcere

Capitulus 143

Quod Deus specialiter homini providet per gratiam

Quia igitur divina providentia rebus singulis secundum earum modum providet, creatura autem rationalis per liberum arbitrium est domina sui actus prae ceteris creaturis, necesse est ut et ei singulari modo provideatur quantum ad duo. Primo quidem quantum ad adiumenta operis, quae ei dantur a Deo; secundo quantum ad ea quae pro suis operibus ei redduntur.

Creaturis enim irrationabilibus haec solum adiumenta dantur divinitus ad agendum quibus naturaliter moventur ad agendum; creaturis vero rationabilibus dantur documenta et praecepta vivendi. Non enim praeceptum dari competit nisi ei qui est dominus sui actus, quamvis etiam creaturis irrationabilibus praecepta per quamdam similitudinem Deus dare dicatur, secundum illud Psal. cxlviii, 6: *praeceptum posuit et non praeteribit:* quod quidem praeceptum nihil aliud est quam dispositio divinae providentiae movens res naturales ad proprias actiones.

Similiter etiam actiones creaturarum rationalium imputantur eis ad culpam vel ad laudem, pro eo quod habent dominium sui actus, non solum hominibus ab homine praesidente, sed etiam a Deo, cum homines non solum regantur ab homine, sed etiam a Deo.

Cuiuscumque autem regimini aliquis subditur, ab eo sibi imputatur quod laudabiliter vel culpabiliter agit. Et quia pro bene actis debetur praemium, culpae vero debetur poena, ut supra dictum est, creaturae rationales secundum iustitiam divinae providentiae et puniuntur pro malis, et praemiantur pro bonis. In creaturis autem irrationabilibus non habet locum poena nec praemium, sicut nec laudari nec culpari.

Quia vero ultimus finis creaturae rationalis facultatem naturae ipsius excedit, ea vero quae sunt ad finem, debent esse fini proportionata secundum rectum providentiae ordinem, consequens est ut creaturae rationali etiam adiutoria divinitus conferantur, non solum quae sunt proportionata naturae, sed etiam quae facultatem naturae excedunt. Unde supra naturalem facultatem rationis imponitur homini divinitus lumen gratiae, per quod interius perficitur ad virtutem et quantum ad cognitionem, dum elevatur mens hominis per lumen huiusmodi ad cognoscendum ea quae rationem excedunt, et quantum ad actionem et affectionem, dum per lumen huiusmodi affectus hominis supra creata omnia elevatur ad Deum diligendum, et sperandum in ipso, et ad agendum ea quae talis amor requirit.

Huiusmodi autem dona, sive auxilia supernaturaliter homini data, gratuita vocantur duplici ratione. Primo quidem quia gratis divinitus dantur: non enim potest in homine aliquid inveniri cui condigne huiusmodi auxilia debeantur, cum haec facultatem humanae naturae excedant. Secundo vero quia speciali quodam modo per huiusmodi dona homo efficitur Deo gratus. Cum enim dilectio Dei sit causa bonitatis in rebus non a praeexistente bonitate provocata, sicut est dilectio nostra, necesse est quod quibus aliquos speciales effectus bonitatis largitur, respectu horum specialis ratio dilectionis divinae consideretur. Unde eos maxime et simpliciter diligere dicitur quibus tales bonitatis effectus largitur per quos ad ultimum finem veniant, quod est ipse, qui est fons bonitatis.

Capitulus 144

Quod Deus per dona gratuita remittit peccata, quae etiam gratiam interimunt

Et quia peccata contingunt ex hoc quod actiones deficiunt a recto ordine ad finem, ad finem autem ordinatur homo non solum per naturalia auxilia, sed per gratuita, necesse est quod peccata hominum non solum naturalibus auxiliis, sed etiam gratuitis contrarientur. Contraria autem se invicem expellunt. Unde sicut per peccata huiusmodi auxilia gratuita ab homine tolluntur, ita per gratuita dona peccata homini remittuntur: alioquin malitia hominis in peccando plus posset dum removet gratiam divinam, quam divina bonitas ad removendum peccata per gratiae dona.

Item. Deus rebus providet secundum earum modum. Hic autem est modus mutabilium rerum, ut in eis contraria alternari possint, sicut generatio et corruptio in materia corporali, et album et nigrum in corpore colorato. Homo autem est mutabilis secundum voluntatem quamdiu in hac vita vivit. Sic igitur divinitus gratuita dona homini dantur, ut ea possit per peccatum amittere: et sic peccata perpetrat, ut ea per gratuita dona remitti possint.

Praeterea. In iis quae supra naturam aguntur, possibile et impossibile attenditur secundum potentiam divinam, non secundum potentiam naturalem: quod enim caecus illuminari possit vel mortuus resurgere, non est naturalis potentiae, sed divinae. Dona autem gratuita sunt supernaturalia. Quod igitur ea aliquis consequi possit, ad divinam potentiam pertinet. Dicere igitur quod aliquis post peccatum gratuita dona consequi non possit, est divinae potentiae derogare. Gratuita autem dona simul cum peccato esse non possunt, cum per gratuita dona homo ordinetur ad finem, a quo per peccatum avertitur. Dicere igitur peccata remissibilia non esse, divinae potentiae contrariatur.

Capitulus 145

Quod peccata non sunt irremissibilia

Si quis autem dicat peccata irremissibilia esse non propter divinam impotentiam, sed quia hoc habet divina iustitia ut qui cadit a gratia, ulterius non revertatur ad ipsam; hoc patet esse falsum. Non enim hoc habet ordo divinae iustitiae quod quandiu aliquis est in via, sibi detur quod pertinet ad terminum viae. Immobiliter autem se habere vel in bono vel in malo pertinet ad terminum viae: immobilitas enim et quies est terminus motus, tota autem praesens vita est status viae, quod demonstrat mutabilitas hominis et quantum ad corpus et quantum ad animam. Non igitur hoc habet divina iustitia ut homo post peccatum immobiliter maneat in eo.

Adhuc. Ex divinis beneficiis periculum homini non irrogatur, et praecipue ex maximis. Esset autem periculosum homini mutabilem vitam agenti gratiam accipere, si post gratiam peccare posset, et iterum redire ad gratiam non posset, praesertim cum peccata quae gratiam praecedunt, remittantur per gratiam, quae interdum maiora sunt his quae post gratiam susceptam homo committit. Non est igitur dicendum quod peccata hominis irremissibilia sint, sive ante sive post committantur.

Capitulus 146

Quod solus Deus potest remittere peccata

Peccata vero remittere solus Deus potest. Culpa enim contra aliquem commissa ille solus remittere potest contra quem committitur. Peccata enim imputantur homini ad culpam non solum ab homine, sed etiam a Deo, ut supra dictum est. Sic autem nunc agimus de peccatis, prout imputantur homini a Deo. Deus igitur solus peccata remittere potest.

Adhuc. Cum per peccata homo deordinetur ab ultimo fine, remitti non possunt, nisi homo reordinetur in finem. Hoc autem fit per gratuita dona, quae sunt solum a Deo, cum excedant facultatem naturae. Solus igitur Deus potest peccata remittere.

Item. Peccatum homini imputatur ad culpam, inquantum voluntarium. Voluntatem autem immutare solus Deus potest. Solus igitur ipse vere potest remittere peccata.

Capitulus 147

*De quibusdam articulis fidei qui sumuntur
penes effectus divinae gubernationis*

Hic est igitur secundus Dei effectus, gubernatio rerum, et specialiter creaturarum rationalium, quibus et gratiam tribuit et peccata remittit: qui quidem effectus in symbolo fidei tangitur et quantum ad hoc quod omnia in finem divinae bonitatis ordinantur, per hoc quod Spiritum Sanctum profitemur Deum, nam Deo est proprium ad finem suos subditos ordinare; et quantum ad hoc quod omnia movet, per hoc quod dicit, *et vivificantem*. Sicut enim motus qui est ab anima in corpus, est vita corporis, ita motus quo universum movetur a Deo, est quasi quaedam vita universi. Et quia tota ratio divinae gubernationis a bonitate divina sumitur, quae Spiritui Sancto appropriatur, qui procedit ut amor, convenienter effectus divinae providentiae circa personam Spiritus Sancti ponuntur.

Quantum autem ad effectum supernaturalis cognitionis, quam per fidem in hominibus Deus facit, dicitur, *sanctam ecclesiam catholicam*: nam ecclesia congregatio fidelium est. Quantum vero ad gratiam quam hominibus communicat, dicitur, *sanctorum communionem*. Quantum vero ad remissionem culpae dicitur, *peccatorum remissionem*.

Capitulus 148

Quod omnia sunt facta propter hominem

Cum autem omnia, sicut ostensum est, in divinam bonitatem ordinentur sicut in finem, eorum autem quae ad hunc finem ordinantur, quaedam aliis propinquiora sunt fini, quae plenius divinam bonitatem participant, consequens est ut ea quae sunt inferiora in rebus creatis, quae minus de bonitate divina participant, ordinentur quodammodo sicut in fines in entia superiora. In omni enim ordine finium, quae sunt propinquiora ultimo fini, sunt etiam fines eorum quae sunt magis remota: sicut potio medicinae est propter purgationem, purgatio autem propter maciem, macies autem propter sanitatem, et sic macies finis est quodammodo purgationis, sicut etiam potionis purgatio. Et hoc rationabiliter accidit. Sicut enim in ordine causarum agentium virtus primi agentis pervenit ad ultimos effectus per medias causas, ita in ordine finium, quae sunt magis remota a fine, pertingunt ad ultimum finem mediantibus his quae sunt magis propinqua fini: sicut potio non ordinatur ad sanitatem nisi per purgationem. Unde et in ordine universi inferiora consequuntur praecipue ultimum finem inquantum ordinantur ad superiora.

Hoc etiam manifeste apparet ipsum rerum ordinem consideranti. Cum enim ea quae naturaliter fiunt, sicut nata sunt agi, sic agantur, videmus autem imperfectiora cedere ad usum nobiliorum, utpote quod plantae nutriuntur ex terra, animalia ex plantis, haec autem ad usum hominis cedunt, consequens est ut inanimata sint propter animata, et plantae propter animalia, et haec propter hominem. Cum autem ostensum sit quod natura intellectualis sit superior corporali, consequens est ut tota natura corporalis ad intellectualem ordinetur. Inter naturas autem intellectuales, quae maxime corpori est vicina, est anima rationalis, quae est hominis forma. Igitur quodammodo propter hominem, inquantum est rationabile animal, tota natura corporalis esse videtur. Ex consummatione igitur hominis consummatio totius naturae corporalis quodammodo dependet.

Capitulus 149

Quis est ultimus finis hominis

Consummatio autem hominis est in adeptione ultimi finis, qui est perfecta beatitudo sive felicitas, quae consistit in divina visione, ut supra ostensum est. Visionem autem divinam consequitur immutabilitas intellectus et voluntatis. Intellectus quidem: quia cum perventum fuerit ad primam causam in qua omnia cognosci possunt, inquisitio intellectus cessat. Mobilitas autem voluntatis cessat, quia adepto fine ultimo, in quo est plenitudo totius bonitatis, nihil est quod desiderandum restet. Ex hoc autem voluntas mutatur quia desiderat aliquid quod nondum habet. Manifestum est igitur quod ultima consummatio hominis in perfecta quietatione vel immobilitate consistit et quantum ad intellectum, et quantum ad voluntatem.

Capitulus 150

Quomodo homo ad aeternitatem pervenit ut ad consummationem

Ostensum est autem in praemissis, quod aeternitatis ratio ex immobilitate consequitur. Sicut enim ex motu causatur tempus, in quo prius et posterius invenitur, ita oportet quod remoto motu cesset prius et posterius, et sic aeternitatis ratio relinquitur, quae est tota simul. In ultima igitur sua consummatione homo aeternitatem vitae consequitur non solum quantum ad hoc quod immortaliter secundum animam vivat, quod habet anima rationalis ex sua natura, ut supra ostensum est, sed etiam ad hoc quod ad perfectam immobilitatem perducatur.

Capitulus 151

Quomodo ad perfectam beatitudinem animae rationalis oportet eam corpori reuniri

Considerandum est autem, quod non potest esse omnimoda immobilitas voluntatis, nisi naturale desiderium totaliter impleatur. Quaecumque autem nata sunt uniri secundum naturam suam, naturaliter sibi uniri appetunt: unumquodque enim appetit id quod est sibi conveniens secundum suam naturam. Cum igitur anima humana naturaliter corpori uniatur, ut supra ostensum est, naturale ei desiderium inest ad corporis unionem. Non poterit igitur esse perfecta quietatio voluntatis, nisi iterato anima corpori coniungatur: quod est hominem a morte resurgere.

Item. Finalis perfectio requirit perfectionem primam. Prima autem perfectio uniuscuiusque rei est ut sit perfectum in sua natura, finalis vero perfectio consistit in consecutione ultimi finis. Ad hoc igitur quod anima humana omnimode perficiatur in fine, necesse est quod sit perfecta in sua natura: quod non potest esse nisi sit corpori unita. Natura enim animae est ut sit pars hominis ut forma. Nulla autem pars perfecta est in sua natura nisi sit in suo toto. Requiritur igitur ad ultimam hominis beatitudinem ut anima rursum corpori uniatur.

Adhuc. Quod est per accidens et contra naturam, non potest esse sempiternum. Necesse est autem hoc quod est animam a corpore separatam esse, per accidens esse et contra naturam, si hoc per se et naturaliter inest animae ut corpori uniatur. Non igitur anima erit in perpetuum a corpore separata. Cum igitur eius substantia sit incorruptibilis, ut supra ostensum est, relinquitur quod sit iterato corpori unienda.

Capitulus 152

Quomodo separatio animae a corpore sit secundum naturam, et quomodo contra naturam

Videtur autem animam a corpore separari non esse per accidens, sed secundum naturam. Corpus enim hominis ex contrariis compositum est. Omne autem huiusmodi naturaliter corruptibile est. Corpus igitur humanum est naturaliter corruptibile. Corrupto autem corpore est necesse animam separatam remanere, si anima immortalis est, ut supra ostensum est. Videtur igitur animam a corpore separari esse secundum naturam.

Considerandum est ergo quomodo sit secundum naturam, et quomodo contra naturam. Ostensum est enim supra quod anima rationalis praeter modum aliarum formarum excedit totius corporalis materiae facultatem, quod eius operatio intellectualis demonstrat, quam sine corpore habet. Ad hoc igitur quod materia corporalis convenienter ei aptata fuerit, necesse fuit quod aliqua dispositio corpori superadderetur, per quam fieret conveniens materia talis formae. Et sicut haec forma a solo Deo exit in esse per creationem, ita illa dispositio naturam corpoream excedens, a solo Deo corpori humano attributa fuit, quae videlicet ipsum corpus incorruptum conservaret, ut sic perpetuitati animae conveniret. Et haec quidem dispositio in corpore hominis mansit, quamdiu anima hominis Deo adhaesit.

Aversa autem anima hominis per peccatum a Deo, convenienter et corpus humanum illam supernaturalem dispositionem perdidit per quam immobiliter animae subdebatur, et sic homo necessitatem moriendi incurrit.

Si igitur ad naturam corporis respiciatur, mors naturalis est; si vero ad naturam animae, et ad dispositionem quae propter animam supernaturaliter humano corpori a principio indita fuit, est per accidens et contra naturam, cum naturale sit animae corpori esse unitam.

Capitulus 153

Quod anima omnino idem corpus resumet, et non alterius naturae

Cum autem anima corpori uniatur ut forma, unicuique autem formae propria materia respondeat, necesse est quod corpus cui iterato anima unietur sit eiusdem rationis et speciei cum corpore quod deponit per mortem. Non enim resumet anima in resurrectione corpus caeleste vel aereum, vel corpus alicuius alterius animalis, ut quidam fabulantur, sed corpus humanum ex carnibus et ossibus compositum, organicum eisdem organis ex quibus nunc consistit.

Rursus. Sicut eidem formae secundum speciem debetur eadem materia secundum speciem, ita eidem formae secundum numerum debetur eadem materia secundum numerum: sicut enim anima bovis non potest esse anima corporis equi, ita anima huius non potest esse anima alterius bovis. Oportet igitur quod cum eadem numero anima rationalis remaneat, quod corpori eidem numero in resurrectione rursus uniatur.

Capitulus 154

Quod resumet idem numero corpus sola Dei virtute

Ea vero quae secundum substantiam corrumpuntur, non reiterantur eadem numero secundum operationem naturae, sed solum secundum speciem: non enim eadem numero nubes est ex qua pluvia generatur, et quae iterum ex pluente aqua et rursus evaporante generatur. Cum igitur corpus humanum per mortem substantialiter corrumpatur, non potest operatione naturae idem numero reparari. Cum igitur hoc exigat resurrectionis ratio, ut ostensum est, consequens est quod resurrectio hominum non fiet per actionem naturae, ut quidam posuerunt, post multa annorum curricula redeuntibus corporibus ad eumdem situm, rursus eosdem numero homines redire, sed resurgentium reparatio sola virtute divina fiet.

Item. Manifestum est quod sensus privati restitui non possunt per operationem naturae, nec aliquid eorum quae solum per generationem accipiuntur, eo quod non sit possibile idem numero pluries generari. Si autem aliquid huiusmodi restituatur alicui, puta oculus erutus, aut manus abscissa, hoc erit virtute divina, quae supra naturae ordinem operatur, ut supra ostensum est. Cum igitur per mortem omnes hominis sensus et omnia membra depereant, impossibile est hominem mortuum rursus reparari ad vitam nisi operatione divina.

Ex hoc autem quod resurrectionem ponimus divina virtute futuram, de facili videri potest quomodo corpus idem numero reparetur. Cum enim supra ostensum sit quod omnia, etiam minima, sub divina providentia continentur, manifestum est quod materia huius humani corporis, quamcumque formam post mortem hominis accipiat, non effugit neque virtutem neque cognitionem divinam: quae quidem materia eadem numero manet, inquantum intelligitur sub dimensionibus existens, secundum quas haec materia dici potest, et est individuationis principium. Hac igitur materia eadem manente, et ex ea virtute divina corpore reparato humano, nec non et anima rationali, quae cum sit incorruptibilis, eadem manet eidem corpori unita, consequens fit ut homo idem numero reparetur.

Nec potest identitas secundum numerum impediri, ut quidam obiiciunt, per hoc quod non sit humanitas eadem numero. Nam humanitas, quae dicitur forma totius, secundum quosdam nihil est aliud quam forma partis, quae est anima, quae quidem dicitur forma corporis secundum quod dat speciem toti. Quod si verum est, manifestum est humanitatem eandem numero remanere, cum anima rationalis eadem numero maneat.

Sed quia humanitas est quam significat definitio hominis, sicut et essentia cuiuslibet rei est quam significat sua definitio, definitio autem hominis non solum significat formam, sed etiam materiam, cum in definitione rerum materialium necesse sit materiam poni, convenientius secundum alios dicitur, quod in ratione humanitatis et anima et corpus includatur, aliter tamen quam in definitione hominis. Nam in ratione humanitatis includuntur essentialia principia hominis sola cum praecisione aliorum. Cum enim humanitas dicatur qua homo est homo, manifestum est quod omnia de quibus non est verum dicere de eis quod homo sit homo, ab humanitate praeciduntur. Cum vero homo dicatur qui humanitatem habet, per hoc vero quod humanitatem habet, non excluditur quin alia habeat, puta albedinem, aut aliquid huiusmodi, hoc nomen homo significat sua essentialia principia, non tamen cum praecisione aliorum, licet alia non includantur actu in eius ratione, sed potentia tantum: unde homo significat per modum totius, humanitas vero per modum partis, nec de homine praedicatur. In Socrate vero aut Platone includitur haec materia et haec forma, ut sicut est ratio hominis ex hoc quod componitur ex anima et corpore, ita si socrates definiretur, ratio eius esset quod esset compositus ex iis carnibus et iis ossibus et hac anima. Cum igitur humanitas non sit aliqua alia forma praeter animam et corpus, sed sit aliquid compositum ex utroque, manifestum est quod eodem corpore reparato, et eadem anima remanente, eadem numero humanitas erit.

Neque etiam praedicta identitas secundum numerum impeditur ex hoc quod corporeitas non redeat eadem numero, cum corrupto corpore corrumpatur. Nam si per corporeitatem intelligatur forma substantialis, per quam aliquid in genere substantiae corporeae ordinatur, cum non sit unius nisi una forma substantialis, talis corporeitas non est aliud quam anima. Nam hoc animal per hanc animam non solum est animal, sed animatum corpus, et corpus, et etiam hoc aliquid in genere substantiae existens: alioquin anima adveniret corpori existenti in actu, et sic esset forma accidentalis. Subiectum enim substantialis formae non est actu hoc aliquid, sed potentia tantum: unde cum accipit formam substantialem, non dicitur tantum generari secundum quid hoc aut illud, sicut dicitur in formis accidentalibus, sed dicitur simpliciter generari, quasi simpliciter esse accipiens, et sic corporeitas accepta eadem numero manet, rationali anima eadem existente.

Si vero corporeitatis nomine forma quaedam intelligatur, a qua denominatur corpus, quod ponitur in genere quantitatis, sic est quaedam forma accidentalis, cum nihil aliud significet quam trinam dimensionem. Unde licet non eadem numero redeat, identitas subiecti non impeditur, ad quam sufficit unitas essentialium principiorum. Eadem ratio est de omnibus accidentibus, quorum diversitas identitatem secundum numerum non tollit. Unde cum unio sit quaedam relatio, ac per hoc sit accidens, eius diversitas secundum numerum non tollit identitatem subiecti. Similiter nec diversitas potentiarum secundum numerum animae sensitivae et vegetativae, si tamen corrumpi ponantur: sunt enim in genere accidentis potentiae naturales coniuncti existentes, nec a sensu sumitur sensibile secundum quod est differentia constitutiva animalis, sed ab ipsa substantia animae sensitivae, quae in homine est eadem secundum substantiam cum rationali.

Capitulus 155

Quod non resurgemus ad eundem modum vivendi

Quamvis autem homines iidem numero resurgent, non tamen eundem modum vivendi habebunt. Nunc enim corruptibilem vitam habent, tunc vero incorruptibilem. Si enim natura in generatione hominis perpetuum esse intendit, multo magis Deus in hominis reparatione. Quod enim natura perpetuum esse intendat, habet ex hoc quod a Deo movetur. Non autem in reparatione hominis resurgentis attenditur perpetuum esse speciei, quia hoc per continuam generationem poterat obtineri. Relinquitur igitur quod intendatur perpetuum esse individui. Homines igitur resurgentes in perpetuum vivent.

Praeterea. Si homines resurgentes moriantur, animae a corporibus separatae non in perpetuum absque corpore remanebunt: hoc enim est contra naturam animae, ut supra dictum est. Oportebit igitur ut iterato resurgant, et hoc idem continget, si post secundam resurrectionem iterum moriantur. Sic igitur in infinitum mors et vita circulariter circa eundem hominem reiterabuntur, quod videtur esse vanum. Convenientius est igitur ut stetur in primo, scilicet ut in prima resurrectione homines immortales resurgant.

Nec tamen mortalitatis ablatio diversitatem vel secundum speciem vel secundum numerum inducet.

Mortale enim secundum propriam rationem differentia specifica hominis esse non potest, cum passionem quamdam designet, sed ponitur loco differentiae hominis, ut per hoc quod dicitur mortale, designetur natura hominis, quod scilicet est ex contrariis compositus, sicut per hoc quod dicitur rationale, designatur propria forma eius: res enim materiales non possunt sine materia definiri. Non autem aufertur mortalitas per ablationem propriae materiae: non enim resumet anima corpus caeleste vel aereum, ut supra habitum est, sed corpus humanum ex contrariis compositum. Incorruptibilitas tamen adveniet ex virtute divina, per quam anima supra corpus usque ad hoc dominabitur quod corrumpi non possit. Tandiu enim res conservatur in esse, quandiu forma supra materiam dominatur.

Capitulus 156

Quod post resurrectionem usus cibi et generationis cessabunt

Quia vero subtracto fine removeri oportet ea quae sunt ad finem, oportet quod remota mortalitate a resurgentibus, etiam ea subtrahantur quae ad statum vitae mortalis ordinantur. Huiusmodi autem sunt cibi et potus, qui ad hoc sunt necessarii ut mortalis vita sustentetur, dum id quod per calorem naturalem resolvitur, per cibos restauratur. Non igitur post resurrectionem erit usus cibi vel potus.

Similiter etiam nec vestimentorum: cum vestimenta ad hoc homini necessaria sint ne corpus ab exterioribus corrumpatur per calorem vel frigus. Similiter etiam necesse est venereorum usum cessare, cum ad generationem animalium ordinetur: generatio autem mortali vitae deservit, ut quod secundum individuum conservari non potest, conservetur saltem in specie. Cum igitur homines iidem numero in perpetuum conservabuntur, generatio in eis locum non habebit, unde nec venereorum usus.

Rursus. Cum semen sit superfluum alimenti, cessante usu ciborum necesse est etiam ut venereorum usus cesset.

Non autem potest convenienter dici, quod propter solam delectationem remaneat usus cibi et potus et venereorum. Nihil enim inordinatum in illo finali statu erit, quia tunc omnia suo modo perfectam consummationem accipient. Inordinatio autem perfectioni opponitur. Et cum reparatio hominum per resurrectionem sit immediate a Deo, non poterit in illo statu aliqua inordinatio esse: quia *quae a Deo sunt, ordinata sunt,* ut dicitur Rom. XIII, I. Est autem hoc inordinatum ut usus cibi et venereorum propter solam delectationem quaeratur, unde et nunc apud homines vitiosum reputatur. Non igitur propter solam delectationem in resurgentibus usus cibi et potus et venereorum esse poterit.

Capitulus 157

Quod tamen omnia membra resurgent

Quamvis autem usus talium resurgentibus desit, non tamen eis deerunt membra ad usus tales, quia sine iis corpus resurgentis integrum non esset. Conveniens est autem ut in reparatione hominis resurgentis, quae erit immediate a Deo, cuius perfecta sunt opera, natura integre reparetur. Erunt ergo huiusmodi membra in resurgentibus propter integritatem naturae conservandam, et non propter actus quibus deputantur. Item. Si in illo statu homines pro actibus quos nunc agunt, poenam vel praemium consequuntur, ut postea manifestabitur, conveniens est ut eadem membra homines habeant quibus peccato vel iustitiae deservierunt in hac vita, ut in quibus peccaverunt vel meruerunt, puniantur vel praemientur.

Capitulus 158

Quod non resurgent cum aliquo defectu

Similiter autem conveniens est ut omnes naturales defectus a corporibus resurgentium auferantur. Per omnes enim huiusmodi defectus integritati naturae derogatur. Si igitur conveniens est ut in resurrectione natura humana integraliter reparetur a Deo, consequens est ut etiam huiusmodi defectus tollantur. Praeterea. Huiusmodi defectus ex defectu virtutis naturalis, quae fuit generationis humanae principium, provenerunt. In resurrectione autem non erit virtus agens nisi divina, in quam defectus non cadit. Non igitur huiusmodi defectus, qui sunt in hominibus generatis, erunt in hominibus per resurrectionem reparatis.

Capitulus 159

Quod resurgent solum quae sunt de veritate naturae

Quod autem est dictum de integritate resurgentium, referri oportet ad id quod est de veritate humanae naturae. Quod enim de veritate humanae naturae non est, in resurgentibus non resumetur, alioquin oporteret immoderatam esse magnitudinem resurgentium, si quidquid ex cibis in carnem et sanguinem est conversum, in resurgentibus resumetur. Veritas autem uniuscuiusque naturae secundum suam speciem et formam attenditur. Partes igitur hominis quae secundum speciem et formam attenduntur, omnes integraliter in resurgentibus erunt, non solum partes organicae, sed etiam partes consimiles, ut caro, nervus et huiusmodi, ex quibus membra organica componuntur. Non autem totum quidquid naturaliter fuit sub iis partibus, resumetur, sed quantum sufficiens erit ad speciem partium integrandam.

Nec tamen propter hoc homo idem numero aut integer non erit, si totum quidquid in eo materialiter fuit, non resurget. Manifestum est enim in statu huius vitae quod a principio usque ad finem homo idem numero manet. Id tamen quod materialiter in eo est sub specie partium, non idem manet, sed paulatim fluit et refluit, ac si idem ignis conservaretur con-

sumptis et appositis lignis, et est integer homo, quando species et quantitas speciei debita conservatur.

Capitulus 160

Quod Deus omnia supplebit in corpore reformato, aut quidquid deficiet de materia

Sicut autem non totum quod materialiter fuit in corpore hominis, ad reparationem corporis resurgentis Deus resumet, ita etiam si quid materialiter defuit, Deus supplebit. Si enim hoc officio naturae fieri potest ut puero qui non habet debitam quantitatem, ex aliena materia per assumptionem cibi et potus tantum addatur quod ei sufficiat ad perfectam quantitatem habendam, nec propter hoc desinit esse idem numero qui fuit, multo magis hoc virtute divina fieri potest ut suppleatur minus habentibus de extrinseca materia, quod eis in hac vita defuit ad integritatem membrorum naturalium, vel debitae quantitatis. Sic igitur licet aliqui in hac vita aliquibus membris caruerint, vel perfectam quantitatem nondum attigerint, in quantacumque quantitate defuncti, virtute divina in resurrectione perfectionem debitam consequentur et membrorum et quantitatis.

Capitulus 161

Solutio ad quaedam quae obiici possunt

Ex hoc autem solvi potest quod quidam contra resurrectionem hanc obiiciunt. Dicunt enim possibile esse quod aliquis homo carnibus humanis vescatur, et ulterius sic nutritus filium generet, qui simili cibo utatur. Si igitur nutrimentum convertitur in substantiam carnis, videtur quod sit impossibile integraliter utrumque resurgere, cum carnes unius conversae sint in carnes alterius: et quod difficilius videtur, si semen est ex nutrimenti superfluo, ut philosophi tradunt, sequitur quod semen unde natus est filius, sit sumptum ex carnibus alterius, et ita impossibile videtur puerum ex tali semine genitum resurgere, si homines quorum carnes pater ipsius et ipse comederant, integraliter resurgunt.

Sed haec communi resurrectioni non repugnat. Dictum est enim supra quod non est necessarium quidquid materialiter fuit in aliquo homine, in ipso resurgente resumi, sed tantum quantum sufficit ad modum debitae quantitatis servandum. Dictum est etiam quod si alicui aliquid defuit de materia ad quantitatem perfectam, supplebitur divina virtute.

Considerandum est insuper, quod aliquid materialiter in corpore hominis existens secundum diversos gradus ad veritatem naturae humanae invenitur pertinere. Nam primo et principaliter quod a parentibus sumitur, sub veritate humanae speciei tanquam purissimum perficitur ex virtute formativa; secundario autem quod ex cibis generatum est, necessarium est ad debitam quantitatem membrorum, quia semper admixtio extranei debilitat virtutem rei, unde et finaliter necesse est augmentum deficere, et corpus senescere et dissolvi, sicut et vinum per admixtionem aquae tandem redditur aquosum. Ulterius autem ex cibis aliquae superfluitates in corpore hominis generantur, quarum quaedam sunt necessariae ad aliquem usum, ut semen ad generationem, et capilli ad tegumentum et ornatum; quaedam vero omnino ad nihil, ut quae expelluntur per sudorem et varias egestiones, vel interius retinentur in gravamen naturae.

Hoc igitur in communi resurrectione secundum divinam providentiam attendetur, quod si idem numero materialiter in diversis hominibus fuit, in illo resurget in quo principaliorem gradum obtinuit. Si autem in duobus extitit secundum unum et eundem modum, resurget in eo in quo primo fuit, in alio vero supplebitur ex divina virtute. Et sic patet quod carnes hominis comestae ab aliquo, non resurgent in comedente, sed in eo cuius prius fuerunt, resurgent tamen in eo qui ex tali semine generatus est, quantum ad id quod in eis fuit de humido nutrimentali; aliud vero resurget in primo, Deo unicuique supplente quod deest.

Capitulus 162

Quod resurrectio mortuorum in articulis fidei exprimitur

Ad hanc igitur fidem resurrectionis confitendam, in Symbolo Apostolorum positum est: *carnis resurrectionem*. Nec sine ratione additum est, *carnis:* quia fuerunt quidam etiam tempore apostolorum, qui carnis resurrectionem negabant, solam spiritualem resurrectionem confitentes, per quam homo a morte peccati resurget: unde Apostolus, II ad Timoth. II, dicit de quibusdam, *qui a veritate exciderunt, dicentes resurrectionem iam factam, et subverterunt quorumdam fidem*, ad quorum removendum errorem, ut resurrectio futura crederetur, dicitur in Symbolo Patrum: *exspecto resurrectionem mortuorum*.

Capitulus 163

Qualis erit resurgentium operatio

Oportet autem considerare ulterius qualis sit operatio resurgentium. Necesse enim est cuiuslibet viventis esse aliquam operationem cui principaliter intendit, et in hoc dicitur vita eius consistere: sicut qui voluptatibus principaliter vacant, dicuntur vitam voluptuosam agere; qui vero contemplationi, contemplativam; qui vero civitatibus gubernandis, civilem. Ostensum est autem quod resurgentibus neque ciborum neque venereorum aderit usus, ad quem omnia corporalia exercitia ordinari videntur. Subtractis autem corporalibus exercitiis remanent spirituales operationes, in quibus ultimum hominis finem consistere diximus: quem quidem finem adipisci resurgentibus competit a statu corruptionis et mutabilitatis liberatis, ut ostensum est. Non autem in quibuscumque spiritualibus actibus ultimus finis hominis consistit, sed in hoc quod Deus per essentiam videatur, ut supra ostensum est. Deus autem aeternus est: unde oportet quod intellectus aeternitati coniungatur. Sicut igitur qui voluptati vacant, voluptuosam vitam agere dicuntur, ita qui divina potiuntur visione, aeternam obtinent vitam, secundum illud Ioan. XVII, 3: *haec est vita aeterna, ut cognoscant te Deum verum, et quem misisti Iesum Christum.*

Capitulus 164

Quod Deus per essentiam videbitur, non per simili-tudinem

Videbitur autem Deus per essentiam ab intellectu creato, non per aliquam sui similitudinem, qua in intellectu praesente, res intellecta possit distare, sicut lapis per similitudinem suam praesens est oculo, per substantiam vero absens, sed, sicut supra ostensum est, ipsa Dei essentia intellectui creato coniungitur quodammodo, ut Deus per essentiam videri possit. Sicut igitur in ultimo fine videbitur quod prius de Deo credebatur, ita quod sperabatur ut distans tenebitur ut praesens, et hoc comprehensio nominatur, secundum illud Apostoli Philip. III, V. 12: *sequor autem, si quo modo comprehendam*: quod non est intelligendum secundum quod comprehensio inclusionem importat, sed secundum quod importat praesentialitatem et tentionem quandam eius quod dicitur comprehendi.

Capitulus 165

Quod videre Deum est summa perfectio et delectatio

Rursus considerandum est, quod ex apprehensione convenientis, delectatio generatur, sicut visus delectatur in pulchris coloribus, et gustus in suavibus saporibus. Sed haec quidem delectatio sensuum potest impediri propter organi indispositionem: nam oculis aegris odiosa est lux, quae puris est amabilis. Sed quia intellectus non intelligit per organum corporale, ut supra ostensum est, delectationi quae est in consideratione veritatis, nulla tristitia contrariatur. Potest tamen per accidens ex consideratione intellectus tristitia sequi, inquantum id quod intelligitur, apprehenditur ut nocivum, ut sic delectatio quidem adsit intellectui de cognitione veritatis, tristitia autem in voluntate sequatur de re quae cognoscitur, non inquantum cognoscitur, sed inquantum suo actu nocet. Deus autem hoc ipsum quod est, veritas est. Non potest igitur intellectus Deum videns, in eius visione non delectari.

Iterum. Deus est ipsa bonitas, quae est ratio dilectionis, unde necesse est ipsam diligi ab omnibus apprehendentibus ipsam. Licet enim aliquid quod bonum est, possit non diligi, vel etiam odio haberi, hoc non est inquantum apprehenditur ut bonum, sed inquantum apprehenditur ut nocivum. In visione igitur Dei, qui est ipsa bonitas et veritas, oportet sicut comprehensionem, ita dilectionem, seu delectabilem fruitionem adesse, secundum illud Isaiae ult., 14: *videbitis, et gaudebit cor vestrum.*

Capitulus 166

Quod omnia videntia Deum confirmata sunt in bono

Ex hoc autem apparet quod anima videns Deum vel quaecumque alia spiritualis creatura habet voluntatem confirmatam in ipso, ut ad contrarium de cetero non flectatur. Cum enim obiectum voluntatis sit bonum, impossibile est voluntatem inclinari in aliquid nisi sub aliqua ratione boni. Possibile est autem in quocumque particulari bono aliquid deficere, quod ipsi cognoscenti relinquitur in alio quaerendum. Unde non oportet voluntatem videntis quodcumque bonum particulare in illo solo consistere, ut extra eius ordinem non divertat. Sed in Deo, qui est bonum universale et ipsa bonitas, nihil boni deest quod alibi quaeri possit, ut supra ostensum est. Quicumque igitur Dei essentiam videt, non potest voluntatem ab eo divertere, quin in omnia secundum rationem ipsius tendat.

Est etiam hoc videre per simile in intelligibilibus. Intellectus enim noster potest dubitando hac atque illac divertere, quousque ad primum principium perveniatur, in quo necesse est intellectum firmari. Quia igitur finis in appetibilibus est sicut principium in intelligibilibus, potest quidem voluntas ad contraria flecti quousque ad cognitionem vel fruitionem ultimi finis veniatur, in qua necesse est ipsam firmari. Esset etiam contra rationem perfectae felicitatis, si homo in contrarium converti posset: non enim totaliter excluderetur timor de amittendo, et sic non esset totaliter desiderium quietatum: unde Apocalypsis III, 12, dicitur de beato: *foras non egredietur amplius*.

Capitulus 167

Quod corpora erunt omnino obedientia animae

Quia vero corpus est propter animam, sicut materia propter formam, et organum propter artificem, animae vitam praedictam consecutae tale corpus in resurrectione adiungetur divinitus, quale competat beatitudini animae: quae enim propter finem sunt, disponi oportet secundum exigentiam finis. Animae autem ad summum operationis intellectualis pertingenti non convenit corpus habere pcr quod aliqualiter impediatur aut retardetur. Corpus autem humanum ratione suae corruptibilitatis impedit animam et retardat, ut nec continuae contemplationi insistere valeat, neque ad summum contemplationis pervenire: unde per abstractionem a sensibus corporis homines aptiores ad divina quaedam capienda redduntur. Nam propheticae revelationes dormientibus vel in aliquo excessu mentis existentibus manifestantur, secundum illud Num. XII, 6: *si quis fuerit inter vos propheta domini, in visione apparebo ei, vel per somnium loquar ad eum*. Corpora igitur resurgentium beatorum non erunt corruptibilia et animam retardantia, ut nunc, sed magis incorruptibilia, et totaliter obedientia ipsi animae, ut in nullo ei resistant.

Capitulus 168

De dotibus corporum glorificatorum

Ex hoc autem perspici potest, qualis sit dispositio corporum beatorum. Anima enim est corporis forma et motor. Inquantum est forma, non solum est principium corporis quantum ad esse substantiale, sed etiam quantum ad propria accidentia, quae causantur in subiecto ex unione formae ad materiam. Quanto autem forma fuerit fortior, tanto impressio formae in materia minus potest impediri a quocumque exteriori agente, sicut patet in igne, cuius forma, quae dicitur esse nobilissima inter elementares formas, hoc confert igni ut non de facili transmutetur a sua naturali dispositione patiendo ab aliquo agente.

Quia igitur anima beata in summo nobilitatis et virtutis erit, utpote rerum primo principio coniuncta, confert corpori sibi divinitus unito, primo quidem esse substantiale nobilissimo modo, totaliter ipsum sub se continendo, unde subtile et spirituale erit; dabit etiam sibi qualitatem nobilissimam, scilicet gloriam claritatis; et propter virtutem animae a nullo agente a sua dispositione poterit transmutari, quod est ipsum impassibile esse; et quia obediet totaliter animae, ut instrumentum motori, agile reddetur. Erunt igitur hae quatuor conditiones corporum beatorum: subtilitas, claritas, impassibilitas et agilitas.

Unde Apostolus I ad Corinth. XV, 42-44, dicit: *corpus quod per mortem seminatur in corruptione, surget in incorruptione*, quantum ad impassibilitatem; *seminatur in ignobilitate, surget in gloria*, quantum ad claritatem; *seminatur in infirmitate, surget in virtute*, quantum ad agilitatem; *seminatur corpus animale, surget corpus spirituale*, quantum ad subtilitatem.

Capitulus 169

Quod homo tunc innovabitur, et omnis creatura corporalis

Manifestum est autem quod ea quae sunt ad finem, disponuntur secundum exigentiam finis, unde si id propter quod sunt aliqua, varietur secundum perfectum et imperfectum, ea quae ad ipsum ordinantur, diversimode disponi oportet, ut ei deserviant secundum utrumque statum: cibus enim et vestimentum aliter praeparantur puero, et aliter viro. Ostensum est autem supra quod creatura corporalis ordinatur ad rationalem naturam quasi ad finem. Oportet igitur quod homine accipiente ultimam perfectionem per resurrectionem, creatura corporalis diversum statum accipiat, et secundum hoc dicitur innovari mundus, homine resurgente, secundum illud, Apoc. XXI, 1: *vidi caelum novum et terram novam*; et Isaiae LXV, 17: *ecce ego creo caelos novos et terram novam*.

Capitulus 170

Quae creaturae innovabuntur, et quae manebunt

Considerandum tamen est, quod diversa genera creaturarum corporalium secundum diversam rationem ad hominem ordinantur. Manifestum est enim quod plantae et animalia deserviunt homini in auxilium infirmitatis ipsius, dum ex eis habet victum et vestitum et vehiculum et huiusmodi, quibus infirmitas humana sustentatur. In statu tamen ultimo per resurrectionem tolletur ab hominc omnis infirmitas talis: neque enim indigebunt ulterius homines cibis ad vescendum, cum sint incorruptibiles, ut supra ostensum est; neque vestimentis ad operiendum, utpote qui claritate gloriae vestientur; neque animalibus ad vehiculum, quibus agilitas aderit; neque aliquibus remediis ad sanitatem conservandam, utpote qui impassibiles erunt. Igitur huiusmodi corporeas creaturas, scilicet plantas et animalia et alia huiusmodi corpora mixta, conveniens est in statu illius ultimae consummationis non remanere.

Quatuor vero elementa, scilicet ignis, aer et aqua et terra, ordinantur ad hominem non solum quantum ad usum corporalis vitae, sed etiam quantum ad constitutionem corporis eius: nam corpus humanum ex elementis constitutum est. Sic igitur essentialem ordinem habent elementa ad corpus humanum. Unde homine consummato in corpore et anima, conveniens est ut etiam elementa remaneant, sed in meliorem dispositionem mutata.

Corpora vero caelestia quantum ad sui substantiam neque in usu corruptibilis vitae ab homine assumuntur, neque corporis humani substantiam intrant, deserviunt tamen homini inquantum ex eorum specie et magnitudine excellentiam sui creatoris demonstrant: unde frequenter in Scripturis homo movetur ad considerandum caelestia corpora, ut ex eis adducatur in reverentiam divinam, ut patet Isai. XL, 26: *levate in excelsum oculos vestros, et videte quis creavit haec.* Et quamvis in statu perfectionis illius homo ex creaturis sensibilibus in Dei notitiam non adducatur, cum Deum videat in se ipso, tamen delectabile est et iucundum etiam cognoscenti causam, considerare qualiter eius similitudo resplendeat in effectu: unde et sanctis cedet ad gaudium considerare refulgentiam divinae bonitatis in corporibus, et praecipue in caelestibus, quae aliis praeeminere videntur. Habent etiam corpora caelestia essentialem quodammodo ordinem ad corpus humanum secundum rationem causae agentis, sicut elementa rationem causae materialis. Homo enim generat hominem et sol: unde et hac ratione convenit etiam corpora caelestia remanere.

Non solum ex comparatione ad hominem, sed etiam ex praedictis corporearum creaturarum naturis idem apparet. Quod enim secundum nihil sui est incorruptibile, non debet remanere in illo incorruptionis statu. Corpora quidem caelestia incorruptibilia sunt secundum totum et partem; elementa vero secundum totum, sed non secundum partem; homo vero secundum partem, scilicet animam rationalem, sed non secundum totum, quia compositum per mortem dissolvitur; animalia vero et plantae et omnia corpora mixta neque secundum totum neque secundum partem incorruptibilia sunt. Convenienter igitur in illo ultimo incorruptionis statu remanebunt quidem homines et elementa et corpora caelestia, non autem alia animalia, neque plantae, aut corpora mixta.

Rationabiliter etiam idem apparet ex ratione universi. Cum enim homo pars sit universi corporei, in ultima hominis consummatione necesse est universum corporeum remanere: non enim videtur esse pars perfecta, si fuerit sine toto. Universum autem corporeum remanere non potest nisi partes essentiales eius remaneant. Sunt autem partes eius essentiales corpora caelestia et elementa, utpote ex quibus tota mundi machina consistit; cetera vero ad integritatem corporei universi pertinere non videntur, sed magis ad quendam ornatum et decorem ipsius, qui competit statui mutabilitatis, secundum quod ex corpore caelesti ut agente, et elementis ut materialibus, generantur animalia et plantae et corpora mineralia. In statu autem ultimae consummationis alius ornatus elementis attribuetur qui deceat incorruptionis statum. Remanebunt igitur in illo statu homines, elementa et corpora caelestia, non autem animalia et plantae et corpora mineralia.

Capitulus 171

Quod corpora caelestia cessabunt a motu

Sed cum corpora caelestia continue moveri videantur, potest alicui videri quod si eorum substantia maneat, quod tunc et in illo consummationis statu moveantur. Et quidem si ea ratione motus corporibus caelestibus adesset qua ratione adest elementis, rationabilis esset sermo. Motus enim elementalis gravibus vel levibus adest propter eorum perfectionem consequendam. Tendunt enim suo motu naturali in proprium locum sibi convenientem, ubi melius est eis esse: unde in illo ultimo consummationis statu unumquodque elementum et quaecumque pars eius in suo proprio loco erit.

Sed hoc de motu corporum caelestium dici non potest, cum corpus caeleste nullo loco obtento quiescat, sed sicut naturaliter movetur ad quodcumque ubi, ita et naturaliter discedit ab eo. Sic ergo non deperit aliquid a corporibus caelestibus, si motus eis auferatur, ex quo motus eis non inest ut ipsa perficiantur. Ridiculum etiam est dicere, quod sicut corpus leve per suam naturam movetur sursum, ita corpus caeleste per suam naturam circulariter moveatur sicut per activum principium. Manifestum est enim quod natura semper intendit ad unum: unde illud quod ex sui ratione unitati repugnat, non potest esse finis ultimus naturae. Motus autem unitati repugnat, inquantum id quod movetur, alio et alio modo se habet dum movetur. Natura igitur non producit motum propter se ipsum, sed causat motum intendens terminum motus, sicut natura levis intendit locum sursum in ascensu, et sic de aliis.

Cum igitur circularis caelestis corporis motus non sit ad aliquod ubi determinatum, non potest dici quod motus circularis corporis principium activum sit natura, sicut est principium motus gravium et levium. Unde manente eadem natura corporum caelestium, nihil prohibet ipsa quiescere, licet ignem impossibile est quiescere extra proprium locum existentem, dummodo remaneat eadem natura ipsius. Dicitur tamen motus caelestis corporis naturalis, non propter principium activum motus, sed propter ipsum mobile, quod habet aptitudinem ut sic moveatur. Relinquitur ergo quod motus corporis caelestis sit ab aliquo intellectu.

Sed cum intellectus non moveat nisi ex intentione finis, considerare oportet quis sit finis motus corporum caelestium. Non autem potest dici quod ipse motus sit finis: motus enim cum sit via ad perfectionem, non habet rationem finis, sed magis eius quod est ad finem. Similiter etiam non potest dici quod renovatio situum sit terminus motus caelestis corporis, ut scilicet propter hoc caeleste corpus moveatur, ut omne ubi ad quod est in potentia, adipiscatur in actu, quia hoc infinitum est, infinitum autem repugnat rationi finis.

Oportet igitur hinc considerare finem motus caeli. Manifestum est enim quod omne corpus motum ab intellectu est instrumentum ipsius. Finis autem motus instrumenti est forma a principali agente concepta, quae per motum instrumenti in actum reducitur. Forma autem divini intellectus, quam per motum caeli complet, est perfectio rerum per viam generationis et corruptionis. Generationis autem et corruptionis ultimus finis est nobilissima forma, quae est anima humana, cuius ultimus finis est vita aeterna, ut supra ostensum est. Est igitur ultimus finis motus caeli multiplicatio hominum producendorum ad vitam aeternam.

Haec autem multitudo non potest esse infinita: nam intentio cuiuslibet intellectus stat in aliquo finito. Completo igitur numero hominum ad vitam aeternam producendorum, et eis in vita aeterna constitutis, motus caeli cessabit, sicut motus cuiuslibet instrumenti cessat postquam fuerit opus perfectum. Cessante autem motu caeli cessabit per consequens motus in inferioribus corporibus, nisi solum motus qui erit ab anima in hominibus: et sic totum universum corporeum habebit aliam dispositionem et formam, secundum illud I Corinth. VII, 31: *praeterit figura huius mundi*.

Capitulus 172

De praemio hominis secundum eius opera, vel miseria

Considerandum est autem, quod si est determinata via perveniendi ad aliquem finem, illum consequi non possunt qui per contrariam viam incedunt, aut a via recta deficiunt. Non enim sanatur aeger, si contrariis utatur, quae medicus prohibet, nisi forte per accidens. Est autem determinata via perveniendi ad felicitatem, per virtutem scilicet. Non enim consequitur aliquid finem suum, nisi quod sibi proprium est bene operando: neque enim planta fructum faceret, si naturalis operationis modus non servaretur in ipsa; neque cursor perveniret ad bravium, aut miles ad palmam, nisi uterque secundum proprium officium operaretur. Recte autem operari hominem propriam operationem est operari ipsum secundum virtutem: nam virtus uniuscuiusque rei est quae bonum facit habentem, et opus eius bonum reddit, ut dicitur II *Ethic*. Cum igitur ultimus finis hominis sit vita aeterna, de qua dictum est, non omnes ad eam perveniunt, sed soli qui secundum virtutem operantur.

Praeterea. Est ostensum supra sub divina providentia contineri non solum naturalia, sed etiam res humanas, non in universali tantum, sed etiam in singulari. Ad eum autem qui singularium hominum curam habet, pertinet praemia virtuti reddere et poenas peccato: quia poena est medicina culpae et ordinativa ipsius, ut supra habitum est. Virtutis autem praemium felicitas est, quae ex bonitate divina homini datur. Pertinet ergo ad Deum his qui contra virtutem agunt, non felicitatem, sed contrarium in poenam reddere, scilicet extremam miseriam.

Capitulus 173

Quod praemium hominis est post hanc vitam, et similiter miseria

Considerare autem oportet, quod contrariorum contrarii sunt effectus. Operationi autem secundum virtutem contraria est operatio secundum malitiam. Oportet igitur quod miseria, ad quam per operationem malitiae pervenitur, contraria sit felicitati, quam meretur operatio virtutis. Contraria autem sunt unius generis. Cum igitur felicitas ultima, ad quam pervenitur per operationem virtutis, non sit aliquod bonum huius vitae, sed post hanc vitam, ut ex supra dictis patet, consequens est ut ultima miseria, ad quam malitia perducit, sit aliquod malum post hanc vitam.

Praeterea. Omnia bona vel mala huius vitae inveniuntur ad aliquid ordinari. Bona enim exteriora, et etiam bona corporalia organice deserviunt ad virtutem, quae est directe via perveniendi ad beatitudinem apud eos qui praedictis rebus bene utuntur; sicut et apud eos qui male eis utuntur, sunt instrumenta malitiae, per quam ad miseriam pervenitur, et similiter mala his opposita, ut puta infirmitas, paupertas et huiusmodi, quibusdam sunt ad profectum virtutis, aliis autem ad malitiae augmentum, secundum quod eis diversimode utuntur. Quod autem ordinatur ad aliud, non est ultimus finis, quia neque ultimum praemium neque poena. Non igitur ultima felicitas, neque ultima miseria in bonis vel malis huius vitae consistit.

Capitulus 174

In quo est miseria hominis quantum ad poenam damni

Quia igitur miseria, ad quam ducit malitia, contrariatur felicitati, ad quam ducit virtus, oportet ea quae ad miseriam pertinent, sumere per oppositum eorum quae de felicitate sunt dicta. Dictum est autem superius quod ultima hominis felicitas, quantum ad intellectum quidem, consistit in plena Dei visione, quantum ad affectum vero in hoc quod voluntas hominis in prima bonitate sit immobiliter firmata. Erit igitur extrema miseria hominis in hoc quod intellectus totaliter divino lumine privetur, et affectus a Dei bonitate obstinate avertatur: et haec est praecipua miseria damnatorum, quae vocatur poena damni.

Considerandum tamen est, quod, ut ex supradictis patet, malum non potest totaliter excludere bonum, cum omne malum in aliquo bono fundetur. Miseria igitur quamvis felicitati, quae ab omni malo erit immunis, opponatur, oportet tamen quod in bono naturae fundetur. Bonum autem intellectualis naturae in hoc consistit quod intellectus respiciat verum, et voluntas tendat in bonum. Omne autem verum et omne bonum derivatur a primo et summo bono, quod Deus est. Unde oportet quod intellectus hominis in illa extrema miseria constituti, aliquam Dei cognitionem habeat, et aliquam Dei dilectionem; secundum scilicet quod est principium naturalium perfectionum, quae est naturalis dilectio, non autem secundum quod in se ipso est, neque secundum quod est principium virtutum, seu etiam gratiarum, et quorumcumque bonorum quibus intellectualis natura ab ipso perficitur, quae est perfectio virtutis et gloriae.

Nec tamen homines in tali miseria constituti, libero arbitrio carent, quamvis habeant voluntatem immobiliter firmatam in malo, sicut nec beati, licet habeant voluntatem firmatam in bono. Libertas enim arbitrii proprie ad electionem se extendit, electio autem est eorum quae sunt ad finem, ultimus autem finis naturaliter appetitur ab unoquoque: unde omnes homines ex hoc quod sunt intellectuales, appetunt naturaliter felicitatem tanquam ultimum finem, et adeo immobiliter, quod nullus potest velle fieri miser. Nec hoc libertati repugnat arbitrii, quae non se extendit nisi ad ea quae sunt ad finem.

Quod autem in hoc particulari hic homo ultimam suam felicitatem, ille autem in illo ponat, non convenit huic aut illi inquantum est homo, cum in tali aestimatione et appetitu homines differant, sed unicuique hoc competit secundum quod est in se aliqualis. Dico autem aliqualem, secundum aliquam passionem vel habitum: unde si transmutetur, aliud ei optimum videbitur. Et hoc maxime patet in his qui ex passione appetunt aliquid ut optimum, cessante autem passione, ut irae, vel concupiscentiae, non similiter iudicant illud bonum, ut prius. Habitus autem permanentiores sunt, unde firmius perseverant in his quae ex habitu prosequuntur. Tamen quandiu habitus mutari potest, etiam appetitus et aestimatio hominis de ultimo fine mutatur.

Hoc autem convenit tantum hominibus in hac vita, in qua sunt in statu mutabilitatis: anima enim post hanc vitam intransmutabilis est secundum alterationem, quia huiusmodi transmutatio non competit ei nisi per accidens secundum aliquam transmutationem factam circa corpus. Resumpto vero corpore non sequetur ipsa mutatio corporis, sed potius e converso. Nunc enim anima infunditur corpori seminato, et ideo convenienter transmutationes corporis sequitur; tunc vero corpus unietur animae praeexistenti, unde totaliter sequetur eius conditiones. Anima igitur quemcumque finem sibi ultimum praestituisse invenitur in statu mortis, in eo fine perpetuo permanebit, appetens illud ut optimum, sive sit bonum sive sit malum, secundum illud Eccle. XI, V. 3: *si ceciderit lignum ad austrum, aut ad aquilonem, in quocumque loco ceciderit, ibi erit.*

Sic igitur post hanc vitam qui boni in morte inveniuntur, habebunt perpetuo voluntatem firmatam in bono, qui autem mali tunc invenientur, erunt perpetuo obstinati in malo.

Capitulus 175

Quod peccata mortalia non dimittuntur post hanc vitam, sed bene venialia

Ex hoc autem considerari potest, quod peccata mortalia post hanc vitam non dimittuntur, venialia vero dimittuntur. Nam peccata mortalia sunt per aversionem a fine ultimo, circa quem homo immobiliter firmatur post mortem, ut dictum est, peccata vero venialia non respiciunt ultimum finem, sed viam ad finem ultimum. Sed si voluntas malorum post mortem obstinate firmatur in malo, semper appetent ut optimum quod prius appetierunt. Non ergo dolebunt se peccasse: nullus enim dolet se prosecutum esse quod aestimat esse optimum.

Sed sciendum est, quod damnati ad ultimam miseriam, ea quae appetierant ut optima, habere post mortem non poterunt: non enim ibi dabitur luxuriosis facultas luxuriandi, aut invidis facultas offendendi et impediendi alios, et idem est de singulis vitiis. Cognoscent autem, eos qui secundum virtutem vixerunt, se obtinere quod appetierant ut optimum. Dolent ergo mali quia peccata commiserunt, non propter hoc quia peccata eis displiceant, quia etiam tunc mallent peccata illa committere, si facultas daretur, quam Deum habere; sed propter hoc quod illud quod elegerunt, habere non possunt, et illud quod respuerunt, possent habere. Sic igitur et voluntas eorum perpetuo manebit obstinata in malo, et tamen gravissime dolebunt de culpa commissa, et de gloria amissa: et hic dolor vocatur remorsus conscientiae, qui metaphorice in Scripturis vermis nominatur, secundum illud Isaiae ult. 24: *vermis eorum non morietur*.

Capitulus 176

Quod corpora damnatorum erunt passibilia et tamen integra, et sine dotibus

Sicut autem in sanctis beatitudo animae quodammodo ad corpora derivatur, ut supra dictum est, ita etiam miseria animae derivabitur ad corpora damnatorum: hoc tamen observato, quod sicut miseria bonum naturae non excludit ab anima, ita nec etiam a corpore. Erunt igitur corpora damnatorum integra in sui natura, non tamen illas conditiones habebunt quae pertinent ad gloriam beatorum: non enim erunt subtilia et impassibilia, sed magis in sua grossitie et passibilitate remanebunt, et augebuntur in eis; non erunt agilia, sed vix ab anima portabilia; non erunt clara, sed obscura, ut obscuritas animae in corporibus demonstretur, secundum illud Isaiae XIII, 8: *facies combustae vultus eorum.*

Capitulus 177

Quod corpora damnatorum, licet passibilia, erunt tamen incorruptibilia

Sciendum tamen est, quod licet damnatorum corpora passibilia sint futura, non tamen corrumpentur, quamvis hoc esse videatur contra rationem eorum quae nunc experimur, nam passio magis facta abiicit a substantia. Erit tamen tunc duplex ratio quare passio in perpetuum continuata passibilia corpora non corrumpet.

Prima quidem quia cessante motu caeli, ut supra dictum est, necesse est omnem mutationem naturae cessare. Non igitur aliquod alterari poterit alteratione naturae, sed solum alteratione animae. Dico autem alterationem naturae, sicut cum aliquid ex calido fit frigidum, vel qualitercumque variatur secundum naturale esse qualitatum. Alterationem autem animae dico, sicut cum aliquid recipit qualitatem non secundum esse ipsius spirituale, sicut pupilla non recipit formam coloris ut sit colorata, sed ut colorem sentiat. Sic igitur et corpora damnatorum patientur ab igne, vel a quocumque alio corporeo, non ut alterentur ad speciem vel qualitatem ignis, sed ut sentiant excellentias qualitatum eius: et hoc erit afflictivum, inquantum huiusmodi excellentiae contrariantur harmoniae, in qua consistit et delectantur sensus; non tamen erit corruptivum, quia spiritualis receptio for-marum naturam corporis non transmutat, nisi forte per accidens.

Secunda ratio erit ex parte animae, ad cuius per-petuitatem corpus trahetur divina virtute: unde anima damnati, inquantum est forma et natura talis corporis, dabit ei esse perpetuum; non tamen dabit ei ut pati non possit, propter suam imperfectionem. Sic igitur semper patiuntur illa corpora, non tamen cor-rumpuntur.

Capitulus 178

Quod poena damnatorum est in malisante resurrectionem

Sic igitur secundum praedicta patet quod tam felicitas quam miseria principaliter consistit in anima; secundario autem et per quamdam derivationem in corpore. Non igitur felicitas vel miseria animae dependet ex felicitate vel miseria corporis, sed magis e converso. Cum igitur post mortem animae remaneant ante resumptionem corporum, quaedam quidem cum merito beatitudinis, quaedam autem cum merito miseriae, manifestum est quod etiam ante resumptionem, animae quorumdam praedicta felicitate potiuntur, secundum illud Apostoli II Corinth. V, 1: *scimus quoniam si terrestris domus nostra huius habitationis dissolvatur, quod aedificationem ex Deo habemus domum non manufactam, sed aeternam in caelis*; et infra: *audemus autem, et bonam voluntatem habemus magis peregrinari a corpore, et praesentes esse ad Dominum*. Quorumdam vero animae in miseria vivent, secundum illud Luc. XVI, 22: *mortuus est dives, et sepultus in inferno*.

Capitulus 179

Quod poena damnatorum est in malistam spiritualibus, quam corporalibus

Considerandum tamen est, quod sanctarum animarum felicitas, in solis bonis spiritualibus erit, poena vero animarum damnatarum ante resurrectionem non solum erit in malis spiritualibus, ut aliqui putaverunt, sed etiam poenas corporeas sustinebunt. Cuius diversitatis ratio est, quia animae sanctorum dum in hoc mundo fuerunt corporibus unitae, suum ordinem servaverunt, se rebus corporalibus non subiiciendo, sed soli Deo, in cuius fruitione tota eorum felicitas consistit, non autem in aliquibus corporalibus bonis; malorum autem animae, naturae ordine non servato, se per affectum rebus corporalibus subdiderunt, divina et spiritualia contemnentes. Unde consequens est ut puniantur non solum ex privatione spiritualium bonorum, sed etiam per hoc quod rebus corporalibus subdantur. Et ideo si qua in Scripturis sacris inveniantur quae sanctis animabus corporalium bonorum retributionem promittant, mystice sunt exponenda, secundum quod in praedictis Scripturis spiritualia sub corporalium similitudine designari solent. Quae vero animabus damnatorum praenuntiant poenas corporeas, utpote quod ab igne inferni cruciabuntur, sunt secundum litteram intelligenda.

Capitulus 180

Utrum anima possit pati ab igne corporeo

Ne autem alicui absurdum videatur, animam a corpore separatam ab igne corporeo pati, considerandum est, non esse contra naturam spiritualis substantiae alligari corpori. Hoc enim et per naturam fit, sicut patet in unione animae ad corpus, et per magicas artes, per quas aliquis spiritus imaginibus aut anulis, aut aliquibus huiusmodi alligatur. Hoc igitur ex divina virtute fieri potest ut aliquae spirituales substantiae, quamvis secundum suam naturam sint super omnia corporalia elevatae, aliquibus corporibus alligentur, utputa igni infernali, non ita quod ipsum vivificent, sed quod eo quodammodo adstringantur: et hoc ipsum considerandum a spirituali substantia, quod scilicet creaturae infimae quodammodo subditur, ei est afflictivum.

Inquantum igitur huiusmodi consideratio est spiritualis substantiae afflictiva, verificatur quod dicitur, quod *anima eo ipso quod se aspicit cremari crematur*; et iterum quod ille ignis spiritualis sit, nam immediatum affligens est ignis apprehensus ut alligans. Inquantum vero ignis cui alligatur, corporeus est, sic verificatur quod dicitur a Gregorio, quod *anima non solum videndo, sed etiam experiendo ignem patitur*.

Et quia ignis ille non ex sua natura, sed ex virtute divina habet quod spiritualem substantiam alligare possit, convenienter dicitur a quibusdam, quod ignis ille agit in animam ut instrumentum divinae iustitiae vindicantis, non quidem ita quod agat in spiritualem substantiam, sicut agit in corpora calefaciendo, desiccando, dissolvendo, sed alligando, ut dictum est. Et quia proximum afflictivum spiritualis substantiae, est apprehensio ignis alligantis in poenam, manifeste perpendi potest, quod afflictio non cessat, etiam si ad horam dispensative contingat spiritualem substantiam igne non ligari, sicut aliquis qui esset ad perpetua vincula damnatus, ex hoc continuam afflictionem non minus sentiret, etiam si ad horam a vinculis solveretur.

Capitulus 181

Quod post hanc vitam sunt quaedam purgatoriae poenae non aeternae, ad implendas poenitentias de mortalibus non impletas in vita

Licet autem aliquae animae statim cum a corporibus absolvuntur, beatitudinem aeternam consequantur, ut dictum est, aliquae tamen ab hac consecutione retardantur ad tempus. Contingit enim quandoque aliquos pro peccatis commissis, de quibus tamen finaliter poenitent, poenitentiam non implevisse in hac vita. Et quia ordo divinae iustitiae habet ut pro culpis poenae reddantur, oportet dicere, quod post hanc vitam animae poenam exsolvunt quam in hoc mundo non exsolverunt: non autem ita quod ad ultimam miseriam damnatorum deveniant, cum per poenitentiam ad statum caritatis sint reductae, per quam Deo sicut ultimo fini adhaeserunt, per quod vitam aeternam meruerunt: unde relinquitur post hanc vitam esse quasdam purgatorias poenas, quibus poenitentiae implentur non impletae.

Capitulus 182

Quod sunt aliquae poenae purgatoriae etiam venialium

Similiter etiam contingit aliquos ex hac vita decedere sine peccato mortali, sed tamen cum peccato veniali, per quod ab ultimo fine non avertuntur, licet circa ea quae sunt ad finem, indebite inhaerendo peccaverint: quae quidem peccata in quibusdam viris perfectis ex fervore caritatis purgantur. In aliis autem oportet per aliquam poenam huiusmodi peccata purgari, quia ad vitam aeternam consequendam non perducitur nisi qui ab omni peccato et defectu fuerit immunis. Oportet igitur ponere purgatorias poenas post hanc vitam.

Habent autem istae poenae quod sint purgatoriae ex conditione eorum qui eas patiuntur, in quibus est caritas per quam voluntatem suam divinae voluntati conformant, ex cuius caritatis virtute poenae quas patiuntur, eis ad purgationem prosunt: unde in iis qui sine caritate sunt, sicut in damnatis, poenae non purgant, sed semper imperfectio peccati remanet, et ideo semper poena durat.

Capitulus 183

Utrum aeternam poenam pati repugnet iustitiae divinae, cum culpa fuerit temporalis

Non autem est contra rationem divinae iustitiae ut aliquis poenam perpetuam patiatur, quia nec secundum leges humanas hoc exigitur ut poena commensuretur culpae in tempore. Nam pro peccato adulterii vel homicidii, quod in tempore brevi committitur, lex humana infert quandoque perpetuum exilium, aut etiam mortem, per quae aliquis in perpetuum a societate civitatis excluditur: et quod exilium non in perpetuum duret, hoc per accidens contingit, quia vita hominis non est perpetua, sed intentio iudicis ad hoc esse videtur ut eum, sicut potest, perpetuo puniat. Unde etiam non est iniustum, si pro momentaneo peccato et temporali Deus aeternam poenam infert.

Similiter etiam considerandum est, quod peccatori poena aeterna infertur, quem de peccato non poenitet, et sic in ipso usque ad mortem perdurat. Et quia in suo aeterno peccat, rationabiliter a Deo in aeternum punitur.

Habet etiam et quodlibet peccatum contra Deum commissum quandam infinitatem ex parte Dei, contra quem committitur. Manifestum est enim quod quanto maior persona est contra quam peccatur, tanto peccatum est gravius, sicut qui dat alapam militi, gravius reputatur quam si daret rustico, et adhuc multo gravius si principi vel regi. Et sic cum Deus sit infinite magnus, offensa contra ipsum commissa est quodammodo infinita, unde et aliqualiter poena infinita ei debetur. Non autem potest esse poena infinita intensive, quia nihil creatum sic infinitum esse potest. Unde relinquitur quod peccato mortali debetur poena infinita duratione.

Item. Ei qui corrigi potest, poena temporalis infertur ad eius correctionem vel purgationem. Si igitur aliquis a peccato corrigi non potest, sed voluntas eius obstinate firmata est in peccato, sicut supra de damnatis dictum est, eius poena terminari non debet.

Capitulus 184

Quod praedicta conveniunt etiam aliis spiritualibus substantiis, sicut animabus

Quia vero homo in natura intellectuali cum angelis convenit, in quibus etiam potest esse peccatum, sicut et in hominibus, ut supra dictum est, quaecumque dicta sunt de poena vel gloria animarum, intelligenda etiam sunt de gloria bonorum et poena malorum angelorum. Hoc tamen solum inter homines et angelos differt, quod confirmationem voluntatis in bono et obstinationem in malo, animae quidem humanae habent cum a corpore separantur, sicut supra dictum est, angeli vero quando primo cum voluntate deliberata sibi finem praestituerunt vel Deum vel aliquid creatum, et ex tunc beati vel miseri facti sunt. In animabus enim humanis mutabilitas esse potest non solum ex libertate voluntatis, sed etiam ex mutabilitate corporis, in angelis vero ex sola libertate arbitrii. Et ideo angeli ex prima electione immutabilitatem consequuntur, animae vero non nisi cum fuerint a corporibus exutae.

Ad ostendendum igitur remunerationem bonorum, in symbolo fidei dicitur, *vitam aeternam*: quae quidem non est intelligenda aeterna solum propter durationem, sed magis propter aeternitatis fruitionem. Sed quia circa hoc etiam alia multa credenda occurrunt quae dicta sunt de poenis damnatorum et de finali statu mundi, ut omnia hic comprehenderentur, in symbolo Patrum positum est: *vitam futuri saeculi:* futurum enim saeculum omnia huiusmodi comprehendit.

Capitulus 185

De fide ad humanitatem Christi

Quia vero, sicut in principio dictum est, Christiana fides circa duo praecipue versatur, scilicet circa divinitatem Trinitatis, et circa humanitatem Christi, praemissis his quae ad divinitatem pertinent et effectus eius, considerandum restat de his quae pertinent ad humanitatem Christi.

Et quia, ut dicit Apostolus, I ad Timoth. I, 15: *Christus Iesus venit in hunc mundum peccatores salvos facere,* praemittendum videtur quomodo humanum genus in peccatum incidit, ut sic evidentius agnoscatur quomodo per Christi humanitatem homines a peccatis liberantur.

Capitulus 186

De praeceptis datis primo homini, et eius perfectione in primo statu

Sicut supra dictum est, homo in sui conditione taliter institutus fuit a Deo, ut corpus omnino esset animae subiectum: rursumque inter partes animae, inferiores vires rationi absque repugnantia subiicerentur, et ipsa ratio hominis esset Deo subiecta. Ex hoc autem quod corpus erat animae subiectum, contingebat quod nulla passio in corpore posset accidere quae dominio animae super corpus repugnaret, unde nec mors nec infirmitas in homine locum habebat. Ex subiectione vero inferiorum virium ad rationem erat in homine omnimoda mentis tranquillitas, quia ratio humana nullis inordinatis passionibus turbabatur. Ex hoc vero quod voluntas hominis erat Deo subiecta, homo referebat omnia in Deum sicut in ultimum finem, in quo eius iustitia et innocentia consistebat.

Horum autem trium ultimum erat causa aliorum. Non enim hoc erat ex natura corporis, si eius componentia considerentur, quod in eo dissolutio sive quaecumque passio vitae repugnans locum non haberet, cum esset ex contrariis elementis compositum. Similiter etiam non erat ex natura animae quod vires etiam sensibiles absque repugnantia rationi subiicerentur, cum vires sensibiles naturaliter moveantur in ea quae sunt delectabilia secundum sensum, quae multoties rectae rationi repugnant.

Erat igitur hoc ex virtute superiori, scilicet Dei, qui sicut animam rationabilem corpori coniunxit, omnem proportionem corporis et corporearum virtutum, cuiusmodi sunt vires sensibiles, transcendentem, ita dedit animae rationali virtutem ut supra conditionem corporis ipsum continere posset et vires sensibiles, secundum quod rationali animae competebat. Ut igitur ratio inferiora sub se firmiter contineret, oportebat quod ipsa firmiter sub Deo contineretur, a quo virtutem praedictam habebat supra conditionem naturae. Fuit ergo homo sic institutus ut nisi ratio eius subduceretur a Deo, neque corpus eius subduci poterat a nutu animae, neque vires sensibiles a rectitudine rationis: unde quaedam immortalis vita et impassibilis erat, quia scilicet nec mori nec pati poterat, si non peccaret. Peccare vero poterat voluntate eius nondum confirmata per adeptionem ultimi finis, et sub hoc eventu poterat mori et pati.

Et in hoc differt impassibilitas et immortalitas quam primus homo habuit, ab ea quam in resurrectione sancti habebunt, qui nunquam poterunt nec pati nec mori, voluntate eorum omnino confirmata in Deum, sicut supra dictum est. Differebat etiam quoad aliud, quia post resurrectionem homines nec cibis nec venereis utentur, primus autem homo sic conditus fuit ut necesse haberet vitam cibis sustentare, et ei incumberet generationi operam dare, ut genus humanum multiplicaretur ex uno. Unde duo praecepta accepit in sui conditione. Ad primum pertinet quod ei dictum est: *de omni ligno quod est in Paradiso comede*; ad secundum quod ei dictum est: *crescite et multiplicamini, et replete terram*.

Capitulus 187

Quod ille perfectus status nominabatur originalis iustitia, et de loco in quo homo positus est

Hic autem hominis tam ordinatus status, originalis iustitia nominatur, per quam et ipse suo superiori subditus erat, et ei omnia inferiora subiiciebantur, secundum quod de eo dictum est: *et praesit piscibus maris et volatilibus caeli*: et inter partes eius etiam inferior absque repugnantia superiori subdebatur. Qui quidem status primo homini fuit concessus non ut cuidam personae singulari, sed ut primo humanae naturae principio, ita quod per ipsum simul cum natura humana traduceretur in posteros.

Et quia unicuique debetur locus secundum convenientiam suae conditionis, homo sic ordinate institutus positus est in loco temperatissimo et delicioso, ut non solum interiorum molestiarum, sed etiam aliorum exteriorum omnis ei vexatio tolleretur.

Capitulus 188

De ligno scientiae boni et mali, et primo hominis praecepto

Quia vero praedictus status hominis ex hoc dependebat quod humana voluntas Deo subiiceretur, ut homo statim a principio assuefieret ad Dei voluntatem sequendam, proposuit Deus homini quaedam praecepta, ut scilicet ex omnibus aliis lignis Paradisi vesceretur, prohibens sub mortis comminatione ne de ligno scientiae boni et mali vesceretur, cuius quidem ligni esus non ideo prohibitus est quia secundum se malus esset, sed ut homo saltem in hoc modico aliquid observaret ea sola ratione quia esset a Deo praeceptum: unde praedicti ligni esus factus est malus, quia prohibitus. Dicebatur autem lignum illud scientiae boni et mali, non quia haberet virtutem scientiae causativam, sed propter eventum sequentem, quia scilicet homo per eius esum experimento didicit quid intersit inter obedientiae bonum et inobedientiae malum.

Capitulus 189

De seductione diaboli ad Evam

Diabolus igitur, qui iam peccaverat, videns hominem taliter institutum ut ad perpetuam felicitatem pervenire posset, a qua ipse deciderat, et nihilominus posset peccare, conatus est a rectitudine iustitiae abducere, aggrediens hominem ex parte debiliori, tentans feminam, in qua minus vigebat sapientiae donum vel lumen: et ut in transgressionem praecepti facilius inclinaret, exclusit mendaciter metum mortis, et ei illa promisit quae homo naturaliter appetit, scilicet vitationem ignorantiae, dicens: *aperientur oculi vestri,* et excellentiam dignitatis, dicens: *scientes bonum et malum.* Homo enim ex parte intellectus naturaliter fugit ignorantiam, et scientiam appetit; ex parte vero voluntatis, quae naturaliter libera est, appetit celsitudinem et perfectionem, ut nulli, vel quanto paucioribus potest, subdatur.

Capitulus 190

Quid fuit inductivum mulieris

Mulier igitur repromissam celsitudinem simul et perfectionem scientiae concupivit. Accessit etiam ad hoc pulchritudo et suavitas fructus, alliciens ad edendum, et sic metu mortis contempto, praeceptum Dei transgressa est, de vetito ligno edendo, et sic eius peccatum multiplex invenitur.

Primo quidem superbiae, qua inordinate excellentiam appetiit. Secundo curiositatis, qua scientiam ultra terminos sibi praefixos concupivit. Tertio gulae, qua suavitate cibi permota est ad edendum. Quarto infidelitatis, per falsam aestimationem de Deo, dum credidit verbis diaboli contra Deum loquentis. Quinto inobedientiae, praeceptum Dei transgrediendo.

Capitulus 191

Quomodo pervenit peccatum ad virum

Ex persuasione autem mulieris peccatum usque ad virum pervenit, qui tamen, ut Apostolus dicit, *non est seductus* ut mulier, in hoc scilicet quod crederet verbis diaboli contra Deum loquentis. Non enim in eius mente cadere poterat, Deum mendaciter aliquid comminatum esse, neque inutiliter a re utili prohibuisse. Allectus tamen fuit promissione diaboli, excellentiam et scientiam indebite appetendo. Ex quibus cum voluntas eius a rectitudine iustitiae discessisset, uxori suae morem gerere volens, in transgressione divini praecepti eam secutus est, edendo de fructu ligni vetiti.

Capitulus 192

De effectu sequente culpam, quantum ad rebellionem virium inferiorum rationi

Quia igitur dicti status tam ordinata integritas tota causabatur ex subiectione humanae voluntatis ad Deum, consequens fuit ut subducta humana voluntate a subiectione divina, deperiret illa perfecta subiectio inferiorum virium ad rationem et corporis ad animam: unde consecutum est ut homo sentiret in inferiori appetitu sensibili, concupiscentiae et irae et ceterarum passionum inordinatos motus non secundum ordinem rationis, sed magis ei repugnantes, et eam plerumque obnubilantes, et quasi perturbantes: et haec est repugnantia carnis ad spiritum, de qua Scriptura loquitur. Nam quia appetitus sensitivus, sicut et ceterae sensitivae vires, per instrumentum corporeum operatur, ratio autem absque aliquo organo corporali, convenienter quod ad appetitum sensitivum pertinet, carni imputatur; quod vero ad rationem, spiritui, secundum quod spirituales substantiae dici solent quae sunt a corporibus separatae.

Capitulus 193

Quomodo fuit poena illata, quantum ad necessitatem moriendi

Consecutum est etiam, ut in corpore sentiretur corruptionis defectus, ac per hoc homo incurreret necessitatem moriendi, quasi animatum non valens corpus in perpetuum continere, vitam ei praebendo: unde homo factus est passibilis et mortalis, non solum quasi potens pati et mori ut antea, sed quasi necessitatem habens ad patiendum et moriendum.

Capitulus 194

De aliis defectibus qui consequuntur in intellectu et voluntate

Consecuti sunt in homine per consequens multi alii defectus. Abundantibus enim in appetitu inferiori inordinatis motibus passionum, simul etiam et in ratione deficiente lumine sapientiae, quo divinitus illustrabatur voluntas dum erat Deo subiecta, per consequens affectum suum rebus sensibilibus subdidit, in quibus oberrans a Deo multipliciter peccavit, et ulterius immundis spiritibus se subdidit per quos credidit in huiusmodi rebus agendis acquirendis sibi auxilium praestari, et sic in humano genere idolatria et diversa peccatorum genera processerunt: et quo magis in his homo corruptus fuit, eo amplius a cognitione et desiderio bonorum spiritualium et divinorum recessit.

Capitulus 195

Quomodo isti defectus derivati sunt ad posteros

Et quia praedictum originalis iustitiae bonum sic humano generi in primo parente divinitus attributum fuit, ut tamen per ipsum derivaretur in posteros, remota autem causa removetur effectus, consequens fuit ut primo homine praedicto bono per proprium peccatum privato, omnes posteri privarentur, et sic de cetero, scilicet post peccatum primi parentis, omnes absque originali iustitia et cum defectibus consequentibus sunt exorti.

Nec hoc est contra ordinem iustitiae, quasi Deo puniente in filiis quod primus parens deliquit, quia ista poena non est nisi subtractio eorum quae supernaturaliter primo homini divinitus sunt concessa, per ipsum in alios derivanda: unde aliis non debebantur, nisi quatenus per primum parentem in eos erant transitura. Sicut si rex det feudum militi, transiturum per ipsum ad heredes, si miles contra regem peccat, ut feudum mereatur amittere, non potest postmodum ad eius heredes devenire: unde iuste privantur posteri per culpam parentis.

Capitulus 196

Utrum defectus originalis iustitiae habeat rationem culpae in posteris

Sed remanet quaestio magis urgens: utrum defectus originalis iustitiae in his qui ex primo parente prodierunt, rationem culpae possit habere. Hoc enim ad rationem culpae pertinere videtur, sicut supra dictum est, ut malum quod culpabile dicitur, sit in potestate eius cui imputatur in culpam. Nullus enim culpatur de eo quod non est in eo facere vel non facere. Non est autem in potestate eius qui nascitur, ut cum originali iustitia nascatur, vel sine ea: unde videtur quod talis defectus rationem culpae habere non possit.

Sed haec quaestio de facili solvitur, si distinguatur inter personam et naturam. Sicut enim in una persona multa sunt membra, ita in una humana natura multae sunt personae, ut participatione speciei multi homines intelligantur quasi unus homo, ut Porphyrius dicit. Est autem hoc advertendum in peccato unius hominis, quod diversis membris diversa peccata exercentur, nec requiritur ad rationem culpae quod singula peccata sint voluntaria voluntate membrorum quibus exercentur, sed voluntate eius quod est in homine principale, scilicet intellectivae partis. Non enim potest manus non percutere aut pes non ambulare voluntate iubente.

Per hunc igitur modum defectus originalis iustitiae est peccatum naturae, inquantum derivatur ex inordinata voluntate primi principii in natura humana, scilicet primi parentis, et sic est voluntarium habito respectu ad naturam, voluntate scilicet primi principii naturae, et sic transit in omnes qui ab ipso naturam humanam accipiunt, quasi in quaedam membra ipsius, et propter hoc dicitur originale peccatum, quia per originem a primo parente in posteros derivatur: unde cum alia peccata, scilicet actualia, immediate respiciant personam peccantem, hoc peccatum directe respicit naturam. Nam primus parens suo peccato infecit naturam, et natura infecta inficit personam filiorum, qui ipsam a primo parente suscipiunt.

Capitulus 197

Quod non omnia peccata traducuntur in posteros

Nec tamen oportet quod omnia peccata alia vel primi parentis, vel etiam ceterorum, traducantur in posteros, quia primum peccatum primi parentis sustulit donum totum quod supernaturaliter erat collatum in humana natura personae primi parentis, et sic dicitur corrupisse vel infecisse naturam: unde peccata consequentia non inveniunt aliquid huiusmodi quod possint subtrahere a tota natura humana, sed auferunt ab homine aut diminuunt aliquod bonum particulare, scilicet personale, nec corrumpunt naturam, nisi inquantum pertinet ad hanc vel illam personam. Homo autem non generat sibi similem in persona, sed in natura: et ideo non traducitur a parente in posteros peccatum quod vitiat personam, sed primum peccatum quod vitiavit naturam.

Capitulus 198

Quod meritum Adae non profuit posteris ad reparationem

Quamvis autem peccatum primi parentis totam humanam naturam infecerit, non tamen potuit per eius poenitentiam vel quodcumque eius meritum tota natura reparari. Manifestum est enim quod poenitentia Adae, vel quodcumque aliud eius meritum, fuit actus singularis personae, actus autem alicuius individui non potest in totam naturam speciei. Causae enim quae possunt in totam speciem, sunt causae aequivocae, et non univocae. Sol enim est causa generationis in tota specie humana, sed homo est causa generationis huius hominis. Singulare ergo meritum Adae, vel cuiuscumque puri hominis, sufficiens esse non poterat ad totam naturam reintegrandam. Quod autem per actum singularem primi hominis tota natura est vitiata, per accidens est consecutum, inquantum eo privato innocentiae statu, per ipsum in alios derivari non potuit.

Et quamvis per poenitentiam redierit ad gratiam, non tamen redire potuit ad pristinam innocentiam, cui divinitus praedictum originalis iustitiae donum concessum erat. Similiter etiam manifestum est quod praedictus originalis iustitiae status fuit quoddam speciale donum gratiae, gratia autem meritis non acquiritur, sed gratis a Deo datur. Sicut igitur primus homo a principio originalem iustitiam non ex merito habuit, sed ex divino dono, ita etiam, et multo minus, post peccatum eam mereri potuit poenitendo, vel quodcumque aliud opus agendo.

Capitulus 199

De reparatione humanae naturae per Christum

Oportebat autem quod humana natura praedicto modo infecta, ex divina providentia repararetur. Non enim poterat ad perfectam beatitudinem pervenire, nisi tali infectione remota: quia beatitudo cum sit perfectum bonum, nullum defectum patitur, et maxime defectum peccati, quod aliquo modo virtuti opponitur, quae cst via in ipsam, ut dictum est. Et sic cum homo propter beatitudinem factus sit, quia ipsa est ultimus eius finis, sequeretur quod opus Dei in tam nobili creatura frustraretur, quod reputat inconveniens Psalmista, cum dicit, Psal. Lxxxviii, V. 48: *nunquid enim vane constituisti omnes filios hominum?* sic igitur oportebat humanam naturam reparari.

Praeterea. Bonitas divina excedit potentiam creaturae ad bonum. Patet autem ex supra dictis quod talis est hominis conditio quandiu in hac mortali vita vivit, quod sicut nec confirmatur in bono immobiliter, ita nec immobiliter obstinatur in malo. Pertinet igitur hoc ad conditionem humanae naturae ut ab infectione peccati possit purgari. Non fuit igitur conveniens quod divina bonitas hanc potentiam totaliter dimitteret vacuam, quod fuisset, si ei reparationis remedium non procurasset.

Capitulus 200

Quod per solum Deum incarnatum debuit natura reparari

Ostensum est autem quod neque per Adam neque per aliquem alium hominem purum poterat reparari: tum quia nullus singularis homo praeeminebat toti naturae, tum quia nullus purus homo potest esse gratiae causa. Eadem ergo ratione nec per angelum potuit reparari, quia nec angelus potest esse gratiae causa, nec etiam praemium hominis quantum ad ultimam beatitudinem perfectam, ad quam oportebat hominem revocari, quia in ea sunt pares. Relinquitur igitur quod per solum Deum talis reparatio fieri poterat.

Sed si Deus hominem sola sua voluntate et virtute reparasset, non servaretur divinae iustitiae ordo, secundum quam exigitur satisfactio pro peccato. In Deo autem satisfactio non cadit, sicut nec meritum, hoc enim est sub alio existentis. Sic igitur neque Deo competebat satisfacere pro peccato totius naturae humanae, nec purus homo poterat, ut ostensum est. Conveniens igitur fuit Deum hominem fieri, ut sic unus et idem esset qui et reparare et satisfacere posset. Et hanc causam divinae incarnationis assignat Apostolus, I Tim. I, 15: *Christus Iesus venit in hunc mundum peccatores salvos facere.*

Capitulus 201

De aliis causis incarnationis Filii Dei

Sunt tamen et aliae rationes incarnationis divinae. Quia enim homo a spiritualibus recesserat, et totum se rebus corporalibus dederat, ex quibus in Deum per se ipsum redire non poterat, divina sapientia, quae hominem fecerat, per naturam corpoream assumptam hominem in corporalibus iacentem visitavit, ut per sui corporis mysteria eum ad spiritualia revocaret.

Fuit etiam necessarium humano generi ut Deus homo fieret, ad demonstrandum naturae humanae dignitatem, ut sic homo neque daemonibus subderetur, neque corporalibus rebus.

Simul etiam per hoc quod Deus homo fieri voluit, manifeste ostendit immensitatem sui amoris, ut ex hoc iam homines Deo subderentur non propter metum mortis, quam primus homo contempsit, sed per caritatis affectum.

Datur etiam per hoc homini quoddam exemplum illius beatae unionis qua intellectus creatus increato spiritui intelligendo unietur. Non enim restat incredibile quin intellectus creaturae Deo uniri possit, eius essentiam videndo, ex quo Deus homini unitus est, naturam eius assumendo.

Perficitur etiam per hoc quodammodo totius operis divini universitas, dum homo, qui est ultimo
creatus, circulo quodam in suum redit principium,
ipsi rerum principio per opus incarnationis unitus.

Capitulus 202

De errore Photini circa incarnationem Filii Dei

Hoc autem divinae incarnationis mysterium Photinus, quantum in se est, evacuavit. Nam Ebionem et Cerinthum et Paulum Samosatenum sequens, Dominum Iesum Christum fuisse purum hominem asseruit, nec ante Mariam virginem extitisse, sed quod per beatae vitae meritum, et patientiam mortis, gloriam divinitatis promeruit, ut sic Deus diceretur non per naturam, sed per adoptionis gratiam. Sic igitur non esset facta unio Dei et hominis, sed homo esset per gratiam deificatus, quod non singulare est Christo, sed commune omnibus sanctis, quamvis in hac gratia aliqui excellentiores aliis habeantur.

Hic autem error auctoritatibus divinae Scripturae contradicit. Dicitur enim Ioan. I, 1: *in principio erat Verbum*; et postea subdit: *Verbum caro factum est*. Verbum ergo quod erat in principio apud Deum, carnem assumpsit, non autem homo, qui ante fuerat, per gratiam adoptionis deificatus. Item Dominus dicit Ioan. VI, 38: *descendi de caelo non ut faciam voluntatem meam, sed voluntatem eius qui misit me*. Secundum autem Photini errorem non conveniret Christo descendisse, sed solum ascendisse, cum tamen Apostolus dicat, Ephes. IV, 9: *quod autem ascendit, quid est nisi quia et descendit primum in infe-*

riores partes terrae? ex quo manifeste datur intelligi, quod in Christo non haberet locum ascensio, nisi descensio praecessisset.

Capitulus 203

Error Nestorii circa incarnationem et eius improbatio

Hoc igitur volens declinare Nestorius, partim quidem a Photini errore discessit, quia posuit Christum Filium Dei non solum per adoptionis gratiam, sed per naturam divinam, in qua Patri extitit coaeternus; partim vero cum Photino concordat, dicens, Filium Dei non sic esse unitum homini ut una persona fieret Dei et hominis, sed per solam inhabitationem in ipso, et sic homo ille, sicut secundum Photinum per solam gratiam Deus dicitur, sic et secundum Nestorium Dei Filius dicitur, non quia ipse vere sit Deus, sed propter Filii Dei inhabitationem in ipso, quae est per gratiam.

Hic autem error auctoritati sacrae Scripturae repugnat. Hanc enim unionem Dei et hominis Apostolus *exinanitionem* nominat, dicens, Philip. II, 6, de Filio Dei: *qui cum in forma Dei esset, non rapinam arbitratus est esse se aequalem Deo, sed semetipsum exinanivit, formam servi accipiens*. Non est autem exinanitio Dei quod creaturam rationalem inhabitet per gratiam, alioquin et Pater et Spiritus Sanctus exinanirentur, quia et ipsi creaturam rationalem per gratiam inhabitant, dicente Domino de se et de Patre, Ioan. XIV, 23: *ad eum veniemus, et mansionem apud eum faciemus,* et Apostolo de Spiritu Sancto, I Cor. III, 16: *Spiritus Dei habitat in vobis.*

Item non conveniret homini illi voces divinitatis emittere, si personaliter Deus non esset. Praesumtuosissime ergo dixisset: *ego et Pater unum sumus*: et: *antequam Abraham fieret, ego sum.* Ego enim personam loquentis demonstrat: homo autem erat qui loquebatur. Est igitur persona eadem Dei et hominis.

Ad hos ergo errores excludendos, in Symbolo tam Apostolorum quam Patrum, facta mentione de persona Filii, subditur: qui conceptus est de Spiritu Sancto, natus, passus, mortuus et resurrexit. Non enim ea quae sunt hominis, de Filio Dei praedicarentur, nisi eadem esset persona Filii Dei et hominis, quia quae uni personae conveniunt, non ex hoc ipso de altera praedicantur: sicut quae conveniunt Paulo, non ex hoc ipso praedicantur de Petro.

Capitulus 204

De errore Arii circa incarnationem et improbatio eius

Ut ergo unitatem Dei et hominis confiterentur quidam haeretici in partem contrariam diverterunt, dicentes, Dei et hominis esse unam non solum personam, sed etiam naturam. Cuius quidem erroris principium fuit ab Ario, qui ut ea quae in Scripturis dicuntur de Christo, quibus ostenditur minor Patre, non nisi ad ipsum Dei Filium possent referri secundum assumentem naturam, posuit in Christo non aliam animam esse quam Dei Verbum, quod dixit corpori Christi fuisse pro anima: ut sic cum dicit: *Pater maior me est,* vel cum orasse legitur, aut tristatus, ad ipsam naturam Filii Dei sit referendum. Hoc autem posito, sequitur quod unio Filii Dei ad hominem facta sit non solum in persona, sed etiam in natura. Manifestum est enim quod ex anima et corpore constituitur unitas humanae naturae.

Et huius quidem positionis falsitas quantum ad id quod Filium minorem Patre asserit, supra est declarata, cum ostendimus Filium Patri aequalem. Quantum vero ad id quod dicit, Verbum Dei in Christo fuisse pro anima, huius erroris ex praemissis falsitas ostendi potest. Ostensum est enim supra, animam corpori uniri ut formam, Deum autem impossibile est formam corporis esse, sicut supra ostensum est. Et ne forte Arius hoc diceret de summo Deo Patre intelligendum, idem et de angelis ostendi potest, quod secundum naturam corpori non possunt uniri per modum formae, cum sint secundum naturam suam a corporibus separati. Multo igitur minus Filius Dei, per quem facti sunt angeli, ut etiam Arius confitetur, corporis forma esse potest.

Praeterea. Filius Dei etiam si sit creatura, ut Arius mentitur, tamen secundum ipsum in beatitudine praecedit omnes spiritus creatos. Est autem tanta angelorum beatitudo, quod tristitiam habere non possunt. Non enim esset vera et plena felicitas, si aliquid eorum votis deficeret: est enim de ratione beatitudinis ut sit finale et perfectum bonum totaliter appetitum quietans. Multo igitur minus Dei Filius tristari potest aut timere secundum suam naturam. Legitur autem tristatus, cum dicitur: *coepit Iesus pavere et taedere, et moestus esse*; et ipse etiam suam tristitiam profitetur, dicens: *tristis est anima mea usque ad mortem*. Manifestum est autem tristitiam non esse corporis, sed alicuius apprehensivae substantiae. Oportet igitur praeter Verbum et corpus in Christo aliam fuisse substantiam quae tristitiam pati posset, et hanc dicimus animam.

Rursus. Si Christus propterea assumpsit quae nostra sunt, ut nos a peccatis mundaret, magis autem necessarium erat nobis mundari secundum animam, a qua origo peccati processerat, et quae est subiectum peccati: non igitur corpus assumpsit sine anima, sed quia principalius animam, et corpus cum anima.

Capitulus 205

De errore Apollinaris circa incarnationem et improbatio eius

Ex quo etiam excluditur error Apollinaris, qui primo quidem Arium secutus, in Christo non aliam animam esse posuit quam Dei Verbum. Sed quia non sequebatur Arium in hoc quod Filium Dei diceret creaturam, multa autem dicuntur de Christo quae nec corpori attribui possunt, nec creatori convenire, ut tristitia, timor et huiusmodi, coactus tandem fuit ponere quidem aliquam animam in Christo, quae corpus sensificaret, et quae harum passionum posset esse subiectum, quae tamen ratione et intellectu carebat, ipsum autem Verbum homini Christo pro intellectu et ratione fuisse.

Hoc autem multipliciter falsum esse ostenditur. Primo quidem, quia hoc est contra naturae rationem ut anima non rationalis sit forma hominis, cum tamen formam corporis habeat. Nihil autem monstruosum et innaturale in Christi incarnatione fuisse putandum est. Secundo, quia fuisset contra incarnationis finem, qui est reparatio humanae naturae, quae quidem principalius indiget reparari quantum ad intellectivam partem, quae particeps peccati esse potest. Unde praecipue conveniens fuit ut intellectivam hominis partem assumeret. Dicitur etiam Christus admiratus fuisse, admirari autem non est nisi animae rationalis, Deo vero omnino convenire non potest. Sicut igitur tristitia cogit in Christo ponere animam sensitivam, sic admiratio cogit ponere in Christo partem animae intellectivam.

Capitulus 206

De errore Eutychetis ponentis unionem in natura

Hos autem quantum ad aliquid Eutyches secutus est. Posuit enim unam naturam fuisse Dei et hominis post incarnationem, non tamen posuit quod Christo deesset vel anima vel intellectus, vel aliquid eorum quae ad integritatem spectant naturae.

Sed et huius opinionis falsitas manifeste apparet. Divina enim natura in se perfecta et incommutabilis est. Natura enim quae in se perfecta est, cum altera non potest in unam naturam convenire, nisi vel ipsa convertatur in alteram, sicut cibus in cibatum, vel alterum convertatur in ipsum, sicut in ignem ligna; vel utrumque transmutetur in tertium, sicut elementa in corpus mixtum. Haec autem omnia removet divina immutabilitas. Non enim immutabile est neque quod in alterum convertitur, neque in quod alterum converti potest. Cum ergo natura divina in se sit perfecta, nullo modo potest esse quod simul cum aliqua natura in unam naturam conveniat.

Rursum. Si quis rerum ordinem consideret, additio maioris perfectionis variat naturae speciem: alterius enim speciei est quod est et vivit tantum, ut planta, quam quod est tantum. Quod autem est et vivit et sentit, ut animal, est alterius speciei quam quod est et vivit tantum, ut planta. Item quod est, vivit, sentit et intelligit, ut homo, est alterius speciei quam quod est, vivit et sentit tantum, ut animal brutum. Si igitur illa una natura quae ponitur esse Christi, supra haec omnia habuit quod divinum est, consequens est quod illa natura alterius fuerit speciei a natura humana, sicut natura humana a natura bruti animalis. Neque Christus igitur fuit homo eiusdem speciei: quod falsum esse ostenditur ex hoc quod ab hominibus secundum carnem progenitus fuit, sicut Matthaeus ostendit in principio evangelii sui dicens: *liber generationis Iesu Christi, filii David, filii Abraham.*

Capitulus 207

Contra errorem Manichaei dicentis, Christum non habuisse verum corpus, sed phantasticum

Sicut autem Photinus evacuavit incarnationis mysterium, divinam naturam a Christo auferendo, sic Manichaeus auferendo humanam. Quia enim ponebat totam creaturam corpoream a diabolo fuisse creatam, nec erat conveniens ut boni Dei Filius assumeret diaboli creaturam, ideo posuit Christum non habuisse veram carnem, sed phantasticam tantum, et omnia quae in evangelio de Christo narrantur ad humanam naturam pertinentia, in phantasia, et non in veritate facta fuisse asserebat.

Haec autem positio manifeste sacrae Scripturae contradicit, quae Christum asserit de virgine natum, circumcisum, esuriisse, comedisse et alia pertulisse quae pertinent ad humanae carnis naturam. Falsa igitur esset evangeliorum Scriptura, haec narrans de Christo.

Rursus. Ipse Christus de se dicit Ioan. XVIII, 37: *in hoc natus sum, et ad hoc veni in mundum, ut testimonium perhibeam veritati*. Non fuisset autem veritatis testis, sed magis falsitatis, si in se demonstrasset quod non erat: praesertim cum praedixerit se passurum quae sine vera carne pati non potuisset, scilicet

quod traderetur in manus hominum, quod conspuere-
tur, flagellaretur, crucifigeretur. Dicere ergo
Christum veram carnem non habuisse, nec huiusmodi in veritate, sed solum in phantasia eum fuisse
perpessum, est Christo imponere falsitatem.

Adhuc. Veram opinionem a cordibus hominum
removere, est hominis fallacis. Christus autem hanc
opinionem a cordibus discipulorum removit. Cum
enim post resurrectionem discipulis apparuit qui eum
spiritum vel phantasma esse existimabant, ad huiusmodi suspicionem de cordibus eorum tollendam, dixit: *palpate, et videte, quia spiritus carnem et ossa
non habet, sicut me videtis habere*; et in alio loco,
cum supra mare ambularet, existimantibus eum discipulis esse phantasma, et ob hoc eis in timore constitutis, Dominus dixit: *ego sum, nolite timere*. Si igitur haec opinio vera est, necesse est dicere Christum
fuisse fallacem. Christus autem veritas est, ut ipse de
se dicit. Haec opinio igitur est falsa.

Capitulus 208

Quod Christus verum corpus habuit, non de caelo, contra Valentinum

Valentinus autem etsi verum corpus Christum habuisse confiteretur, dicebat tamen eum carnem non assumpsisse de virgine, sed attulisse corpus de caelo formatum, quod transivit per virginem, nihil ex ea accipiens, sicut aqua transit per canalem.

Hoc etiam veritati Scripturae contradicit. Dicit enim Apostolus, Rom. I, 3: *qui factus est ei ex semine David secundum carnem,* et ad Gal. IV, 4, dicit: *misit Deus Filium suum unigenitum factum ex muliere.* Matthaeus autem I, 16, dicit: *et Iacob genuit Ioseph virum Mariae, de qua natus est Iesus, qui vocatur Christus,* et postmodum eam eius matrem nominat subdens: *cum esset desponsata mater eius Maria Ioseph.* Haec autem vera non essent, si Christus de virgine carnem non assumpsisset. Falsum est igitur quod corpus caeleste attulerit.

Sed quod Apostolus I ad Corinth. XV, 47, dicit: *secundus homo de caelo caelestis,* intelligendum est quod de caelo descendit secundum divinitatem, non autem secundum substantiam corporis.

Adhuc. Nulla ratio esset quare corpus de caelo afferens Dei Filius, uterum virginis introisset, si ex ea nil assumeret, sed magis videretur esse fictio quaedam, dum ex utero matris egrediens demonstraret se ab ea accepisse carnem quam non acceperat. Cum igitur omnis falsitas a Christo sit aliena, simpliciter confitendum est, quod Christus sic processit ex utero virginis quod ex ea carnem accepit.

Capitulus 209

Quae sit sententia fidei circa incarnationem

Ex praemissis igitur colligere possumus, quod in Christo secundum veritatem catholicae fidei fuit verum corpus nostrae naturae, vera anima rationalis, et simul cum hoc perfecta Deitas. Hae autem tres substantiae in unam personam conveniunt, non autem in unam naturam.

Ad cuius etiam veritatis expositionem aliqui per quasdam vias erroneas processerunt. Considerantes enim quidam, quod omne quod advenit alicui post esse completum, accidentaliter ei adiungitur, ut homini vestis, posuerunt quod humanitas accidentali unione fuerit in persona Filii divinitati coniuncta, ita scilicet quod natura assumpta se haberet ad personam Filii Dei sicut vestis ad hominem. Ad cuius confirmationem inducebant quod Apostolus dicit ad Philip. de Christo, quod *habitu inventus est ut homo*. Rursus considerabant quod ex unione animae et corporis efficitur individuum quoddam rationalis naturae, quod nominatur persona. Si igitur anima in Christo fuisset corpori unita, videre non poterant quin sequeretur quod ex tali unione constitueretur persona. Sequeretur ergo in Christo duas esse personas, scilicet personam assumentem, et personam assumptam: in homine enim induto non sunt duae personae, quia indumentum rationem personae non habet. Si autem vestis esset persona, sequeretur in homine vestito duas esse personas. Ad hoc igitur excludendum, posuerunt quidam animam Christi unitam nunquam fuisse corpori, sed quod persona Filii Dei animam et corpus separatim assumpsit.

Sed haec opinio dum unum inconveniens vitare nititur, incidit in maius. Sequitur enim ex necessitate, quod Christus non fuerit verus homo. Veritas enim humanae naturae requirit animae et corporis unionem, nam homo est qui ex utroque componitur. Sequeretur etiam quod Christi non fuerit vera caro, nec aliquod membrum eius habuit veritatem. Remota enim anima non est oculus, aut manus, aut caro et os, nisi aequivoce, sicut pictus aut lapideus. Sequeretur etiam quod Christus vere mortuus non fuerit. Mors enim est privatio vitae. Manifestum est enim quod divinitatis vita per mortem privari non potuit, corpus autem vivum esse non potuit, si ei anima coniuncta non fuit. Sequeretur etiam ulterius quod Christi corpus sentire non potuit, non enim sentit corpus nisi per animam sibi coniunctam.

Adhuc autem haec opinio in errorem Nestorii relabitur, quem tamen declinare intendit. In hoc enim erravit Nestorius, quod posuit Verbum Dei homini Christo fuisse unitum secundum inhabitationem gratiae, ita quod Verbum Dei fuerit in illo homine sicut in templo suo. Nihil autem refert dicere, quantum ad propositum pertinet, quod verbum est in homine sicut in templo, et quod natura humana verbo adveniat ut vestimentum vestito: nisi quod in tantum haec opinio est deterior, quia Christum verum hominem confiteri non potest. Est igitur haec opinio non immerito condemnata. Adhuc autem homo vestitus non potest esse persona vestis aut indumenti, nec aliquo modo dici potest quod sit in specie indumenti. Si igitur Filius Dei humanam naturam ut vestimentum assumpsit, nullo modo dici poterit persona humanae naturae, nec etiam dici poterit quod Filius Dei sit eiusdem speciei cum aliis hominibus, de quo tamen Apostolus dicit quod *est in similitudinem hominum factus*. Unde patet hanc opinionem esse totaliter evitandam.

Capitulus 210

Quod in ipso non sunt duo supposita

Alii vero praedicta inconvenientia vitare volentes, posuerunt quidem in Christo animam corpori fuisse unitam, et ex tali unione quendam hominem constitutum fuisse, quem dicunt a Filio Dei in unitatem personae assumptum, ratione cuius assumptionis illum hominem dicunt esse Filium Dei, et Filium Dei dicunt esse illum hominem. Et quia assumptionem praedictam ad unitatem personae dicunt esse terminatam, confitentur quidem in Christo unam personam Dei et hominis, sed quia hic homo, quem ex anima et corpore constitutum dicunt, est quoddam suppositum vel hypostasis humanae naturae, ponunt in Christo duo supposita et duas hypostases: unum naturae humanae, creatum et temporale; aliud divinae naturae, increatum et aeternum.

Haec autem positio licet ab errore Nestorii verbotenus recedere videatur, tamen si quis eam interius perscrutetur, in idem cum Nestorio labitur.

Manifestum est enim quod persona nihil aliud est quam substantia individua rationalis naturae, humana autem natura rationalis est: unde et ex hoc ipso quod ponitur in Christo aliqua hypostasis vel suppositum naturae humanae, temporale et creatum, ponitur etiam aliqua persona in Christo, temporalis creata:

hoc enim est quod nomine suppositi vel hypostasis significatur, scilicet individua substantia. Ponentes ergo in Christo duo supposita vel duas hypostases, si quod dicunt intelligunt, necesse habent ponere duas personas.

Item. Quaecumque supposito differunt, ita se habent, quod ea quae sunt propria unius, alteri convenire non possunt. Si ergo non est idem suppositum Filius Dei et Filius hominis, sequitur quod ea quae sunt filii hominis, non possunt attribui Filio Dei, nec e converso. Non ergo poterit dici Deus crucifixus, aut natus ex virgine: quod est Nestorianae impietatis.

Si quis autem ad haec dicere velit, quod ea quae sunt hominis illius, Filio Dei attribuuntur, et e converso propter unitatem personae, quamvis sint diversa supposita, hoc omnino stare non potest. Manifestum est enim quod suppositum aeternum Filii Dei non est aliud quam ipsa eius persona. Quaecumque igitur dicuntur de Filio Dei ratione suae personae, dicerentur de ipso ratione sui suppositi. Sed ea quae sunt hominis, non dicuntur de eo ratione suppositi, quia ponitur Filius Dei a filio hominis supposito differre. Neque igitur ratione personae de Filio Dei dici poterunt quae sunt propria filii hominis, ut nasci de virgine, mori, et similia.

Adhuc. Si de supposito aliquo temporali Dei nomen praedicetur, hoc erit recens et novum. Sed omne quod recenter et de novo dicitur Deus, non est Deus, nisi quia factum est Deus. Quod autem est factum Deus, non est naturaliter Deus, sed per adoptionem solum. Sequitur ergo quod ille homo non fuerit vere et naturaliter Deus, sed solum per adoptionem: quod etiam ad errorem Nestorii pertinet.

Capitulus 211

Quod in Christo est unum tantum suppositum et est una tantum persona

Sic igitur oportet dicere, quod in Christo non solum sit una persona Dei et hominis, sed etiam unum suppositum et una hypostasis: natura autem non una, sed duae.

Ad cuius evidentiam considerare oportet, quod haec nomina persona, hypostasis et suppositum, integrum quoddam designant. Non enim potest dici quod manus aut caro aut quaecumque aliarum partium sit persona vel hypostasis aut suppositum, sed hoc totum, quod est hic homo. Ea vero nomina quae sunt communia individuis substantiarum et accidentium, ut individuum et singulare, possunt et toti et partibus aptari. Nam partes cum accidentibus aliquid habent commune: scilicet quod non per se existunt, sed aliis insunt, licet secundum modum diversum. Potest igitur dici quod manus Socratis et Platonis est quoddam individuum, vel singulare quoddam, licet non sit hypostasis vel suppositum vel persona.

Est etiam considerandum ulterius, quod aliquorum coniunctio per se considerata, quandoque quidem facit aliquod integrum, quae in alio propter additionem alterius non constituit aliquod integrum, sicut in lapide commixtio quatuor elementorum facit aliquod integrum: unde illud quod est ex elementis constitutum, in lapide potest dici suppositum vel hypostasis, quod est hic lapis, non autem persona, quia non est hypostasis naturae rationalis. Compositio autem elementorum in animali non constituit aliquod integrum, sed constituit partem, scilicet corpus: quia necesse est aliquid aliud advenire ad completionem animalis, scilicet animam; unde compositio elementorum in animali non constituit suppositum vel hypostasim, sed hoc animal totum est hypostasis vel suppositum. Nec tamen propter hoc minus est efficax in animali elementorum compositio quam in lapide, sed multo amplius, quia est ordinata ad rem nobiliorem.

Sic igitur in aliis hominibus unio animae et corporis constituit hypostasim et suppositum, quia nihil aliud est praeter haec duo. In Domino autem Iesu Christo praeter animam et corpus advenit tertia substantia, scilicet divinitas. Non ergo est seorsum suppositum vel hypostasis, sicut nec persona, id quod est ex corpore et anima constitutum, sed suppositum, hypostasis vel persona est id quod constat ex tribus substantiis, corpore scilicet et anima et divinitate, et sic in Christo sicut est una tantum persona, ita unum suppositum et una hypostasis. Alia autem ratione advenit anima corpori, et divinitas utrique. Nam anima advenit corpori ut forma eius existens, unde his duobus constituitur una natura, quae dicitur humana natura. Divinitas autem non advenit animae et corpori per modum formae, neque per modum partis: hoc enim est contra rationem divinae perfectionis. Unde ex divinitate et anima et corpore non constituitur una natura, sed ipsa natura divina in seipsa integra et pura existens sibi quodam modo incomprehensibili et ineffabili humanam naturam ex anima et corpore constitutam assumpsit, quod ex infinita virtute eius processit. Videmus enim quod quanto aliquod agens est maioris virtutis, tanto magis sibi applicat aliquod instrumentum ad aliquod opus perficiendum. Sicut igitur virtus divina propter sui infinitatem est infinita et incomprehensibilis, ita modus quo sibi univit humanam naturam Christus, quasi organum quoddam ad humanae salutis effectum, est nobis ineffabilis, et excedens omnem aliam unionem Dei ad creaturam.

Et quia, sicut iam diximus, persona, hypostasis et suppositum designant aliquid integrum, si divina natura in Christo est ut pars, et non ut aliquid integrum, sicut anima in compositione hominis, una persona Christi non se teneret tantum ex parte naturae divinae, sed esset quoddam constitutum ex tribus, sicut et in homine persona, hypostasis et suppositum est quod ex anima et corpore constituitur. Sed quia divina natura est aliquid integrum, quod sibi assumpsit per quandam ineffabilem unionem humanam naturam, persona se tenet ex parte divinae naturae, et similiter hypostasis et suppositum; anima vero et corpus trahuntur ad personalitatem personae divinae, ut sit persona Filii Dei, sicut etiam persona filii hominis et hypostasis et suppositum.

Potest autem huiusmodi exemplum aliquale in creaturis inveniri. Subiectum enim et accidens non sic uniuntur ut ex eis aliquod tertium constituatur, unde subiectum in tali unione non se habet ut pars, sed est integrum quoddam, quod est persona, hypostasis et suppositum. Accidens autem trahitur ad personalitatem subiecti, ut sit persona eadem hominis et albi, et similiter eadem hypostasis et idem suppositum. Sic igitur secundum similitudinem quandam persona, hypostasis et suppositum Filii Dei est persona, hypostasis et suppositum humanae naturae in Christo. Unde quidam propter huiusmodi similitudinem dicere praesumpserunt, quod humana natura in Christo degenerat in accidens, et quod accidentaliter Dei Filio uniretur, veritatem a similitudine non discernentes.

Patet igitur ex praemissis quod in Christo non est alia persona nisi aeterna, quae est persona Filii Dei, nec alia hypostasis aut suppositum; unde cum dicitur hic homo, demonstrato Christo, importatur suppositum aeternum. Nec tamen propter hoc aequivoce dicitur hoc nomen homo de Christo et de aliis hominibus. Aequivocatio enim non attenditur secundum diversitatem suppositionis, sed secundum diversitatem significationis. Nomen autem hominis attributum Petro et Christo idem significat, scilicet naturam humanam, sed non idem supponit: quia hic supponit suppositum aeternum Filii Dei, ibi autem suppositum creatum.

Quia vero de unoquoque supposito alicuius naturae possunt dici ea quae competunt illi naturae cuius est suppositum, idem autem est suppositum in Christo humanae et divinae naturae, manifestum est quod de hoc supposito utriusque naturae, sive supponatur per nomen significans divinam naturam aut personam, sive humanam, possunt dici indifferenter et quae sunt divinae, et quae sunt humanae naturae, utputa, si dicamus, quod Filius Dei est aeternus, et quod Filius Dei est natus de virgine, et similiter dicere possumus, quod hic homo est Deus, et creavit stellas, et est natus, mortuus et sepultus.

Quod autem praedicatur de aliquo supposito, praedicatur de eo secundum aliquam formam vel materiam, sicut Socrates est albus secundum albedinem, et est rationalis secundum animam. Dictum est autem supra quod in Christo sunt duae naturae et unum suppositum. Si ergo referatur ad suppositum, indifferenter sunt praedicanda de Christo humana et divina. Est tamen discernendum secundum quid utrumque dicatur, quia divina dicuntur de Christo secundum divinam naturam, humana vero secundum humanam.

Capitulus 212

De his quae dicuntur in Christo unum vel multa

Quia igitur in Christo est una persona et duae naturae, ex horum convenientia considerandum est, quid in Christo unum dici debeat, et quid multa.

Quaecumque enim secundum naturae diversitatem multiplicantur, necesse est quod in Christo plura esse confiteamur. Inter quae primo considerandum est, quod cum per generationem sive per nativitatem natura recipiatur, necesse est quod sicut in Christo sunt duae naturae, ita etiam duas esse generationes sive nativitates: una aeterna, secundum quam accepit naturam divinam a Patre; alia temporalis, secundum quam accepit humanam naturam a matre. Similiter etiam quaecumque Deo et homini convenienter attribuuntur ad naturam pertinentia, necesse est plura dicere in Christo. Attribuitur autem Deo intellectus et voluntas et horum perfectiones, puta scientia seu sapientia, et caritas, sive iustitia, quae homini etiam attribuuntur ad humanam naturam pertinentia. Nam voluntas et intellectus sunt partes animae, horum autem perfectiones sunt sapientia et iustitia et huiusmodi. Necesse est ergo in Christo ponere duos intellectus, humanum scilicet et divinum, et similiter duas voluntates, duplicem etiam scientiam sive caritatem, creatam scilicet et increatam.

Ea vero quae ad suppositum sive hypostasim pertinent, unum tantum in Christo confiteri oportet: unde si esse accipiatur secundum quod unum esse est unius suppositi, videtur dicendum quod in Christo sit tantum unum esse. Manifestum est enim quod partes divisae singulae proprium esse habent, secundum autem quod in toto considerantur, non habent suum esse, sed omnes sunt per esse totius. Si ergo consideremus ipsum Christum ut quoddam integrum suppositum duarum naturarum, eius erit unum tantum esse, sicut et unum suppositum.

Quia vero operationes suppositorum sunt, visum est aliquibus quod sicut in Christo non est nisi unum suppositum, ita non esset nisi una operatio. Sed non recte consideraverunt: nam in quolibet individuo reperiuntur multae operationes, si sunt plura operationum principia, sicut in homine alia est operatio intelligendi, alia sentiendi, propter differentiam sensus et intellectus: sicut in igne alia est operatio calefactionis, alia ascensionis, propter differentiam caloris et levitatis. Natura autem comparatur ad operationem ut eius principium. Non ergo est una operatio in Christo propter unum suppositum, sed duae propter duas naturas, sicut e converso in sancta Trinitate est una operatio trium personarum propter unam naturam.

Participat tamen operatio humanitatis in Christo aliquid de operatione virtutis divinae. Omnium enim eorum quae conveniunt in unum suppositum, ei quod principalius est, cetera instrumentaliter deserviunt, sicut ceterae partes hominis sunt instrumenta intellectus. Sic igitur in Christo humanitas quasi quoddam organum divinitatis censetur. Patet autem quod instrumentum agit in virtute principalis agentis. Unde in actione instrumenti non solum invenitur virtus instrumenti, sed etiam principalis agentis, sicut per actionem securis fit arca, inquantum sccuris dirigitur ab artifice. Ita ergo et operatio humanae naturae in Christo quandam vim ex Deitate habebat supra virtutem humanam. Quod enim tangeret leprosum, humanitatis actio fuit, sed quod tactus ille curaret a lepra, ex virtute divinitatis procedebat. Et per hunc modum omnes eius actiones et passiones humanae virtute divinitatis salutares fuerunt: et ideo Dionysius vocat humanam Christi operationem theandricam, idest Deivirilem, quia scilicet sic procedebat ex humanitate, quod tamen in ea vigebat divinitatis virtus.

Vertitur etiam a quibusdam in dubium de filiatione, an sit una tantum in Christo propter unitatem suppositi, vel duae propter dualitatem nativitatis. Videtur autem quod sint duae, quia multiplicata causa, multiplicatur effectus: est autem causa filiationis nativitas. Cum igitur sint duae nativitates Christi, consequens videtur quod etiam sint duae filiationes.

Nec obstat quod filiatio est relatio personalis, idest personam constituens: hoc enim verum est de filiatione divina, filiatio vero humana non constituit personam, sed accidit personae constitutae. Similiter etiam non obstat quod unus homo una filiatione refertur ad Patrem et matrem, quia eadem nativitate nascitur ab utroque parente. Ubi autem est eadem causa relationis, relatio est una realiter, quamvis multiplicentur respectus. Nihil enim prohibet aliquid habere respectum ad alterum absque hoc quod realiter insit ei relatio, sicut scibile refertur ad scientiam relatione in eo non existente: ita etiam nihil prohibet quod una realis relatio plures respectus habeat. Nam sicut relatio ex causa sua habet quod sit res quaedam, ita etiam quod sit una vel multiplex; et sic cum Christus non eadem nativitate nascatur ex Patre et matre, duae filiationes reales in eo esse videntur propter duas nativitates.

Sed est aliud quod obviat propter quod non possunt esse plures filiationes reales in Christo. Non enim omne quod nascitur ex aliquo, filius eius dici potest, sed solum completum suppositum. Manus enim alicuius hominis non dicitur filia, nec pes filius, sed totum singulare quod est Petrus vel Ioannes. Pro-

prium igitur subiectum filiationis est ipsum suppositum. Ostensum est autem supra quod in Christo non
est aliud suppositum quam increatum, cui non potest
ex tempore aliqua realis relatio advenire; sed, sicut
supra diximus, omnis relatio Dei ad creaturam est
secundum rationem tantum. Oportet igitur quod filiatio, qua suppositum aeternum Filii refertur ad virginem matrem, non sit realis relatio, sed respectus
rationis tantum.

Nec propter hoc impeditur quin Christus sit vere
et realiter Filius virginis matris, quia realiter ab ea
natus est, sicut etiam Deus vere et realiter est Dominus creaturae, quia habet realem potentiam coercendi
creaturam, et tamen dominii relatio solum secundum
rationem Deo attribuitur. Si autem in Christo essent
plura supposita, ut quidam posuerunt, nihil prohi-
beret ponere in Christo duas filiationes, quia filiationi
temporali subiiceretur suppositum creatum.

Capitulus 213

Quod oportuit Christum esse perfectum in gratia et sapientia veritatis

Quia vero, sicut iam dictum est, humanitas Christi se habet ad divinitatem eius quasi quoddam organum eius, organorum autem dispositio et qualitas pensatur praecipue quidem ex fine, et etiam ex decentia instrumento utentis, secundum hos modos consequens est ut consideremus qualitatem humanae naturae a verbo Dei assumptae. Finis autem assumptionis humanae naturae a verbo Dei, est salus et reparatio humanae naturae. Talem igitur oportuit esse Christum secundum humanam naturam ut convenienter esse possit auctor humanae salutis. Salus autem humana consistit in fruitione divina, per quam homo beatus efficitur: et ideo oportuit Christum secundum humanam naturam fuisse perfecte Deo fruentem. Principium enim in unoquoque genere oportet esse perfectum. Fruitio autem divina secundum duo existit, secundum voluntatem, et secundum intellectum: secundum voluntatem quidem Deo perfecte per amorem inhaerentem; secundum intellectum autem perfecte Deum cognoscentem.

Perfecta autem inhaesio voluntatis ad Deum per amorem est per gratiam, per quam homo iustificatur, secundum illud Rom. III, 24: *iustificati gratis per gratiam eius.* Ex hoc enim homo iustus est, quod Deo per amorem inhaeret. Perfecta autem cognitio Dei est per lumen sapientiae, quae est cognitio divinae veritatis. Oportuit igitur Verbum Dei incarnatum perfectum in gratia et in sapientia veritatis existere; unde Ioan. I, 14, dicitur: *Verbum caro factum est, et habitavit in nobis: et vidimus gloriam eius, gloriam quasi unigeniti a Patre, plenum gratiae et veritatis.*

Capitulus 214

De plenitudine gratiae Christi

Primo autem videndum est de plenitudine gratiae ipsius. Circa quod considerandum est, quod nomen gratiae a duobus assumi potest. Uno modo ex eo quod est gratum esse: dicimus enim aliquem alicuius habere gratiam quia est ei gratus. Alio modo ex eo quod est gratis dari: dicitur enim aliquis alicui gratiam facere, quando ei aliquod beneficium gratis confert.

Nec istae duae acceptiones gratiae penitus separatae sunt. Ex eo enim aliquid alteri gratis datur, quia is cui datur, gratus est danti vel simpliciter vel secundum quid. Simpliciter quidem quando ad hoc recipiens gratus est danti, ut eum sibi coniungat secundum aliquem modum. Hos enim quos gratos habemus, nobis pro posse attrahimus secundum quantitatem et modum quo nobis grati existunt. Secundum quid autem, quando ad hoc recipiens gratus est danti, ut aliquid ab eo recipiat, non autem ad hoc ut assumatur ab ipso. Unde patet quod omnis qui habet gratiam, aliquid habet gratis datum; non autem omnis qui habet aliquid gratis datum, gratus danti existit. Et ideo duplex gratia distingui solet: una scilicet quae solum gratis est data, alia quae etiam gratum facit.

Gratis autem dari dicitur quod nequaquam est debitum. Dupliciter autem aliquid debitum existit: uno quidem modo secundum naturam, alio modo secundum operationem. Secundum naturam quidem debitum est rei quod ordo naturalis illius rei exposcit, sicut debitum est homini quod habeat rationem et manus et pedes. Secundum operationem autem, sicut merces operanti debetur. Illa ergo dona sunt hominibus divinitus gratis data quae et ordinem naturae excedunt, et meritis non acquiruntur, quamvis et ea quae pro meritis divinitus dantur, interdum gratiae nomen vel rationem non amittant: tum quia principium merendi fuit a gratia, tum etiam quia superabundantius dantur quam merita humana requirant, sicut dicitur Rom. VI, 23: *gratia Dei vita aeterna*.

Huiusmodi autem donorum quaedam quidem et naturae humanae facultatem excedunt, et meritis non redduntur, nec tamen ex hoc ipso quod homo ea habet, redditur Deo gratus, sicut donum prophetiae, miraculorum operationis, scientiae et doctrinae, vel si qua talia divinitus conferuntur. Per haec enim et huiusmodi homo non coniungitur Deo, nisi forte per similitudinem quandam, prout aliquid de eius bonitate participat, per quem modum omnia Deo similantur. Quaedam vero hominem Deo gratum reddunt et ei coniungunt, et huiusmodi dona non solum gratiae dicuntur ex eo quod gratis dantur, sed etiam ex eo quod hominem faciant Deo gratum.

Coniunctio autem hominis ad Deum est duplex. Una quidem per affectionem, et haec est per caritatem, quae quodammodo facit per affectionem hominem unum cum Deo, secundum illud I Corinth. VI, 17: *qui adhaeret Deo unus spiritus est*. Per hoc etiam Deus hominem inhabitat, secundum illud Ioan. XIV, 23: *si quis diligit me, sermonem meum servabit, et Pater meus diliget eum, et ad eum veniemus, et mansionem apud eum faciemus*. Facit etiam hominem esse in Deo, secundum illud I Ioan. IV, 16: *qui manet in caritate, in Deo manet et Deus in eo*. Ille igitur per acceptum donum gratuitum efficitur Deo gratus qui usque ad hoc perducitur quod per caritatis amorem unus spiritus fiat cum Deo, quod ipse in Deo sit, et Deus in eo: unde Apostolus dicit I Corinth. XIII quod sine caritate cetera dona hominibus non prosunt: quia gratum Deo facere non possunt, nisi caritas adsit.

Haec autem gratia est omnium sanctorum communis. Unde hanc gratiam homo Christus discipulis orando impetrans, dicit, Ioan. XVII, 21: *ut sint unum*, scilicet per connexionem amoris, *sicut et nos unum sumus*.

Alia vero coniunctio est hominis ad Deum non solum per affectum aut inhabitationem, sed etiam per unitatem hypostasis seu personae, ut scilicet una et eadem hypostasis seu persona, sit Deus et homo. Et haec quidem coniunctio hominis ad Deum est propria Iesu Christi, de qua coniunctione plura iam dicta sunt. Haec etiam est hominis Christi gratia singularis quod est Deo unitus in unitate personae: et ideo gratis datum est, quia et naturae facultatem excedit, et hoc donum merita nulla praecedunt. Sed et gratissimum Deo facit, ita quod de ipso singulariter dicatur: *hic est Filius meus dilectus in quo mihi complacui,* Matth.

Hoc tamen interesse videtur inter utramque gratiam, quod gratia quidem per quam homo Deo unitur per affectum, aliquid habituale existit in anima: quia cum per actum amoris sit coniunctio ista, actus autem perfecti procedunt ab habitu, consequens est ut ad istum perfectissimum habitum, quo anima Deo coniungitur per amorem, aliqua habitualis gratia animae infundatur. Esse autem personale vel hypostaticum, non est per aliquem habitum, sed per naturas, quarum sunt hypostases vel personae. Unio igitur humanae naturae ad Deum in unitate personae non fit per aliquam habitualem gratiam, sed per ipsarum naturarum coniunctionem in persona una.

Inquantum autem creatura aliqua magis ad Deum accedit, intantum de bonitate eius magis participat, et abundantioribus donis ex eius influentia repletur, sicut et ignis calorem magis participat qui ei magis appropinquat. Nullus autem modus esse aut excogitari potest, quo aliqua creatura propinquius Deo adhaereat, quam quod ei in unitate personae coniungatur. Ex ipsa igitur unione naturae humanae ad Deum in unitate personae, consequens est ut anima Christi donis gratiarum habitualibus prae ceteris fuerit plena, et sic habitualis gratia in Christo non est dispositio ad unionem, sed magis unionis effectus, quod ex ipso modo loquendi, quo evangelista utitur in verbis praemissis, manifeste apparet, cum dicit: *vidimus eum quasi unigenitum a Patre, plenum gratiae et veritatis*. Est autem unigenitus a Patre homo Christus, inquantum Verbum caro factum est. Ex hoc ergo quod Verbum caro factum est, hoc effectum est ut esset plenum gratiae et veritatis.

In his autem quae aliqua bonitate replentur vel perfectione, illud magis plenum esse invenitur ex quo etiam in alia redundat, sicut plenius lucet quod illuminare potest alia. Quia igitur homo Christus summam plenitudinem gratiae obtinuit quasi unigenitus a Patre, consequens fuit ab ipso in alios redundaret, ita quod Filius Dei factus homo, homines faceret deos et filios Dei, secundum illud Apostoli ad Galat. IV, 4: *misit Deus Filium suum factum ex muliere, factum sub lege, ut eos qui sub lege erant redimeret, ut adoptionem filiorum reciperemus.*

Ex hoc autem quod a Christo ad alios gratia et veritas derivantur, convenit ei ut sit caput ecclesiae. Nam a capite ad alia membra, quae sunt ei conformia in natura, quodammodo sensus et motus derivatur. Sic a Christo et gratia et veritas ad alios homines derivantur: unde ad Ephes. I, 22: *et ipsum dedit caput supra omnem ecclesiam, quae est corpus eius.* Dici etiam potest caput non solum hominum, sed etiam angelorum, quantum ad excellentiam et influentiam, licet non quantum ad conformitatem naturae secundum eandem speciem. Unde ante praedicta verba Apostolus praemittit quod Deus constituit illum, scilicet Christum, *ad dexteram suam in caelestibus supra omnem principatum, potestatem et virtutem et dominationem.*

Sic igitur secundum praemissa triplex gratia consuevit assignari in Christo. Primo quidem gratia unionis, secundum quod humana natura nullis meritis praecedentibus hoc donum accepit ut uniretur Dei Filio in persona. Secundo gratia singularis, qua anima Christi prae ceteris fuit gratia et veritate repleta. Tertio gratia capitis, secundum quod ab ipso in alios gratia redundat: quae tria evangelista congruo ordine prosequitur. Nam quantum ad gratiam unionis dicit:

Verbum caro factum est. Quantum ad gratiam singularem dicit: *vidimus eum quasi unigenitum a Patre, plenum gratiae et veritatis.* Quantum ad gratiam capitis subdit: *et de plenitudine eius nos omnes accepimus.*

Capitulus 215

De infinitate gratiae Christi

Est autem proprium Christi quod eius gratia sit infinita, quia secundum testimonium Ioannis baptistae, *non ad mensuram dat Deus Spiritum homini Christo,* ut dicitur Ioan. III; aliis autem datur Spiritus ad mensuram, secundum illud ad Ephes. IV, 7: *unicuique nostrum data est gratia secundum mensuram donationis Christi.* Et quidem si hoc referatur ad gratiam unionis, nullam dubitationem habet quod dicitur. Nam aliis quidem sanctis datum est Deos aut filios Dei esse per participationem ex influentia alicuius doni, quod quia creatum est, necesse est ipsum, sicut et ceteras creaturas, esse finitum. Sed Christo secundum humanam naturam datum est ut sit Dei Filius non per participationem, sed per naturam. Naturalis autem divinitas est infinita. Ex ipsa igitur unione accepit donum infinitum: unde gratia unionis absque omni dubitatione est infinita.

Sed de gratia habituali dubium esse potest, an sit infinita. Cum enim huiusmodi gratia sit etiam donum creatum, confiteri oportet quod habeat essentiam finitam. Potest tamen dici infinita triplici ratione.

Primo quidem ex parte recipientis. Manifestum est enim uniuscuiusque naturae creatae capacitatem esse finitam, quia etsi infinitum bonum recipere possit cognoscendo et fruendo, non tamen ipsum recipit infinite. Est igitur cuiuslibet creaturae secundum suam speciem et naturam determinata capacitatis mensura, quae tamen divinae potestati non praeiudicat quin possit aliam creaturam maioris capacitatis facere. Sed iam non esset eiusdem naturae secundum speciem, sicut si ternario addatur unitas, iam erit alia species numeri. Quando igitur alicui non tantum datur de bonitate divina quanta est capacitas naturalis speciei suae, videtur ei secundum aliquam mensuram donatum. Cum vero tota naturalis capacitas impletur, non videtur ei secundum mensuram donatum, quia etsi sit mensura ex parte recipientis, non tamen est mensura ex parte dantis, qui totum est paratus dare: sicut si aliquis vas ad fluvium deferens, absque mensura invenit aquam praeparatam, quamvis ipse cum mensura accipiat propter vasis determinatam quantitatem. Sic igitur gratia Christi habitualis finita quidem est secundum essentiam, sed infinite et non secundum mensuram dari dicitur, quia tantum datur, quantum natura creata potest esse capax.

Secundo vero ex parte ipsius doni recepti. Considerandum enim est, quod nihil prohibet aliquid secundum essentiam finitum esse, quod tamen secundum rationem alicuius formae infinitum existit. Infinitum enim secundum essentiam est quod habet totam essendi plenitudinem, quod quidem soli Deo convenit, qui est ipsum esse. Si autem ponatur esse aliqua forma specialis non in subiecto existens, puta albedo vel calor, non quidem haberet essentiam infinitam, quia essentia eius esset limitata ad genus vel speciem, sed tamen plenitudinem illius speciei possideret: unde secundum rationem speciei, absque termino vel mensura esset, habens quidquid ad illam speciem pertinere potest. Si autem in aliquo subiecto recipiatur albedo vel calor, non habet semper totum quidquid pertinet ad rationem huius formae de necessitate et semper, sed solum quando sic perfecte habetur sicut perfecte haberi potest, ita scilicet quod modus habendi adaequet rei habitae potestatem. Sic igitur gratia Christi habitualis finita quidem fuit secundum essentiam: sed tamen dicitur absque termino et mensura fuisse, quia quidquid ad rationem gratiae poterat pertinere, totum Christus accepit. Alii autem non totum accipiunt, sed unus sic, alius autem sic: *divisiones enim gratiarum sunt,* ut dicitur I ad Corinth. XII, 4.

Tertio autem ex parte causae. In causa enim quodammodo habetur effectus. Cuicumque ergo adest causa infinitae virtutis ad influendum, habet quod influitur absque mensura, et quodammodo infinite: puta si quis haberet fontem qui aquas in infinitum effluere posset, aquam absque mensura et infinite quodammodo diceretur habere. Sic igitur anima

Christi infinitam et absque mensura gratiam habet ex hoc ipso quod habet Verbum sibi unitum, quod est totius emanationis creaturarum indeficiens et infinitum principium.

Ex hoc autem quod gratia singularis animae Christi est modis praedictis infinita, evidenter colligitur quod gratia ipsius secundum quod est ecclesiae caput, est etiam infinita. Ex hoc enim quod habet, effundit: unde quia absque mensura Spiritus dona accepit, habet virtutem absque mensura effundendi, quod ad gratiam capitis pertinet, ut scilicet sua gratia non solum sufficiat ad salutem hominum aliquorum, sed etiam totius mundi, secundum illud I Ioan. II, 2: *et ipse est propitiatio pro peccatis nostris, et non solum pro nostris, sed etiam pro totius mundi.* Addi autem et potest plurium mundorum, si essent.

Capitulus 216

De plenitudine sapientiae Christi

Oportet autem consequenter dicere de plenitudine sapientiae Christi. Ubi primo considerandum occurrit, quod, cum in Christo sint duae naturae, divina scilicet et humana, quidquid ad utramque naturam pertinet, necesse est quod geminetur in Christo, ut supra dictum est. Sapientia autem et divinae naturae convenit et humanae. Dicitur enim de Deo Iob IX, 4: *sapiens corde est, et fortis robore*. Sed etiam homines interdum Scriptura sapientes appellat seu secundum sapientiam mundanam, secundum illud Ier. IX, 23: *non glorietur sapiens in sapientia sua*; sive secundum sapientiam divinam, secundum illud Matth. XXIII, 34: *ecce ego mitto ad vos prophetas et sapientes et scribas*. Ergo oportet confiteri duas esse in Christo sapientias secundum duas naturas, sapientiam scilicet increatam, quae ei competit secundum quod est Deus, et sapientiam creatam, quae ei competit secundum quod est homo.

Et secundum quidem quod Deus est et Verbum Dei, est genita sapientia Patris, secundum illud I ad Cor. I, 24: *Christum Dei virtutem et Dei sapientiam*. Nihil enim est aliud verbum interius uniuscuiusque intelligentis nisi conceptio sapientiae eius. Et quia Verbum Dei supra diximus esse perfectum et unitum, necesse est quod Dei Verbum sit perfecta conceptio sapientiae Dei Patris, ut scilicet quidquid in sapientia Dei Patris continetur per modum ingeniti, totum in verbo contineatur per modum geniti et concepti. Et inde est quod dicitur, quod *in ipso,* scilicet Christo, *sunt omnes thesauri sapientiae et scientiae absconditi.*

Hominis autem Christi est duplex cognitio. Una quidem deiformis, secundum quod Deum per essentiam videt, et alia videt in Deo, sicut et ipse Deus intelligendo seipsum, intelligit omnia alia, per quam visionem et ipse Deus beatus est, et omnis creatura rationalis perfecte Deo fruens. Quia igitur Christum dicimus esse humanae salutis auctorem, necesse est dicere, quod talis cognitio sic animae Christi conveniat ut decet auctorem. Principium autem et immobile esse oportet, et virtute praestantissimum. Conveniens igitur fuit ut illa Dei visio in qua beatitudo hominum et salus aeterna consistit, excellentius prae ceteris Christo conveniat, et tanquam immobili principio. Haec autem differentia invenitur mobilium ad immobilia, quod mobilia propriam perfectionem non a principio habent, inquantum mobilia sunt, sed eam per successionem temporis assequuntur; immobilia vero, inquantum huiusmodi, semper obtinent suas perfectiones ex quo esse incipiunt. Conveniens igitur fuit Christum humanae salutis auctorem ab ipso suae incarnationis principio plenam Dei visionem possedisse, non autem per temporis successionem pervenisse ad ipsam, ut sancti alii perveniunt.

Conveniens etiam fuit ut prae ceteris creaturis illa anima divina visione beatificaretur quae Deo propinquius coniungebatur, in qua quidem visione gradus attenditur secundum quod aliqui aliis clarius Deum vident, qui est omnium rerum causa. Quanto autem aliqua causa plenius cognoscitur, tanto in ipsa plures eius effectus perspici possunt. Non enim magis cognoscitur causa, nisi virtus eius plenius cognoscatur, cuius virtutis cognitio sine cognitione effectuum esse non potest: nam quantitas virtutis secundum effectus mensurari solet. Et inde est quod eorum qui essentiam Dei vident, aliqui plures effectus vel rationes divinorum operum in ipso Deo inspiciunt, quam alii qui minus clare vident: et secundum hoc inferiores angeli a superioribus instruuntur, ut supra iam diximus.

Anima igitur Christi summam perfectionem divinae visionis obtinens inter creaturas ceteras, omnia divina opera et rationes ipsorum, quaecumque sunt, erunt vel fuerunt, in ipso Deo plene intuetur, ut non solum homines, sed etiam supremos Angelorum illuminet, et ideo Apostolus dicit ad Coloss. II, 3, quod in ipso *sunt omnes thesauri sapientiae et scientiae*

Dei absconditi: et ad Hebr. IV, 13, quod *omnia nuda et aperta sunt oculis eius.*

Non tamen anima Christi ad comprehensionem divinitatis pertingere potest. Nam, ut supra dictum est, illud cognoscendo comprehenditur quod tantum cognoscitur quantum cognoscibile est. Unum-quodque enim cognoscibile est inquantum est ens et verum, esse autem divinum est infinitum, similiter et veritas eius. Infinite igitur Deus cognoscibilis est. Nulla autem creatura infinite cognoscere potest, etsi infinitum sit quod cognoscit. Nulla igitur creatura Deum videndo comprehendere potest. Est autem anima Christi creatura, et quidquid in Christo ad humanam naturam tantum pertinet, creatum est, alioquin non erit in Christo alia natura humanitatis a natura divinitatis, quae sola increata est. Hypostasis autem Dei verbi sive persona increata est, quae una est in duabus naturis: ratione cuius Christum non dicimus creaturam, loquendo simpliciter, quia nomine Christi importatur hypostasis, dicimus tamen animam Christi vel corpus Christi esse creaturam. Anima igitur Christi Deum non comprehendit, sed Christus Deum comprehendit sua sapientia increata, secundum quem modum Dominus dicit Matth. XI, 27: *nemo novit Filium nisi Pater, neque Patrem quis novit nisi Filius,* de comprehensionis eius notitia loquens.

Est autem considerandum, quod eiusdem rationis est comprehendere essentiam alicuius rei, et virtutem ipsius: unumquodque enim potest agere inquantum est ens actu. Si igitur anima Christi essentiam divinitatis comprehendere non valet, ut ostensum est, impossibile est ut divinam virtutem comprehendat. Comprehenderet autem, si cognosceret quidquid Deus facere potest, et quibus rationibus effectus producere possit. Hoc autem est impossibile. Non igitur anima Christi cognoscit quidquid Deus facere potest, vel quibus rationibus possit operari.

Sed quia Christus etiam secundum quod homo, omni creaturae a Deo Patre praepositus est, conveniens est ut omnium quae a Deo qualitercumque facta sunt, in ipsius divinae essentiae visione plenam cognitionem percipiat: et secundum hoc anima Christi omnisciens dicitur, quia plenam notitiam habet omnium quae sunt, erunt, vel fuerunt. Aliarum vero creaturarum Deum videntium quaedam plenius et quaedam minus plene praedictorum effectuum in ipsa Dei visione cognitionem percipiunt.

Praeter hanc autem rerum cognitionem, qua res ab intellectu creato cognoscuntur ipsius divinae essentiae visione, sunt alii modi cognitionis, quibus a creaturis habetur rerum cognitio. Nam Angeli praeter cognitionem matutinam, qua res in verbo cognoscunt, habent cognitionem vespertinam, qua cognoscunt res in propriis naturis. Huiusmodi autem cognitio aliter competit hominibus secundum naturam suam, atque aliter Angelis. Nam homines secundum naturae ordinem intelligibilem rerum veritatem a sensibus colligunt, ut Dionysius dicit, ita scilicet quod species intelligibiles in eorum intellectibus actione intellectus agentis a phantasmatibus abstrahuntur; angeli vero per influxum divini luminis rerum scientiam acquirunt, ut scilicet sicut a Deo res in esse prodeunt, ita etiam in intellectu angelico a Deo rerum rationes sive similitudines imprimantur. In utrisque autem, tam hominibus quam angelis, supra rerum cognitionem quae competit eis secundum naturam, invenitur quaedam supernaturalis cognitio mysteriorum divinorum, de quibus et angeli illuminantur ab angelis, et homines etiam de his prophetica revelatione instruuntur.

Et quia nulla perfectio creaturis exhibita, animae Christi, quae est creaturarum excellentissima, deneganda est, convenienter praeter cognitionem qua Dei essentiam videt et omnia in ipsa, triplex alia cognitio est ei attribuenda. Una quidem experimentalis, sicut aliis hominibus, inquantum aliqua per sensus cognovit, ut competit humanae naturae. Alia vero divinitus infusa, ad cognoscenda omnia illa ad quae naturalis cognitio hominis se extendit vel extendere potest. Conveniens enim fuit ut humana natura a Dei verbo assumpta in nullo a perfectione deficeret, utpote per quam tota humana natura restauranda esset. Est autem imperfectum omne quod in potentia existit antequam reducatur in actum. Intellectus autem humanus est in potentia ad intelligibilia quae naturaliter homo intelligere potest. Omnium igitur horum scientiam divinitus anima Christi per species influxas accepit, per hoc quod tota potentia intellectus humani fuit reducta ad actum. Sed quia Christus secundum humanam naturam non solum fuit reparator naturae, sed et gratiae propagator, affuit ei etiam tertia cognitio, qua plenissime cognovit quidquid ad mysteria gratiae potest pertinere, quae naturalem hominis cognitionem excedunt, sed cognoscuntur ab hominibus per donum sapientiae, vel per spiritum prophetiae. Nam ad huiusmodi cognoscenda est in potentia intellectus humanus, licet ab altiori agente reducatur in actum. Nam ad naturalia cognoscenda reducitur in actum per lumen intellectus agentis; horum autem cognitionem consequitur per lumen divinum.

Patet igitur ex praedictis, quod anima Christi summum cognitionis gradum inter ceteras creaturas obtinuit quantum ad Dei visionem, qua Dei essentia videtur, et alia in ipsa; etiam similiter quantum ad cognitionem mysteriorum gratiae, nec non quantum ad cognitionem naturalium scibilium: unde in nulla harum trium cognitionum Christus proficere potuit. Sed manifestum est quod res sensibiles per temporis successionem magis ac magis sensibus corporis experiendo cognovit, et ideo solum quantum ad cognitionem experimentalem Christus potuit proficere, secundum illud Luc. II, 52: *puer proficiebat sapientia et aetate*: quamvis posset et hoc aliter intelligi, ut profectus sapientiae Christi dicatur non quo ipse fit sapientior, sed quo sapientia proficiebat in aliis, quia scilicet per eius sapientiam magis ac magis instruebantur. Quod dispensative factum est, ut se aliis hominibus conformem ostenderet, ne si in puerili aetate perfectam sapientiam demonstrasset, incarnationis mysterium phantasticum videretur.

Capitulus 217

De materia corporis Christi

Secundum praemissa igitur evidenter apparet qualis debuit esse corporis Christi formatio. Poterat siquidem Deus corpus Christi ex limo terrae formare, vel ex quacumque materia, sicut formavit corpus primi parentis, sed hoc humanae restaurationi, propter quam Filius Dei, ut diximus, carnem assumpsit, congruum non fuisset. Non enim sufficienter natura humani generis ex primo parente derivata, quae sananda erat, in pristinum honorem restituta esset, si aliunde corpus assumeret diaboli victor et mortis triumphator, sub quibus humanum genus captivum tenebatur propter peccatum primi parentis. Dei autem perfecta sunt opera, et ad perfectum perducit quod reparare intendit, ut etiam plus adiiciat quam fuerat subtractum, secundum illud Apostoli Rom. V, 20: *gratia Dei per Christum amplius abundavit quam delictum Adae*. Conveniens igitur fuit ut Dei Filius corpus assumeret de natura propagatum ab Adam.

Adhuc. Incarnationis mysterium hominibus proficuum per fidem redditur. Nisi enim homines crederent Dei Filium esse qui homo videbatur, non sequerentur eum homines ut salutis auctorem, quod Iudaeis accidit, qui ex incarnationis mysterio propter incredulitatem, damnationem potius quam salutem sunt consecuti. Ut ergo hoc ineffabile mysterium facilius crederetur, Filius Dei sic omnia dispensavit ut se verum hominem esse ostenderet, quod non ita videretur, si aliunde naturam sui corporis acciperet quam ex natura humana. Conveniens igitur fuit ut corpus a primo parente propagatum assumeret.

Item. Filius Dei homo factus humano generi salutem adhibuit, non solum conferendo gratiae remedium, sed etiam praebendo exemplum, quod repudiari non potest. Alterius enim hominis et doctrina et vita in dubium verti potest propter defectum humanae cognitionis et veritatis. Sed sicut quod Filius Dei docet, indubitanter creditur verum, ita quod operatur, creditur indubitanter bonum. Oportuit autem ut in eo exemplum acciperemus et gloriae quam speramus, et virtutis qua ipsam meremur: utrumque enim exemplum minus efficax esset, si aliunde naturam corporis assumpsisset quam unde alii homines assumunt. Si cui enim persuaderetur quod toleraret passiones, sicut Christus sustinuit, quod speraret se resurrecturum, sicut Christus resurrexit, posset excusationem praetendere ex diversa corporis conditione. Ut igitur exemplum Christi efficacius esset, conveniens fuit ut non aliunde corporis naturam assumeret quam de natura quae a primo parente propagatur.

Capitulus 218

De formatione corporis Christi, quae non est ex semine

Non tamen fuit conveniens ut eodem modo formaretur corpus Christi in humana natura, sicut formantur aliorum hominum corpora. Cum enim ad hoc naturam assumeret ut ipsam a peccato mundaret, oportebat ut tali modo assumeret quod nullum contagium peccati incurreret. Homines autem peccatum originale incurrunt ex hoc quod generantur per virtutem activam humanam, quae est in virili semine, quod est secundum seminalem rationem in Adam peccante praeextitisse. Sicut enim primus homo originalem iustitiam transfudisset in posteros simul cum transfusione naturae, ita etiam originalem culpam transfudit transfundendo naturam, quod est per virtutem activam virilis seminis. Oportuit igitur absque virili semine Christi formari corpus.

Item. Virtus activa virilis seminis naturaliter agit, et ideo homo qui ex virili semine generatur, non subito perducitur ad perfectum, sed determinatis processibus. Omnia enim naturalia per determinata media ad determinatos fines procedunt. Oportebat autem corpus Christi in ipsa assumptione perfectum esse, et anima rationali informatum, quia corpus est assumptibile a Dei verbo inquantum est animae rationali unitum, licet non esset perfectum secundum debitam quantitatem. Non ergo corpus Christi formari debuit per virilis seminis virtutem.

Capitulus 219

De causa formationis corporis Christi

Cum autem corporis humani formatio naturaliter sit ex virili semine, quocumque alio modo corpus Christi formatum fuerit, supra naturam fuit talis formatio. Solus autem Deus institutor naturae est, qui supernaturaliter in rebus naturalibus operatur, ut supra dictum est. Unde relinquitur quod solus Deus illud corpus miraculose formavit ex materia humanae naturae. Sed cum omnis Dei operatio in creatura sit tribus personis communis, tamen per quandam convenientiam formatio corporis Christi attribuitur Spiritui Sancto: est enim Spiritus Sanctus amor Patris et Filii, quo se invicem et nos diligunt. Deus autem, ut Apostolus ad Ephesios II dicit, *propter nimiam caritatem suam qua dilexit nos,* Filium suum incarnari constituit. Convenienter igitur carnis formatio Spiritui Sancto attribuitur.

Item. Spiritus sanctus omnium gratiarum est auctor, cum sit primum in quo omnia dona gratis donantur. Hoc autem fuit superabundantis gratiae ut humana natura in unitatem divinae personae assumeretur, ut ex supradictis patet. Ad demonstrandum igitur huiusmodi gratiam formatio corporis Christi Spiritui Sancto attribuitur.

Convenienter etiam hoc dicitur secundum similitudinem humani verbi et spiritus. Verbum enim humanum in corde existens, similitudinem gerit aeterni Verbi secundum quod existit in Patre. Sicut autem humanum verbum vocem assumit, ut sensibiliter hominibus innotescat, ita et Verbum Dei carnem assumpsit, ut visibiliter hominibus appareret. Vox autem humana per hominis spiritum formatur. Unde et caro Verbi Dei per Spiritum Verbi formari debuit.

Capitulus 220

Expositio articuli in Symbolo positi de conceptione et nativitate Christi

Ad excludendum igitur errorem Ebionis et Cerinthi, qui corpus Christi ex virili semine formatum dixerunt, dicitur in Symbolo Apostolorum: *qui conceptus est de Spiritu Sancto*. Loco cuius in Symbolo Patrum dicitur: *et incarnatus est de Spiritu Sancto,* ut non phantasticum corpus secundum Manichaeos, sed veram carnem assumpsisse credatur. Additum est autem in Symbolo Patrum, *propter nos homines,* ad excludendum Origenis errorem, qui posuit virtute passionis Christi etiam daemones liberandos. Additum est etiam in eodem, *propter nostram salutem,* ut mysterium incarnationis Christi sufficiens ad humanam salutem ostendatur, contra haeresim Nazaraeorum, qui fidem Christi sine operibus legis ad salutem humanam non sufficere putabant. Additum etiam est, *descendit de caelis,* ad excludendum errorem Photini, qui Christum purum hominem asserebat, dicens eum ex Maria sumpsisse initium, ut magis per bonae vitae meritum in terris habens principium ad caelum ascenderet, quam caelestem habens originem assumendo carnem descendisset ad terram. Additur etiam, *et homo factus est,* ad excludendum errorem Nestorii, secundum cuius positionem Filius Dei, de quo Symbolum loquitur, magis inhabitator hominis quam homo esse diceretur.

Capitulus 221

Quod conveniens fuit Christum nasci ex virgine

Cum autem ostensum sit quod de materia humanae naturae conveniebat Filium Dei carnem assumere, materiam autem in humana generatione ministrat femina, conveniens fuit ut Christus de femina carnem assumeret, secundum illud Apostoli ad Galat. IV, 4: *misit Deus Filium suum factum ex muliere.* Femina autem indiget viri commixtione, ad hoc quod materia quam ipsa ministrat, formetur in corpus humanum. Formatio autem corporis Christi fieri non debuit per virtutem virilis seminis, ut supra iam dictum est. Unde absque commixtione virilis seminis illa femina concepit ex qua Filius Dei carnem assumpsit.

Tanto autem aliquis magis spiritualibus donis repletur, quanto magis a carnalibus separatur. Nam per spiritualia homo sursum trahitur, per carnalia vero Deorsum. Cum autem formatio corporis Christi fieri debuerit per Spiritum Sanctum, oportuit illam feminam de qua Christus corpus assumpsit maxime spiritualibus donis repleri, ut per Spiritum Sanctum non solum anima fecundaretur virtutibus, sed etiam venter prole divina. Unde oportuit non solum mentem eius esse immunem a peccato, sed etiam corpus eius ab omni corruptela carnalis concupiscentiae elongari.

Unde non solum ad concipiendum Christum virilem commixtionem non est experta, sed nec ante nec postea.

Hoc etiam conveniebat ei qui nascebatur ex ipsa. Ad hoc enim Dei Filius veniebat in mundum carne assumpta ut nos ad resurrectionis statum promoveret, in quo *neque nubent neque nubentur, sed erunt homines sicut angeli in caelo.* Unde et continentiae et integritatis doctrinam introduxit, ut in fidelium vita resplendeat aliqualiter gloriae futurae imago. Conveniens ergo fuit ut etiam in suo ortu vitae integritatem commendaret nascendo ex virgine; et ideo in Symbolo Apostolorum dicitur: *natus ex virgine Maria.* In Symbolo autem Patrum ex virgine Maria dicitur *incarnatus,* per quod Valentini error excluditur, ceterorumque, qui corpus Christi dixerunt aut esse phantasticum, aut esse alterius naturae, et non esse ex corpore virginis sumptum atque formatum.

Capitulus 222

Quod Beata Virgo sit mater Christi

Error autem Nestorii ex hoc excluditur, qui beatam Mariam matrem Dei confiteri nolebat. In utroque autem Symbolo dicitur, Filius Dei est natus vel incarnatus ex virgine Maria. Femina autem ex qua aliquis homo nascitur, mater illius dicitur ex eo quod materiam ministrat humano conceptui. Unde Beata Virgo Maria, quae materiam ministravit conceptui Filii Dei, vera mater Filii Dei dicenda est. Non enim refert ad rationem matris, quacumque virtute materia ministrata ab ipsa formetur. Non igitur minus mater est quae materiam ministravit Spiritu Sancto formandam, quam quae materiam ministrat formandam virtute virilis seminis.

Si quis autem dicere velit, Beatam Virginem Dei matrem non debere dici, quia non est ex ea assumpta divinitas, sed caro sola, sicut dicebat Nestorius, manifeste vocem suam ignorat. Non enim ex hoc aliqua dicitur alicuius mater, quia totum quod in ipso est, ex ea sumatur. Homo enim constat ex anima et corpore, magisque est homo id quod est secundum animam, quam id quod est secundum corpus. Anima autem nullius hominis a matre sumitur, sed vel a Deo immediate creatur, ut veritas habet; vel si esset ex traductione, ut quidam posuerunt, non sumeretur a matre, sed magis a Patre, quia in generatione ceterorum animalium, secundum philosophorum doctrinam, masculus dat animam, femina vero corpus.

Sicut igitur cuiuslibet hominis mater aliqua femina dicitur ex hoc quod ab ea corpus eius assumitur, ita Dei mater Beata Virgo Maria dici debet, si ex ea assumptum est corpus Dei. Oportet autem dicere, quod sit corpus Dei, si assumitur in unitatem personae Filii Dei, qui est verus Deus. Confitentibus igitur humanam naturam esse assumptam a Filio Dei in unitatem personae, necesse est dicere, quod Beata Virgo Maria sit mater Dei. Sed quia Nestorius negabat unam personam esse Dei et hominis Iesu Christi, ideo ex consequenti negabat virginem Mariam esse Dei matrem.

Capitulus 223

Quod Spiritus Sanctus non sit Pater Christi

Licet autem Filius Dei dicatur de Spiritu Sancto et ex Maria virgine incarnatus et conceptus, non tamen dicendum est, quod Spiritus Sanctus sit Pater hominis Christi, licet Beata Virgo eius mater dicatur.

Primo quidem, quia in beata Maria virgine invenitur totum quod pertinet ad matris rationem. Materiam enim ministravit Christi conceptui Spiritu Sancto formandam, ut requirit matris ratio. Sed ex parte spiritus sancti non invenitur totum quod ad rationem Patris exigitur. Est enim de ratione Patris ut ex sua natura Filium sibi connaturalem producat. Unde si fuerit aliquod agens quod facit aliquid non ex sua substantia, nec producat ipsum in similitudinem suae naturae, Pater eius dici non poterit. Non enim dicimus quod homo sit Pater eorum quae facit per artem, nisi forte secundum metaphoram. Spiritus autem sanctus est quidem Christo connaturalis secundum divinam naturam, secundum quam Pater Christi non est, sed magis ab ipso procedens; secundum autem naturam humanam non est Christo connaturalis: est enim alia natura humana et divina in Christo, ut supra dictum est. Neque in naturam humanam est versum aliquid de natura divina, ut supra dictum est. Relinquitur ergo quod Spiritus Sanctus Pater hominis Christi dici non possit.

Item. In unoquoque Filio id quod est principalius in ipso, est a Patre; quod autem secundarium, a matre. In aliis enim animalibus anima est a Patre, corpus vero a matre. In homine autem etsi anima rationalis a Patre non sit, sed a Deo creata, virtus tamen Paterni seminis dispositive operatur ad formam. Id autem quod principalius est in Christo, est persona verbi, quae nullo modo est a Spiritu Sancto. Relinquitur ergo quod Spiritus Sanctus Pater Christi dici non possit.

Capitulus 224

De sanctificatione matris Christi

Quia igitur, ut ex praedictis apparet, Beata Virgo Maria mater Filii Dei facta est, de Spiritu Sancto concipiens, decuit ut excellentissima puritate mundaretur, per quam congrueret tanto Filio: et ideo credendum est eam ab omni labe actualis peccati immunem fuisse non tantum mortalis, sed etiam venialis, quod nulli sanctorum convenire potest post Christum, cum dicatur I Ioan. I, 8: *si dixerimus quoniam peccatum non habemus, ipsi nos seducimus, et veritas in nobis non est*. Sed de Beata Virgine matre Dei intelligi potest quod Cant. IV, 7, dicitur: *tota pulchra es, amica mea, et macula non est in te*.

Nec solum a peccato actuali immunis fuit, sed etiam ab originali, speciali privilegio mundata. Oportuit siquidem quod cum peccato originali conciperetur, utpote quae ex utriusque sexus commixtione concepta fuit. Hoc enim privilegium sibi soli servabatur ut virgo conciperet Filium Dei. Commixtio autem sexus, quae sine libidine esse non potest post peccatum primi parentis, transmittit peccatum originale in prolem. Similiter etiam quia si cum peccato originali concepta non fuisset, non indigeret per Christum redimi, et sic non esset Christus universalis hominum redemptor, quod derogat dignitati Christi.

Est ergo tenendum, quod cum peccato originali concepta fuit, sed ab eo quodam speciali modo purgata fuit.

Quidam enim a peccato originali purgantur post nativitatem ex utero, sicut qui in baptismo sanctificantur. Quidam autem quodam privilegio gratiae etiam in maternis uteris sanctificati leguntur, sicut de Ieremia dicitur Ierem. I, 5: *priusquam te formarem in utero, novi te, et antequam exires de vulva, sanctificavi te*; et de Ioanne baptista angelus dicit: *Spiritu Sancto replebitur adhuc ex utero matris suae*. Quod autem praestitum est Christi praecursori et prophetae, non debet credi denegatum esse matri ipsius: et ideo creditur in utero sanctificata, ante scilicet quam ex utero nasceretur.

Non autem talis sanctificatio praecessit infusionem animae. Sic enim nunquam fuisset peccato originali subiecta, et redemptione non indiguisset. Non enim subiectum peccati esse potest nisi creatura rationalis. Similiter etiam gratia sanctificationis per prius in anima radicatur, nec ad corpus potest pervenire nisi per animam: unde post infusionem animae credendum est eam sanctificatam fuisse.

Eius autem sanctificatio amplior fuit quam aliorum in utero sanctificatorum. Alii namque sanctificati in utero sunt quidem a peccato originali mundati, non tamen est eis praestitum ut postea non possent peccare, saltem venialiter. Sed Beata Virgo Maria tanta abundantia gratiae sanctificata fuit, ut deinceps ab omni peccato conservaretur immunis non solum mortali, sed etiam veniali. Et quia veniale peccatum interdum ex surreptione contingit, ex hoc scilicet quod aliquis inordinatus concupiscentiae motus insurgit, aut alterius passionis, praeveniens rationem, ratione cuius primi motus dicuntur esse peccata, consequens est quod Beata Virgo Maria nunquam peccavit venialiter, eo quod inordinatos passionum motus non sensit. Contingunt autem huiusmodi motus inordinati ex hoc quod appetitus sensitivus, qui est harum passionum subiectum, non sic subiicitur rationi quin interdum ad aliquid praeter ordinationem rationis moveatur, et quandoque contra rationem, in quo consistit motus peccati. Sic igitur fuit in Beata Virgine appetitus sensitivus rationi subiectus per virtutem gratiae ipsum sanctificantis, quod nunquam contra rationem movebatur, sed secundum ordinem rationis; poterat tamen habere aliquos motus subitos non ordinatos ratione.

In Domino autem Iesu Christo aliquid amplius fuit. Sic enim inferior appetitus in eo rationi subiiciebatur ut ad nihil moveretur nisi secundum ordinem rationis, secundum scilicet quod ratio ordinabat, vel permittebat appetitum inferiorem moveri proprio motu. Hoc autem videtur ad integritatem primi status pertinuisse ut inferiores vires totaliter rationi subderentur: quae quidem subiectio per peccatum primi parentis est sublata non solum in ipso, sed etiam in aliis qui ab eo contrahunt peccatum originale, in quibus etiam postquam a peccato mundantur per gratiae sacramentum, remanet rebellio vel inobedientia inferiorum virium ad rationem, quae dicitur fomes peccati, quae in Christo nullatenus fuit secundum praedicta.

Sed quia in Beata Virgine Maria non erant inferiores vires totaliter rationi subiectae, ut scilicet nullum motum haberent a ratione non praeordinatum, et tamen sic cohibebantur per virtutem gratiae ut nullo modo contra rationem moverentur, propter hoc solet dici, quod in Beata Virgine post sanctificationem remansit quidem fomes peccati secundum substantiam, sed ligatus.

Capitulus 225

De perpetua virginitate matris Christi

Si autem per primam sanctificationem sic fuit contra omnem motum peccati munita, multo magis in ea excrevit gratia, fomesque peccati in ea est debilitatus, vel etiam totaliter sublatus, Spiritu Sancto in ipsa secundum verbum angeli superveniente, ad corpus Christi ex ea formandum. Unde postquam facta est sacrarium spiritus sancti et habitaculum Filii Dei, nefas est credere non solum aliquem motum peccati in ea fuisse, sed nec etiam carnalis concupiscentiae delectationem eam fuisse expertam. Et ideo abominandus error est Helvidii, qui etiamsi asserat Christum ex virgine conceptum et natum, dixit tamen eam postmodum ex Ioseph alios filios genuisse.

Nec hoc eius suffragatur errori quod Matthaei I, 25, dicitur, quod *non cognovit eam* Ioseph, scilicet Mariam, *donec peperit Filium suum primogenitum,* quasi postquam peperit Christum, eam cognoverit, quia donec in hoc loco non significat tempus finitum, sed indeterminatum. Est enim consuetudo sacrae Scripturae ut usque tunc specialiter asserat aliquid factum vel non factum, quousque in dubium poterat venire, sicut dicitur in Psal. Cix, 1: *sede a dextris meis, donec ponam inimicos tuos scabellum pedum tuorum.* Dubium enim esse poterat an Christus sederet ad dexteram Dei, quandiu non viderentur ei inimici esse subiecti, quod postquam innotuerit, nullus remanebit dubitandi locus. Similiter etiam dubium esse poterat, an ante partum Filii Dei Ioseph Mariam cognoverit. Unde hoc evangelista removere curavit, quasi indubitabile relinquens quia post partum non fuit cognita.

Nec etiam ei suffragatur quod Christus dicitur eius primogenitus, quasi post ipsum alios genuerit filios. Solet enim in Scriptura primogenitus dici ante quem nullus genitus, etiamsi post ipsum nullus sequatur, sicut patet de primogenitis qui secundum legem sanctificabantur Domino, et sacerdotibus offerebantur.

Nec etiam ei suffragatur quod in evangelio aliqui dicuntur fratres Christi fuisse, quasi mater eius alios habuerit filios. Solet enim Scriptura fratres dicere omnes qui sunt eiusdem cognationis, sicut Abraham Loth suum fratrem nominavit, cum tamen esset nepos eius. Et secundum hoc nepotes Mariae, et alii eius consanguinei, fratres Christi dicuntur, et etiam consanguinei Ioseph, qui Pater Christi putabatur.

Et ideo in Symbolo dicitur: *qui natus est de virgine Maria*: quae quidem virgo dicitur absolute, quia et ante partum, et in partu, et post partum virgo permansit. Et quidem quod ante partum et post partum eius virginitati derogatum non fuerit, satis iam dictum est. Sed nec in partu eius virginitas fuit violata. Corpus enim Christi, quod ad discipulos ianuis clausis intravit, potuit eadem potestate de utero clauso matris exire. Non enim decebat ut integritatem nascendo tolleret, qui ad hoc nascebatur ut corrupta in integrum reformaret.

Capitulus 226

De defectibus assumptis a Christo

Sicut autem conveniens fuit ut Filius Dei naturam assumens humanam propter humanam salutem, in natura assumpta salutis humanae finem ostenderet per gratiae et sapientiae perfectionem, ita etiam conveniens fuit quod in humana natura assumpta a Dei verbo conditiones aliquae existerent quae congruerent decentissimo liberationis modo humani generis. Fuit autem congruentissimus modus ut homo, qui per iniustitiam perierat, per iustitiam repararetur. Exigit autem hoc iustitiae ordo ut qui poenae alicuius peccando factus est debitor, per solutionem poenae liberetur. Quia vero quae per amicos facimus aut patimur, aliqualiter nos ipsi facere aut pati videmur, eo quod amor est mutua virtus ex duobus se amantibus quodammodo faciens unum, non discordat a iustitiae ordine, si aliquis liberetur, amico eius satisfaciente pro ipso.

Per peccatum autem primi parentis perditio in totum humanum genus devenerat, nec alicuius hominis poena sufficere poterat, ut totum genus humanum liberaret. Non enim erat condigna satisfactio aequivalens, ut uno homine puro satisfaciente omnes homines liberarentur. Similiter etiam nec sufficiebat secundum iustitiam ut angelus ex amore humani generis pro ipso satisfaceret: angelus enim non habet dignitatem infinitam, ut satisfactio eius pro infinitis et infinitorum peccatis sufficere posset. Solus autem Deus est infinitae dignitatis, qui carne assumpta pro homine sufficienter satisfacere poterat, ut supra iam diximus. Talem igitur oportuit ut humanam naturam assumeret in qua pati posset pro homine ea quae homo peccando meruit ut pateretur, ad satisfaciendum pro homine.

Non autem omnis poena quam homo peccando incurrit, est ad satisfaciendum idonea. Provenit enim peccatum hominis ex hoc quod a Deo avertitur conversus ad commutabilia bona. Punitur autem homo pro peccato in utrisque. Nam et privatur gratia, et ceteris donis, quibus Deo coniungitur, et meretur etiam pati molestiam et defectum in eo propter quod est a Deo aversus. Ille igitur ordo satisfactionis requirit ut per poenas quas peccator in bonis commutabilibus patitur, revocetur ad Deum.

Huic autem revocationi contrariae sunt illae poenae quibus homo separatur a Deo. Nullus igitur per hoc Deo satisfacit quod privatur gratia, vel quod ignorat Deum, vel quod habet inordinatam animam, quamvis hoc sit poena peccati, sed per hoc quod in se ipso aliquem dolorem sentit, et in exterioribus rebus damnum.

Non igitur Christus illos defectus assumere debuit quibus homo separatur a Deo, licet sint poena peccati, sicut privatio gratiae, ignorantia et huiusmodi. Per hoc enim minus idoneus ad satisfaciendum redderetur; quinimmo ad hoc quod esset auctor humanae salutis, requirebatur ut plenitudinem gratiae et sapientiae possideret, sicut iam dictum est. Sed quia homo per peccatum in hoc positus erat ut necessitatem moriendi haberet, et ut secundum corpus et animam esset passibilis, huiusmodi defectus Christus suscipere voluit, ut mortem pro hominibus patiendo genus humanum redimeret.

Est tamen attendendum, quod huiusmodi defectus sunt Christo et nobis communes. Alia tamen ratione inveniuntur in Christo et in nobis: huiusmodi enim defectus, ut dictum est, poena sunt primi peccati. Quia igitur nos per vitiatam originem culpam originalem contrahimus, per consequens hos defectus dicimur contractos habere. Christus autem ex sua origine nullam maculam peccati contraxit, hos autem defectus ex sua voluntate accepit, unde dici non debet quod habuit hos defectus contractos, sed magis assumptos. Illud enim contrahitur quod cum alio ex necessitate trahitur. Christus autem potuit assumere humanam naturam sine huiusmodi defectibus, sicut sine culpae foeditate assumpsit: et hoc rationis ordo poscere videbatur ut qui fuit immunis a culpa, esset immunis a poena. Et sic patet quod nulla necessitate neque vitiatae originis, neque iustitiae, huiusmodi defectus fuerunt in eo: unde relinquitur quod non contracti, sed voluntarie assumpti fuerunt in eo.

Quia vero corpus nostrum praedictis defectibus subiacet in poenam peccati, nam ante peccatum ab his eramus immunes, convenienter Christus, inquantum huiusmodi defectus in sua carne assumpsit, dicitur similitudinem peccati gessisse, secundum illud Apostoli ad Roman. VIII, 3: *Deus misit Filium suum in similitudinem carnis peccati.* Unde et ipsa Christi passibilitas vel passio ab Apostolo peccatum nominatur, cum subditur: *et de peccato damnavit peccatum in carne,* et Rom. VI, 10: *quod mortuus est peccato, mortuus est semel.* Et quod est mirabilius, hac etiam ratione dicit Apostolus ad Galat. III, 13, quod est *factus pro nobis maledictum.* Hac etiam ratione dicitur simplam nostram necessitatem assumpsisse, scilicet poenae, ut duplam nostram consumeret, scilicet culpae et poenae.

Est autem considerandum ulterius, quod defectus poenales in corpore duplices inveniuntur. Quidam communes omnibus, ut esuries, sitis, lassitudo post laborem, dolor, mors et huiusmodi. Quidam vero non sunt omnibus communes, sed quorundam hominum proprii, ut caecitas, lepra, febris, membrorum mutilatio, et huiusmodi. Horum autem defectuum haec est differentia: quia defectus communes in nobis ab alio traducuntur, scilicet ex primo parente, qui eos pro peccato incurrit; defectus autem proprii ex particularibus causis in singulis hominibus innascuntur. Christus autem ex seipso nullam causam defectus habebat nec ex anima, quae erat gratia et sapientia plena, et verbo Dei unita, nec ex corpore, quod erat optime organizatum et dispositum, omnipotenti virtute spiritus sancti compactum, sed sua voluntate dispensative ad nostram salutem procurandam, aliquos defectus suscepit.

Illos igitur suscipere debuit qui ab alio derivantur ad alios, scilicet communes, non proprios, qui in singulis ex causis propriis innascuntur. Similiter etiam quia principaliter venerat ad restaurandum humanam naturam, illos defectus suscipere debuit qui in tota natura inveniebantur. Patet etiam secundum praedicta quod, ut Damascenus dicit, Christus assumpsit defectus nostros indetractabiles, idest quibus detrahi non potest. Si enim defectum scientiae vel gratiae suscepisset, aut etiam lepram, aut caecitatem, aut aliquid huiusmodi, hoc ad derogationem dignitatis Christi pertinere videretur, et esset hominibus detrahendi occasio, quae nulla datur ex defectibus totius naturae.

Capitulus 227

Quare Christus mori voluit

Manifestum igitur est secundum praedicta, quod Christus aliquos defectus nostros suscepit non ex necessitate, sed propter aliquem finem, scilicet propter salutem nostram. Omnis autem potentia et habitus sive habilitas ordinatur ad actum sicut ad finem: unde passibilitas ad satisfaciendum vel merendum non sufficit sine passione in actu. Non enim aliquis dicitur bonus vel malus ex eo quod potest talia agere, sed ex eo quod agit, nec laus et vituperium debentur potentiae, sed actui. Unde et Christus non solum passibilitatem nostram suscepit ut nos salvaret, sed etiam ut pro peccatis nostris satisfaceret, voluit pati. Passus est autem pro nobis ea quae ut nos Pateremur ex peccato primi parentis meruimus, quorum praecipuum est mors, ad quam omnes aliae passiones humanae ordinantur sicut ad ultimum. *Stipendia enim peccati mors est,* ut Apostolus dicit ad Rom. VI, 23.

Unde et Christus pro peccatis nostris voluit mortem pati, ut dum poenam nobis debitam ipse sine culpa susciperet, nos a reatu mortis liberaret, sicut aliquis debito poenae liberaretur, alio pro eo poenam sustinente. Mori etiam voluit, ut non solum mors eius esset nobis satisfactionis remedium, sed etiam salutis sacramentum ut ad similitudinem mortis eius nos carnali vitae moriamur, in spiritualem vitam translati, secundum illud I Petri III, 18: *Christus semel pro peccatis nostris mortuus est, iustus pro iniustis, ut nos offerret Deo, mortificatos quidem carne, vivificatos autem spiritu.*

Mori etiam voluit, ut nobis mors eius esset perfectae virtutis exemplum. Quantum ad caritatem quidem, quia *maiorem caritatem nemo habet quam ut animam suam ponat quis pro amicis suis,* ut dicitur Ioan. XV, 13. Tanto enim quisque magis amare ostenditur, quanto plura et graviora pro amico pati non refugit. Omnium autem humanorum malorum gravius est mors, per quam tollitur vita humana, unde nullum magis signum dilectionis esse potest quam quod homo pro amico vero se morti exponat.

Quantum ad fortitudinem vero, quae propter adversa a iustitia non recedit, quia maxime ad fortitudinem pertinere videtur ut etiam nec timore mortis aliquis a virtute recedat, unde dicit Apostolus Hebr. II, 14, de passione Christi loquens: *ut per mortem destrueret eum qui habebat mortis imperium, idest diabolum, et liberaret eos qui timore mortis per totam vitam obnoxii erant servituti.* Dum enim pro veritate mori non recusavit, exclusit timorem moriendi, propter quem homines servituti peccati plerumque subduntur.

Quantum ad patientiam vero, quae in adversis tristitiam hominem absorbere non sinit, sed quanto sunt maiora adversa, tanto magis in his relucet patientiae virtus: unde in maximo malorum, quod est mors, perfectae patientiae datur exemplum, si absque mentis turbatione sustineatur, quod de Christo propheta praedixit dicens Isai. LIII, 7: *tanquam agnus coram tondente se obmutescet, et non aperiet os suum.*

Quantum ad obedientiam vero, quia tanto laudabilior est obedientia, quanto in difficilioribus quis obedit: omnium autem difficillimum est mors. Unde ad perfectam obedientiam Christi commendandam, dicit Apostolus ad Philip. II, 8, quod *factus est obediens Patri usque ad mortem.*

Capitulus 228

De morte crucis

Ex eisdem autem causis apparet quare mortem crucis voluit pati. Primo quidem quia hoc convenit quantum ad remedium satisfactionis: convenienter enim homo punitur per ea in quibus peccavit. *Per quae enim peccat quis, per haec et torquetur,* ut dicitur Sapientiae XI, 17. Peccatum autem hominis primum fuit per hoc quod pomum arboris ligni scientiae boni et mali contra praeceptum Dei comedit, loco cuius Christus se ligno affigi permisit, ut exsolveret quae non rapuit, sicut de eo Psalmista dicit in Psal. Lxviii.

Convenit etiam quantum ad sacramentum. Voluit enim Christus ostendere sua morte, ut sic moreremur vita carnali quod spiritus noster in superna elevaretur, unde et ipse dicit Ioan. XII, 32: *ego si exaltatus fuero a terra, omnia traham ad meipsum.*

Convenit etiam quantum ad exemplum perfectae virtutis. Homines enim quandoque non minus refugiunt vituperabile genus mortis quam mortis acerbitatem, unde ad perfectionem virtutis pertinere videtur ut propter bonum virtutis etiam aliquis vituperabilem mortem non refugiat pati. Unde Apostolus ad commendandam perfectam obedientiam Christi, cum dixisset de eo quod *factus est obediens usque ad mor-*

tem, subdidit: *mortem autem crucis*: quae quidem mors turpissima videbatur, secundum illud Sapientiae II, 20: *morte turpissima condemnemus eum.*

Capitulus 229

De morte Christi

Cum autem in Christo conveniant in unam personam tres substantiae, scilicet corpus, anima, et divinitas verbi, quarum duae, scilicet anima et corpus, unitae sunt in unam naturam, in morte quidem Christi separata est unio corporis et animae. Aliter enim corpus vere mortuum non fuisset: mors enim corporis nihil est aliud quam separatio animae ab ipso.

Neutrum tamen separatum est a Dei Verbo quantum ad unionem personae. Ex unione autem animae et corporis resultat humanitas: unde separata anima a corpore Christi per mortem, in triduo mortis homo dici non potuit. Dictum est autem supra quod propter unionem in persona humanae naturae ad Dei Verbum, quidquid dicitur de homine Christo, potest et convenienter de Dei Filio praedicari. Unde cum in morte manserit unio personalis Filii Dei tam ad animam quam ad corpus Christi, quidquid de utroque eorum dicitur, poterat de Dei Filio praedicari. Unde et in Symbolo dicitur de Filio Dei, quod sepultus est, propter hoc quod corpus sibi unitum in sepulcro iacuit, et quod descendit ad inferos, anima descendente.

Est etiam considerandum, quod masculinum genus designat personam, neutrum vero naturam: unde in Trinitate dicimus, quod Filius est alius a Patre, non aliud. Secundum hoc ergo in triduo mortis Christus fuit totus in sepulcro, totus in inferno, totus in caelo, propter personam, quae unita erat et carni in sepulcro iacenti, et animae infernum expolianti, et subsistebat in natura divina in caelo regnante; sed non potest dici quod totum in sepulcro aut in inferno fuerit, quia non tota humana natura, sed pars in sepulcro aut in inferno fuit.

Capitulus 230

Quod mors Christi fuit voluntaria

Fuit igitur mors Christi nostrae morti conformis quantum ad id quod est de ratione mortis, quod est animam a corpore separari, sed quantum ad aliquid mors Christi a nostra morte differens fuit. Nos enim morimur quasi morti subiecti ex necessitate vel naturae, vel alicuius violentiae nobis illatae; Christus autem mortuus est non necessitate, sed potestate, et propria voluntate. Unde ipse dicebat, Ioan. X, 18: *potestatem habeo ponendi animam meam et iterum sumendi eam.*

Huius autem differentiae ratio est, quia naturalia voluntati nostrae non subiacent: coniunctio autem animae ad corpus est naturalis, unde voluntati nostrae non subiacet quod anima corpori unita remaneat, vel quod a corpore separetur, sed oportet hoc ex virtute alicuius agentis provenire. Quidquid autem in Christo secundum humanam naturam erat naturale, totum eius voluntati subiacebat propter divinitatis virtutem, cui subiacet tota natura. Erat igitur in potestate Christi ut quandiu vellet, anima eius corpori unita remaneret, et statim cum vellet, separaretur ab ipso. Huiusmodi autem divinae virtutis indicium centurio cruci Christi assistens sensit, dum eum vidit clamantem expirare, per quod manifeste ostendebatur, quod non sicut ceteri homines ex defectu naturae moriebatur. Non enim possunt homines cum clamore spiritum emittere, cum in illo mortis articulo vix etiam possint palpitando linguam movere: unde quod Christus clamans expiravit, in eo divinam manifestavit virtutem, et propter hoc centurio dixit: *vere Filius Dei erat iste*.

Non tamen dicendum est quod Iudaei non occiderint Christum, vel quod Christus ipse se occiderit. Ille enim dicitur aliquem occidere qui ei causam mortis inducit, non tamen mors sequitur nisi causa mortis naturam vincat, quae vitam conservat. Erat autem in potestate Christi ut natura causae corrumpenti cederet, vel resisteret quantum ipse vellet: ideo et ipse Christus voluntarie mortuus fuit, et tamen Iudaei occiderunt eum.

Capitulus 231

De passione Christi quantum ad corpus

Non solum autem Christus mortem pati voluit, sed et alia quae ex peccato primi parentis in posteros proveniunt, ut dum poenam peccati integraliter susciperet, nos perfecte a peccato satisfaciendo liberaret. Horum autem quaedam praecedunt mortem, quaedam mortem subsequuntur. Praecedunt quidem mortem corporis passiones tam naturales, ut fames, sitis, lassitudo et huiusmodi, quam etiam violentae, ut vulneratio, flagellatio et similia: quae omnia Christus pati voluit tanquam provenientia ex peccato. Si enim homo non peccasset, nec famis aut sitis aut lassitudinis vel frigoris afflictionem sensisset, nec ab exterioribus pertulisset violentam passionem.

Has tamen passiones alia ratione Christus pertulit quam alii homines patiantur. In aliis enim hominibus non est aliquid quod iis passionibus repugnare possit. In Christo autem erat unde iis passionibus resisteretur, non solum virtus divina increata, sed etiam animae beatitudo, cuius tanta vis est, ut Augustinus dicit, ut eius beatitudo suo modo redundet in corpus: unde post resurrectionem ex hoc ipso quod anima glorificata erit per visionem Dei, et apertam et plenam fruitionem, corpus gloriosae animae unitum gloriosum reddetur, impassibile et immortale. Cum igitur anima Christi perfecta visione Dei frueretur, quantum est ex virtute huius visionis, consequens erat ut corpus impassibile et immortale redderetur per redundantiam gloriae ab anima in corpus; sed dispensative factum est ut anima Dei visione fruente simul corpus pateretur, nulla redundantia gloriae ab anima in corpus facta. Suberat enim, ut dictum est, quod erat naturale Christo secundum humanam naturam, eius voluntati: unde poterat naturalem redundantiam a superioribus partibus ad inferiores pro suo libito impedire, ut sineret unamquamque partem pati aut agere quod sibi proprium esset absque alterius partis impedimento, quod in aliis hominibus esse non potest.

Inde etiam est quod in passione Christus maximum corporis dolorem sustinuit, quia corporalis dolor in nullo mitigabatur per superius gaudium rationis, sicut nec e converso dolor corporis rationis gaudium impediebat.

Hinc etiam apparet quod solus Christus viator et comprehensor fuit. Sic enim divina visione fruebatur (quod ad comprehensorem pertinet) ut tamen corpus passionibus subiectum remaneret, quod pertinet ad viatorem. Et quia proprium est viatoris ut per bona quae ex caritate agit, mereatur vel sibi vel aliis, inde est quod Christus quamvis comprehensor esset, meruit tamen per ea quae fecit et passus est, et sibi et nobis.

Sibi quidem non gloriam animae, quam a principio suae conceptionis habuerat, sed gloriam corporis, ad quam patiendo pervenit. Nobis etiam suae singulae passiones et operationes fuerunt proficuae ad salutem, non solum per modum exempli, sed etiam per modum meriti, inquantum propter abundantiam caritatis et gratiae nobis potuit gratiam promereri, ut sic de plenitudine capitis membra acciperent.

Erat siquidem quaelibet passio eius, quantumcumque minima, sufficiens ad redimendum humanum genus, si consideretur dignitas patientis. Quanto enim aliqua passio in personam digniorem infertur, tanto videtur maior iniuria: puta si quis percutiat principem quam si percutiat quendam de populo. Cum igitur Christus sit dignitatis infinitae, quaelibet passio eius habet infinitam existimationem, ut sic sufficeret ad infinitorum peccatorum abolitionem. Non tamen fuit per quamlibet consummata humani generis redemptio, sed per mortem, quam propter rationes supra positas ad hoc pati voluit, ut genus humanum redimeret a peccatis. In emptione enim qualibet non solum requiritur quantitas valoris, sed deputatio pretii ad emendum.

Capitulus 232

De passibilitate animae Christi

Quia vero anima est forma corporis, consequens est ut patiente corpore, et anima quodammodo patiatur: unde pro statu illo quo Christus corpus passibile habuit, etiam anima eius passibilis fuit.

Est autem considerandum, quod duplex est animae passio. Una quidem ex parte corporis, alia vero ex parte obiecti, quod in una aliqua potentiarum considerari potest. Sic enim se habet anima ad corpus sicut pars animae ad partem corporis. Potentia autem visiva patitur quidem ab obiecto, sicut cum ab excellenti fulgido visus obtunditur; ex parte vero organi, sicut cum laesa pupilla hebetatur visus.

Si igitur consideretur passio animae Christi ex parte corporis, sic tota anima patiebatur corpore patiente. Est enim anima forma corporis secundum suam essentiam, in essentia vero animae omnes potentiae radicantur: unde relinquitur quod corpore patiente quaelibet potentia animae quodammodo pateretur. Si vero consideretur animae passio ex parte obiecti, non omnis potentia animae patiebatur, secundum quod passio proprie sumpta nocumentum importat: non enim ex parte obiecti cuiuslibet potentiae poterat aliquid esse nocivum. Iam enim supra dictum est quod anima Christi perfecta Dei visione fruebatur. Superior igitur ratio animae Christi, quae rebus aeternis contemplandis et consulendis inhaeret, nihil habebat adversum aut repugnans, ex quo aliqua nocumenti passio in ea locum haberet.

Potentiae vero sensitivae, quarum obiecta sunt res corporeae, habere poterant aliquod nocumentum ex corporis passione: unde sensibilis dolor in Christo fuit corpore patiente. Et quia laesio corporis sicut a sensu sentitur noxia, ita etiam interior imaginatio eam ut nocivam apprehendit, inde sequitur interior tristitia etiam cum dolor in corpore non sentitur: et hanc passionem tristitiae dicimus in anima Christi fuisse. Non solum autem imaginatio, sed etiam ratio inferior nociva corporis apprehendit: et ideo etiam ex apprehensione inferioris rationis, quae circa temporalia versatur, poterat passio tristitiae habere locum in Christo, inquantum scilicet mortem et aliam corporis laesionem inferior ratio apprehendebat ut noxiam, et appetitui naturali contrariam.

Contingit autem ex amore, qui facit duos homines quasi unum, ut aliquis tristitiam patiatur non solum ex iis quae per imaginationem vel per inferiorem rationem apprehendit ut sibi nociva, sed etiam ex iis quae apprehendit ut noxia aliis quos amat: unde ex hoc tristitiam Christus patiebatur, secundum quod aliis, quos ex caritate amabat, periculum imminere cognoscebat culpae vel poenae, unde non solum sibi, sed etiam aliis doluit.

Et quamvis dilectio proximi ad superiorem rationem quodammodo pertineat, inquantum proximus ex caritate diligitur propter Deum, superior tamen ratio in Christo de proximorum defectibus tristitiam habere non potuit, sicut in nobis habere potest. Quia enim ratio superior Christi plena Dei visione fruebatur, hoc modo apprehendebat quidquid ad aliorum defectus pertinet, secundum quod in divina sapientia continetur, secundum quam decenter ordinatum existit et quod aliquis peccare permittatur, et quod pro peccato punietur. Et ideo nec anima Christi, nec aliquis beatus Deum videns, ex defectibus proximorum tristitiam pati potest. Secus autem est in viatoribus, qui ad rationem sapientiae videndam non attingunt: hi enim etiam secundum rationem superiorem de defectibus aliorum tristantur, dum ad honorem Dei et exaltationem fidei pertinere existimant quod aliqui salventur, qui tamen damnantur.

Sic igitur de eisdem de quibus dolebat secundum sensum, imaginationem et rationem inferiorem, secundum superiorem gaudebat, inquantum ea ad ordinem divinae sapientiae referebat. Et quia referre aliquid ad alterum est proprium opus rationis, ideo solet dici quod mortem ratio Christi refugiebat quidem si consideretur ut natura, quia scilicet natu- raliter est mors odibilis: volebat tamen eam pati, si consideretur ut ratio.

Sicut autem in Christo fuit tristitia, ita etiam et aliae passiones quae ex tristitia oriuntur, ut timor, ira et huiusmodi. Ex iis enim quae tristitiam praesentia ingerunt, timor in nobis causatur, dum futura mala existimantur, et dum aliquo laedente contristati su- mus, contra eum irascimur. Hae tamen passiones ali- ter fuerunt in Christo quam in nobis. In nobis enim plerumque iudicium rationis praeveniunt, interdum modum rationis excedunt. In Christo nunquam prae- veniebant iudicium rationis, nec modum a ratione taxatum excedebant, sed tantum movebatur inferior appetitus, qui est subiectus passioni, quantum ratio ordinabat eum debere moveri. Poterat igitur contin- gere quod secundum inferiorem partem anima Christi refugiebat aliquid, quod secundum superiorem opta- bat, non tamen erat contrarietas appetituum in ipso, vel rebellio carnis ad spiritum, quae in nobis con- tingit ex hoc quod appetitus inferior iudicium et modum rationis transcendit. Sed in Christo moveba- tur secundum iudicium rationis, inquantum permit- tebat unicuique inferiorum virium moveri proprio motu, secundum quod ipsum decebat.

Iis igitur consideratis manifestum est quod superior ratio Christi tota quidem fruebatur et gaudebat per comparationem ad suum obiectum (non enim ex hac parte aliquid ei occurrere poterat quod esset tristitiae causa); sed etiam tota patiebatur ex parte subiecti, ut supra dictum est. Nec illa fruitio minuebat passionem, nec passio impediebat fruitionem, cum non fieret redundantia ex una potentia in aliam, sed quaelibet potentiarum permitteretur agere quod sibi proprium erat, sicut iam supra dictum est.

Capitulus 233

De oratione Christi

Quia vero oratio est desiderii expositiva, ex diversitate appetituum ratio sumi potest orationis quam Christus imminente passione proposuit dicens, Matth. XXVI, 39: *Pater mi, si possibile est, transeat a me calix iste: verumtamen non sicut ego volo, sed sicut tu.* In hoc enim quod dixit, *transeat a me calix iste,* motum inferioris appetitus et naturalis designat, quo naturaliter quilibet mortem refugit, et appetit vitam. In hoc autem quod dicit, *verumtamen non sicut ego volo, sed sicut tu vis,* exprimit motum superioris rationis omnia considerantis prout sub ordinatione divinae sapientiae continentur. Ad quod etiam pertinet quod dicit, *si non potest,* hoc solum fieri posse demonstrans quod secundum ordinem divinae voluntatis procedit.

Et quamvis calix passionis non transivit ab eo quin ipsum biberit, non tamen dici debet quod eius oratio exaudita non fuerit. Nam secundum Apostolum ad Hebr. V, 7, in omnibus *exauditus est pro sua reverentia.* Cum enim oratio, ut dictum est, sit desiderii expositiva, illud simpliciter oramus quod simpliciter volumus: unde et desiderium iustorum, orationis vim obtinet apud Deum, secundum illud Psal. IX, 17: *desiderium pauperum exaudivit Domi-*

nus. Illud autem simpliciter volumus quod secundum rationem superiorem appetimus ad quam solam pertinet consentire in opus. Illud autem simpliciter oravit Christus ut Patris voluntas fieret, quia hoc simpliciter voluit, non autem quod calix ab eo transiret, quia nec hoc simpliciter voluit, sed secundum inferiorem rationem, ut dictum est.

Capitulus 234

De sepultura Christi

Consequuntur autem hominem ex peccato post mortem alii defectus et ex parte corporis, et ex parte animae. Ex parte corporis quidem, quod corpus redditur terrae, ex qua sumptum est. Hic autem defectus corporis in nobis quidem secundum duo attenditur, scilicet secundum positionem, et secundum resolutionem. Secundum positionem quidem, inquantum corpus mortuum sub terra ponitur sepultum; secundum resolutionem vero, inquantum corpus in elementa solvitur, ex quibus est compactum.

Horum autem defectuum primum quidem Christus pati voluit, ut scilicet corpus eius sub terra poneretur. Alium autem defectum passus non fuit, ut scilicet corpus eius in terram resolveretur: unde de ipso Psal. XV, 10, dicit: *non dabis sanctum tuum videre corruptionem,* idest corporis putrefactionem. Huius autem ratio est, quia corpus Christi materiam sumpsit de natura humana, sed formatio eius non fuit virtute humana, sed virtute spiritus sancti. Et ideo propter substantiam materiae subterraneum locum, qui corporibus mortuis deputari consuevit, voluit pati: locus enim corporibus debetur secundum materiam praedominantis elementi. Sed dissolutionem corporis per Spiritum Sanctum fabricati pati non vo-

luit, quia quantum ad hoc ab aliis hominibus differebat.

Capitulus 235

De descensu Christi ad inferos

Ex parte vero animae sequitur in hominibus ex peccato post mortem, ut ad infernum descendant non solum quantum ad locum, sed etiam quantum ad poenam. Sicut autem corpus Christi fuit quidem sub terra secundum locum, non autem secundum communem resolutionis defectum, ita et anima Christi descendit quidem ad inferos secundum locum, non autem ut ibi poenam subiret, sed magis ut alios a poena absolveret, qui propter peccatum primi parentis illic detinebantur, pro quo plene iam satisfecerat mortem patiendo: unde post mortem nihil patiendum restabat, sed absque omni poenae passione localiter ad infernum descendit, ut se vivorum et mortuorum liberatorem ostenderet. Ex hoc etiam dicitur quod solus inter mortuos fuit liber, quia anima eius in inferno non subiacuit poenae, nec corpus eius corruptioni in sepulcro.

Quamvis autem Christus descendens ad inferos, eos liberavit qui pro peccato primi parentis ibi tenebantur, illos tamen reliquit qui pro peccatis propriis ibidem poenis erant addicti: et ideo dicitur momordisse infernum, non absorbuisse, quia scilicet partem liberavit, et partem dimisit.

Hos igitur Christi defectus Symbolum fidei tangit, cum dicit: *passus sub Pontio Pilato, crucifixus, mortuus et sepultus, descendit ad inferos.*

Capitulus 236

De resurrectione et tempore resurrectionis Christi

Quia ergo per Christum humanum genus liberatum est a malis quae ex peccato primi parentis derivata erant, oportuit quod sicut ipse mala nostra sustinuit ut ab eis nos liberaret, ita etiam reparationis humanae per ipsum factae in eo primitiae apparerent, ut utroque modo Christus proponeretur nobis in signum salutis, dum ex eius passione consideramus quid pro peccato incurrimus, et quod nobis patiendum est ut a peccato liberemur, et per eius exaltationem consideramus quid nobis per ipsum sperandum proponitur.

Superata igitur morte, quae ex peccato primi parentis provenerat, primus ad immortalem vitam resurrexit: ut sicut Adam peccante primo mortalis vita apparuit, ita Christo pro peccato satisfaciente, primo immortalis vita in Christo appareret. Redierant quidem ad vitam alii ante Christum vel ab eo vel a prophetis suscitati, tamen iterum morituri, sed *Christus resurgens ex mortuis, iam non moritur*: unde quia primus necessitatem moriendi evasit, dicitur *princeps mortuorum et primitiae dormientium*, scilicet quia primus a somno mortis surrexit, iugo mortis excusso.

Eius autem resurrectio non tardari debuit, nec statim post mortem esse. Si enim statim post mortem rediisset ad vitam, mortis veritas comprobata non fuisset. Si vero diu resurrectio tardaretur, signum superatae mortis in eo non appareret, nec hominibus daretur spes ut per ipsum liberarentur a morte. Unde resurrectionem usque ad tertium diem distulit, quia hoc tempus sufficiens videbatur ad mortis veritatem comprobandam, nec erat nimis prolixum ad spem liberationis tollendam. Nam si amplius dilata fuisset, iam fidelium spes dubitationem pateretur, unde et quasi deficiente iam spe quidam dicebant tertia die, Lucae ult., 21: *nos sperabamus quod ipse redempturus esset Israel.*

Non tamen per tres integros dies Christus mortuus remansit. Dicitur tamen tribus diebus et tribus noctibus in corde terrae fuisse illo modo locutionis quo pars pro toto poni solet. Cum enim ex die et nocte unus dies naturalis constituatur, quacumque parte diei vel noctis computata Christus fuit in morte, tota illa dicitur in morte fuisse.

Secundum autem Scripturae consuetudinem nox cum sequenti die computatur, eo quod Hebraei tempora secundum cursum lunae observant, quae de sero incipit apparere. Fuit autem Christus in sepulcro ultima parte sextae feriae quae si cum nocte praecedenti computetur, erit quasi dies unus naturalis. Nocte vero sequente sextam feriam cum integra die sabbati fuit in sepulcro, et sic sunt duo dies. Iacuit etiam mortuus in sequenti nocte, quae praecedit diem dominicum, in qua resurrexit, vel media nocte secundum Gregorium, vel diluculo secundum alios: unde si computetur vel tota nox, vel pars eius cum sequenti die dominico, erit tertius dies naturalis.

Nec vacat a mysterio quod tertia die resurgere voluit, ut per hoc manifestetur quod ex virtute totius Trinitatis resurrexit: unde et quandoque dicitur Pater eum resuscitasse, quandoque autem quod ipse propria virtute resurrexit, quod non est contrarium, cum eadem sit divina virtus Patris et Filii et spiritus sancti; et etiam ut ostenderetur quod reparatio vitae non fuit facta prima die saeculi, idest sub lege naturali, nec secunda die, idest sub lege Mosaica, sed tertia die, idest tempore gratiae.

Habet etiam rationem quod Christus una die integra et duabus noctibus integris iacuit in sepulcro: quia Christus una vetustate quam suscepit, scilicet poenae, duas nostras vetustates consumpsit, scilicet culpae et poenae, quae per duas noctes significantur.

Capitulus 237

De qualitate Christi resurgentis

Non solum autem Christus recuperavit humano generi quod Adam peccando amiserat, sed etiam hoc ad quod Adam merendo pervenire potuisset. Multo enim maior fuit Christi efficacia ad merendum quam hominis ante peccatum. Incurrit siquidem Adam peccando necessitatem moriendi, amissa facultate qua mori non poterat, si non peccaret. Christus autem non solum necessitatem moriendi exclusit, sed etiam necessitatem non moriendi acquisivit: unde corpus Christi post resurrectionem factum est impassibile et immortale, non quidem sicut primi hominis, potens non mori, sed omnino non potens mori, quod in futurum de nobis ipsis expectamus.

Et quia anima Christi ante mortem passibilis erat secundum passionem corporis, consequens est ut corpore impassibili facto, etiam anima impassibilis redderetur.

Et quia iam impletum erat humanae redemptionis mysterium, propter quod dispensative continebatur fruitionis gloria in superiori animae parte, ne fieret redundantia ad inferiores partes et ad ipsum corpus, sed permitteretur unumquodque aut agere aut pati quod sibi proprium erat, consequens fuit ut iam per redundantiam gloriae a superiori animae parte to-

443

taliter corpus glorificaretur, et inferiores vires: et inde est quod cum ante passionem Christus esset comprehensor propter fruitionem animae, et viator propter corporis passibilitatem, iam post resurrectionem, viator ultra non fuit, sed solum comprehensor.

Capitulus 238

Quomodo convenientibus argumentis Christi resurrectio demonstratur

Et quia, ut dictum est, Christus resurrectionem anticipavit, ut eius resurrectio argumentum nobis spei existeret, ut nos etiam resurgere speraremus, oportuit ad spem resurrectionis suadendam, ut eius resurrectio, nec non et resurgentis qualitas, congruentibus indiciis manifestaretur. Non autem omnibus indifferenter suam resurrectionem manifestavit, sicut humanitatem et passionem, sed solum *testibus praeordinatis a Deo,* scilicet discipulis, quos elegerat ad procurandum humanam salutem. Nam status resurrectionis, ut dictum est, pertinet ad gloriam comprehensoris, cuius cognitio non debetur omnibus, sed iis tantum qui se dignos efficiunt. Manifestavit autem eis Christus et veritatem resurrectionis, et gloriam resurgentis.

Veritatem quidem resurrectionis, ostendendo quod idem ipse qui mortuus fuerat, resurrexit et quantum ad naturam, et quantum ad suppositum. Quantum ad naturam quidem, quia se verum corpus humanum habere demonstravit, dum ipsum palpandum et videndum discipulis praebuit, quibus dixit Luc. ult., 39: *palpate et videte, quia spiritus carnem et ossa non habet, sicut me videtis habere.* Manifestavit etiam exercendo actus qui naturae humanae conveniunt, cum discipulis suis manducans et bibens, et cum eis multoties loquens et ambulans, qui sunt actus hominis viventis, quamvis illa comestio necessitatis non fuerit: non enim incorruptibilia resurgentium corpora ulterius cibo indigebunt, cum in eis nulla fiat deperditio, quam oportet per cibum restaurari. Unde et cibus a Christo assumptus non cessit in corporis eius nutrimentum, sed fuit resolutum in praeiacentem materiam. Verumtamen ex hoc ipso quod comedit et bibit, se verum hominem demonstravit.

Quantum vero ad suppositum, ostendit se esse eundem qui mortuus fuerat, per hoc quod indicia suae mortis eis in suo corpore demonstravit, scilicet vulnerum cicatrices; unde dicit thomae, Ioan. XX, 27: *infer digitum tuum huc et vide manus meas, et affer manum tuam, et mitte in latus meum*, et Luc. ult., 39, dixit: *videte manus meas et pedes meos, quia ego ipse sum*. Quamvis hoc etiam dispensationis fuerit quod cicatrices vulnerum in suo corpore reservavit, ut per eas resurrectionis veritas probaretur: corpori enim incorruptibili resurgenti debetur omnis integritas. Licet etiam dici possit, quod in martyribus quaedam indicia praecedentium vulnerum apparebunt cum quodam decore in testimonium virtutis. Ostendit etiam se esse idem suppositum, et ex modo loquendi, et ex aliis consuetis operibus, ex quibus homines recognoscuntur: unde et discipuli recognoverunt eum *in fractione panis,* Luc. ult., et ipse in Galilaea aperte se eis demonstravit ubi cum eis erat solitus conversari.

Gloriam vero resurgentis manifestavit dum *ianuis clausis* ad eos intravit, Ioan. XX, et dum *ab oculis eorum evanuit,* Luc. ult. Hoc enim pertinet ad gloriam resurgentis, ut in potestate habeat apparere oculo glorioso quando vult, vel non apparere quando voluerit. Quia tamen resurrectionis fides difficultatem habebat, propterea per plura indicia tam veritatem resurrectionis quam gloriam resurgentis corporis demonstravit. Nam si inusitatam conditionem glorificati corporis totaliter demonstrasset, fidei resurrectionis praeiudicium attulisset, quia immensitas gloriae opinionem excussisset eiusdem naturae. Hoc etiam non solum visibilibus signis, sed etiam intelligibilibus documentis manifestavit, dum *aperuit eorum sensum, ut Scripturas intelligerent,* et per Scripturas prophetarum se resurrecturum ostendit.

Capitulus 239

De duplici vita reparata in homine per Christum

Sicut autem Christus sua morte mortem nostram destruxit, ita sua resurrectione vitam nostram reparavit. Est autem hominis duplex mors et duplex vita. Una quidem mors est corporis per separationem ab anima; alia per separationem a Deo. Christus autem, in quo secunda mors locum non habuit, per primam mortem quam subiit, scilicet corporalem, utramque in nobis mortem destruxit, scilicet corporalem et spiritualem.

Similiter etiam per oppositum intelligitur duplex vita: una quidem corporis ab anima, quae dicitur vita naturae; alia a Deo, quac dicitur vita iustitiae, vel vita gratiae: et haec est per fidem, per quam Deus inhabitat in nobis, secundum illud Habacuc II, 4: *iustus autem meus in fide sua vivet,* et secundum hoc duplex est resurrectio: una corporalis, qua anima iterato coniungitur corpori; alia spiritualis, qua iterum coniungitur Deo. Et haec quidem secunda resurrectio locum in Christo non habuit, quia nunquam eius anima fuit per peccatum separata a Deo. Per resurrectionem igitur suam corporalem utriusque resurrectionis, scilicet corporalis et spiritualis, nobis est causa.

Considerandum tamen est, quod, ut dicit Augustinus super Ioannem, Verbum Dei resuscitat animas, sed Verbum caro factum resuscitat corpora. Animam enim vivificare solius Dei est. Quia tamen caro est divinitatis eius instrumentum, instrumentum autem agit in virtute causae principalis, utraque resurrectio nostra, et corporalis et spiritualis, in corporalem Christi resurrectionem refertur ut in causam. Omnia enim quae in Christi carne facta sunt, nobis salutaria fuerunt virtute divinitatis unitae, unde et Apostolus resurrectionem Christi causam nostrae spiritualis resurrectionis ostendens, dicit ad Rom. IV, 25, quod *traditus est propter delicta nostra, et resurrexit propter iustificationem nostram.* Quod autem Christi resurrectio nostrae corporalis resurrectionis sit causa, ostendit I ad Cor. XV, 12: *si autem Christus praedicatur quod resurrexit, quomodo quidam dicunt in vobis quoniam resurrectio mortuorum non est?*

Pulchre autem Apostolus peccatorum remissionem Christi attribuit morti, iustificationem vero nostram resurrectioni, ut designetur conformitas et similitudo effectus ad causam. Nam sicut peccatum deponitur cum remittitur, ita Christus moriendo deposuit passibilem vitam, in qua erat similitudo peccati. Cum autem aliquis iustificatur, novam vitam adipiscitur: ita Christus resurgendo novitatem gloriae consecutus est. Sic igitur mors Christi est causa remissionis peccati nostri et effectiva instrumentaliter,

et exemplaris sacramentaliter et meritoria. Resurrectio autem Christi fuit causa resurrectionis nostrae effectiva quidem instrumentaliter et exemplaris sacramentaliter, non autem meritoria: tum quia Christus
iam non erat viator, ut sibi mereri competeret, tum
quia claritas resurrectionis fuit praemium passionis,
ut per Apostolum patet Philipp. II.

Sic igitur manifestum est quod Christus potest
dici primogenitus resurgentium ex mortuis, non solum ordine temporis, quia primus resurrexit secundum praedicta, sed etiam ordine causae, quia resurrectio eius est causa resurrectionis aliorum, et in
ordine dignitatis, quia prae cunctis gloriosior resurrexit.

Hanc igitur fidem resurrectionis Christi Symbolum fidei continet dicens: *tertia die resurrexit a mortuis*.

Capitulus 240

De duplici praemio humiliationis, scilicet resurrectione et ascensione

Quia vero secundum Apostolum exaltatio Christi praemium fuit humiliationis ipsius, consequens fuit ut duplici eius humiliationi duplex exaltatio responderet.

Humiliaverat namque se primo secundum mortis passionem in carne passibili quam assumpserat; secundo quantum ad locum, corpore posito in sepulcro, et anima ad inferos descendente. Primae igitur humiliationi respondet exaltatio resurrectionis, in qua a morte ad vitam rediit immortalem; secundae humiliationi respondet exaltatio ascensionis: unde Apostolus dicit Ephes. IV, 10: *qui descendit, ipse est et qui ascendit super omnes caelos.*

Sicut autem de Filio Dei dicitur quod est natus, passus et sepultus, et quia resurrexit, non tamen secundum naturam divinam, sed secundum humanam: ita et de Dei Filio dicitur quod ascendit in caelum, non quidem secundum divinam naturam, sed secundum humanam. Nam secundum divinam naturam nunquam a caelo discessit, semper ubique existens. Unde ipse dicit, Ioan. III, 13: *nemo ascendit in caelum, nisi qui descendit de caelo, Filius hominis qui est in caelo.* Per quod datur intelligi, quod sic de caelo descendisse dicitur naturam assumendo terrenam, quod tamen in caelo semper permansit. Ex quo etiam considerandum est, quod solus Christus propria virtute caelos ascendit. Locus enim ille debebatur ei qui de caelo descenderat ratione suae originis. Alii vero per se ipsos ascendere non possunt, sed per Christi virtutem, eius membra effecti.

Et sicut ascendere in caelum convenit Filio Dei secundum humanam naturam, ita additur alterum quod convenit ei secundum naturam divinam, scilicet quod sedeat ad dexteram Patris. Non enim ibi cogitanda est dextera, vel sessio corporalis, sed quia dextera est potior pars animalis, datur per hoc intelligi quod Filius considet Patri non in aliquo minoratus ab ipso secundum divinam naturam, sed omnino in eius aequalitate existens. Potest tamen et hoc ipsum attribui Filio Dei secundum humanam naturam, ut secundum divinam naturam intelligamus Filium in ipso Patre esse secundum essentiae unitatem, cum quo habet unam sedem regni, idest potestatem eandem. Sed quia solent regibus aliqui assidere, quibus scilicet aliquid de regia potestate communicant, ille autem potissimus in regno esse videtur quem rex ad dexteram suam ponit, merito Filius Dei etiam secundum humanam naturam dicitur ad dexteram Patris sedere, quasi super omnem creaturam in dignitate caelestis regni exaltatus.

Utroque igitur modo sedere ad dexteram est proprium Christi: unde Apostolus ad Heb. I, 13, dicit: *ad quem autem angelorum dixit aliquando: sede a dextris meis?*

Hanc igitur Christi ascensionem confitemur in Symbolo, dicentes *ascendit in caelum, sedet ad dexteram Dei Patris.*

Capitulus 241

Quod Christus secundum naturam humanam iudicabit

Ex his quae dicta sunt, manifeste colligitur quod per Christi passionem et mortem, resurrectionis atque ascensionis gloriam, a peccato et morte liberati sumus, et iustitiam et immortalitatis gloriam, hanc in re, illam in spe adepti. Haec autem quae praediximus, scilicet passio, mors et resurrectio, et etiam ascensio, sunt in Christo completa secundum humanam naturam. Consequenter igitur oportet dici, quod secundum ea quae in humana natura Christus vel passus est vel fecit, nos a malis tam spiritualibus quam corporalibus liberando, ad spiritualia et aeterna bona promovit.

Est autem consequens ut qui aliquibus aliqua bona acquirit, eadem ipsis dispenset. Dispensatio autem bonorum in multos requirit iudicium, ut unusquisque secundum suum gradum accipiat. Convenienter igitur Christus secundum humanam naturam, secundum quam mysteria humanae salutis implevit, iudex constituitur a Deo super homines, quos salvavit: unde dicitur Ioan. V, 27: *potestatem dedit ei iudicium facere,* scilicet Pater Filio, *quia Filius hominis est.*

Quamvis et hoc habeat aliam rationem. Est enim conveniens ut iudicem videant iudicandi: Deum autem, apud quem iudicis auctoritas residet, in sua natura videre est praemium, quod per iudicium redditur. Oportuit igitur quod Deus iudex, non in natura propria, sed in natura assumpta, ab hominibus videretur qui iudicandi sunt, tam bonis quam malis. Multi enim si Deum in natura divinitatis viderent, iam praemium reportarent, quo se reddiderunt indignos.

Est etiam conveniens exaltationis praemium humiliationi Christi respondens, qui usque ad hoc humiliari voluit ut sub homine iudice iudicaretur iniuste: unde ad hanc humiliationem exprimendam signanter in Symbolo eum sub Pontio Pilato passum fatemur. Hoc igitur exaltationis praemium debebatur ei ut ipse secundum humanam naturam iudex a Deo omnium hominum mortuorum et vivorum constitueretur, secundum illud Iob XXXVI, V. 17: *causa tua quasi impii iudicata est: causam iudiciumque recipies*.

Et quia potestas iudiciaria ad Christi exaltationem pertinet, sicut et resurrectionis gloria, Christus in iudicio apparebit non in humilitate, quae pertincbat ad meritum, sed in forma gloriosa ad praemium pertinente: unde dicitur in evangelio, quod *videbunt Filium hominis venientem in nube cum potestate magna et maiestate*. Visio autem claritatis ipsius electis quidem, qui eum dilexerunt, erit ad gaudium, quibus Isa. XXXIII, 17, promittit: *regem in decore videbunt*; impiis autem erit ad confusionem et luctum, quia iudicantis gloria et potestas, damnationem timentibus, tristitiam et metum inducit: unde dicitur Isa. XXVI, 11: *videant et confundantur zelantes populi, et ignis hostes tuos devoret.*

Et quamvis in forma gloriosa se ostendat, apparebunt tamen in eo indicia passionis non cum defectu sed cum decore et gloria, ut ex his visis et electi recipiant gaudium, qui per passionem Christi se liberatos recognoscent, et peccatores tristitiam, qui tantum beneficium contempserunt: unde dicitur Apoc. I, 7: *videbit eum omnis oculus, et qui eum pupugerunt; et plangent se super eum omnes tribus terrae.*

Capitulus 242

Quod ipse omne iudicium dedit Filio suo, qui horam scit iudicii

Et quia Pater *omne iudicium dedit Filio,* ut dicitur Ioan. V, nunc autem humana vita iusto Dei iudicio dispensatur, ipse enim est qui iudicat omnem carnem, ut Abraham dixit Gen. XVIII, non est dubitandum etiam hoc iudicium, quo in mundo reguntur homines, ad Christi potestatem iudiciariam pertinere: unde etiam ad ipsum introducuntur in Psal. Cix, 1, verba Patris dicentis: *sede a dextris meis, donec ponam inimicos tuos scabellum pedum tuorum.* Assidet enim a dextris Dei secundum humanam naturam, inquantum ab eo recipit iudiciariam potestatem: quam quidem etiam nunc exercet antequam manifeste appareat quod omnes inimici pedibus eius subiecti sint, unde et ipse statim post resurrectionem dixit, Matth. ult., 18: *data est mihi omnis potestas in caelo et in terra.*

Est autem et aliud Dei iudicium, quo unicuique in exitu mortis suae retribuitur quantum ad animam secundum quod meruit. Iusti autem dissoluti cum Christo manent, ut Paulus desiderat, peccatores autem mortui in inferno sepeliuntur. Non enim putandum est hanc discretionem absque Dei iudicio fieri, aut hoc iudicium ad Christi potestatem iudiciariam non pertinere, praesertim cum ipse discipulis suis dicat, Ioan. XIV, 3: *si abiero et praeparavero vobis locum, iterum veniam, et accipiam vos ad meipsum, ut ubi ego sum, et vos sitis.* Quod quidem tolli nihil est aliud quam dissolvi, ut cum Christo esse possimus: quia *quamdiu sumus in hoc corpore peregrinamur a Domino,* ut dicitur II Cor. V, 6.

Sed quia retributio hominis non solum consistit in bonis animae, sed etiam in bonis corporis, iterato per resurrectionem ab anima resumendi, omnisque retributio requirit iudicium, oportet et aliud iudicium esse, quo retribuatur hominibus secundum ea quae gesserunt non solum in anima, verum etiam in corpore. Et hoc etiam iudicium Christo debetur, ut sicut ipse pro nobis mortuus resurrexit in gloria, et caelos ascendit, ita etiam ipse sua virtute faciat resurgere corpora humilitatis nostrae configurata corpori claritatis suae, ut ea in caelum transferat, quo ipse praecessit ascendens, et pandens iter ante nos, ut fuerat per Michaeam praedictum. Resurrectio autem omnium simul fiet in fine saeculi huius, ut supra iam diximus: unde hoc iudicium, commune et finale iudicium erit, ad quod faciendum Christus creditur secundo venturus cum gloria.

Sed quia in Psal. XXXV, 7, dicitur: *iudicia domini abyssus multa,* et Apostolus dicit ad Rom. XI,

33: *quam incomprehensibilia sunt iudicia eius,* in singulis praemissorum iudiciorum est aliquid profundum et incomprehensibile humanae cognitioni. In primo enim Dei iudicio, quo praesens vita hominum dispensatur, tempus quidem iudicii manifestum est hominibus, sed retributionum ratio latet, praesertim quia bonis plerumque mala in hoc mundo eveniunt, et malis bona. In aliis autem duobus Dei iudiciis retributionum quidem ratio in evidenti erit, sed tempus manet occultum, quia et mortis suae tempus homo ignorat, secundum illud Eccle. IX, 12: *nescit homo finem suum,* et finem huius saeculi nemo scire potest. Non enim praescimus futura, nisi quorum comprehendimus causas. Causa autem finis mundi est Dei voluntas, quae est nobis ignota, unde nec finis mundi ab aliqua creatura praesciri potest, sed a solo Deo secundum illud Matth. XXIV, 36: *de die autem illa et hora nemo scit, neque angeli caelorum, nisi Pater solus.*

Sed quia in Marco legitur, *neque Filius,* sumpserunt aliqui errandi materiam, dicentes Filium Patre minorem, quia ea ignorat quae Pater novit. Posset autem hoc evitari ut diceretur, quod Filius haec ignorat secundum humanam naturam assumptam, non autem secundum divinam, secundum quam unam sapientiam habet cum Patre, vel, ut expressius dicatur, est ipsa sapientia in corde concepta. Sed hoc inconveniens videretur ut Filius etiam secundum naturam assumptam, divinum ignoret iudicium, cum eius anima, evangelista testante, plena sit Dei gratia et veritate, ut supra dictum est. Nec etiam videtur habere rationem, ut cum Christus potestatem iudicandi acceperit, *quia Filius hominis est,* tempus sui iudicii secundum humanam naturam ignoret. Non enim omne iudicium Pater ei dedisset, si determinandi temporis sui adventus esset ei subtractum iudicium.

Est ergo hoc intelligendum secundum usitatum modum loquendi in Scripturis, prout dicitur Deus tunc aliquid scire quando illius rei notitiam praebet, sicut dixit ad Abraham Genes. XXII, 12: *nunc cognovi quod timeas Dominum,* non quod tunc inciperet noscere qui omnia ab aeterno cognoscit, sed quia eius devotionem per illud factum ostenderat. Sic igitur et Filius dicitur diem iudicii ignorare, quia notitiam discipulis non dedit, sed eis respondit Act. I, 7: *non est vestrum nosse tempora vel momenta, quae Pater posuit in sua potestate.* Pater autem isto modo non ignorat, quia saltem Filio huius rei notitiam dedit per generationem aeternam. Quidam tamen brevius se expediunt, dicentes hoc esse intelligendum de filio adoptivo.

Ideo autem voluit Dominus tempus futuri iudicii esse occultum, ut homines sollicite vigilarent, ne forte tempore iudicii imparati inveniantur, propter quod etiam voluit tempus mortis uniuscuiusque esse ignotum. Talis enim in iudicio unusquisque comparebit, qualis hinc per mortem exierit: unde Dominus dixit Matth. XXIV, 42: *vigilate, quia nescitis qua hora Dominus vester venturus sit*.

Capitulus 243

Utrum omnes iudicabuntur, an non

Sic igitur secundum praedicta patet quod Christus habet iudiciariam potestatem super vivos et mortuos. Exercet enim iudicium et in eos qui in praesenti saeculo vivunt, et in eos qui ex hoc saeculo transeunt moriendo. In finali autem iudicio iudicabit simul vivos et mortuos: sive per vivos intelligantur iusti qui per gratiam vivunt, per mortuos autem peccatores, qui a gratia exciderunt; sive per vivos intelligantur qui in adventu domini vivi reperientur, per mortuos autem qui antea decesserunt.

Hoc autem non est hic intelligendum, quod aliqui sic vivi iudicentur quod nunquam senserint corporis mortem, sicut aliqui posuerunt. Manifeste enim Apostolus dicit I Cor. XV, 51: *omnes quidem resurgemus,* et alia littera habet: *omnes quidem dormiemus,* idest moriemur, sive ut in aliquibus libris habetur, *non omnes quidem dormiemus,* ut Hieronymus dicit in epistola ad Minervium de resurrectione carnis, quod praedictae sententiae firmitatem non tollit. Nam Paulo ante praemiserat Apostolus: *sicut in Adam omnes moriuntur, ita et omnes in Christo vivificabuntur,* et sic illud quod dicitur, *non omnes dormiemus,* non potest referri ad mortem corporis, quae in omnes transivit per peccatum primi parentis, ut dicitur Rom. V; sed exponendum est de dormitione peccati, de qua dicitur Ephes. V, 14: *surge qui dormis, et exurge a mortuis, et illuminabit te Christus.*

Distinguentur ergo qui in adventu domini reperientur, ab his qui ante decesserunt, non quia ipsi nunquam moriantur, sed quia in ipso raptu quo rapientur *in nubibus obviam Christo in aera,* morientur, et statim resurgent, ut Augustinus dicit.

Considerandum tamen est, quod ad iudicium tria concurrere videntur. Primo quidem quod aliquis praesentetur; secundo quod eius merita discutiantur; tertio quod sententiam accipiat.

Quantum igitur ad primum, omnes boni et mali a primo homine usque ad ultimum iudicio Christi subdentur, quia, ut dicitur II ad Cor. V, 10, *omnes nos manifestari oportet ante tribunal Christi,* a quorum generalitate non excluduntur etiam parvuli, qui vel sine baptismo vel cum baptismo decesserunt, ut Glossa dicit ibidem.

Quantum vero ad secundum, scilicet ad discussionem meritorum, non omnes iudicabuntur, nec boni nec mali. Non enim est necessaria iudicii discussio, nisi bona malis permisceantur; ubi vero est bonum absque commixtione mali, vel malum absque commixtione boni, ibi discussio locum non habet. Bonorum igitur quidam sunt qui totaliter bona temporalia contempserunt, soli Deo vacantes, et his quae sunt Dei. Quia ergo peccatum committitur per hoc quod spreto incommutabili bono bonis commutabilibus adhaeretur, nulla videtur esse in his commixtio boni et mali, non quod absque peccato vivant, cum ex eorum dicatur persona I Ioan. I, 8: *si dixerimus quoniam peccatum non habemus, ipsi nos seducimus*: sed quia in eis sunt levia quaedam peccata, quae per fervorem caritatis quodammodo consumuntur, ut nihil esse videantur: unde hi in iudicio non iudicabuntur per meritorum discussionem.

Qui vero terrenam vitam agentes, rebus saecularibus intendentes utuntur eis non quidem contra Deum, sed eis plus debito inhaerentes, habent aliquid mali bono fidei et caritatis admixtum, secundum aliquam notabilem quantitatem, ut non de facili apparere possit quid in eis praevaleat: unde tales iudicabuntur etiam quantum ad discussionem meritorum.

Similiter etiam ex parte malorum notandum est, quod principium accedendi ad Deum est fides, secundum illud Heb. XI, 6: *credere oportet accedentem ad Deum*. Qui ergo fidem non habet, nihil boni invenitur in eo, cuius ad mala permixtio faciat eius dubiam damnationem, et ideo condemnabitur absque meritorum discussione. Qui vero fidem habet et caritatem non habet, nec bona opera, habet quidem aliquid unde Deo coniungitur. Unde necessaria est meritorum discussio, ut evidenter appareat quid in isto praeponderet, utrum bonum vel malum: unde talis cum discussione meritorum damnabitur. Sicut rex terrenus civem peccantem cum audientia damnat, hostem vero absque omni audientia punit.

Quantum vero ad tertium, scilicet sententiae prolationem, omnes iudicabuntur, quia omnes ex ipsius sententia vel gloriam vel poenam reportabunt, unde dicitur II Corinth. V, 10: *ut referat unusquisque propria corporis, prout gessit, sive bonum sive malum.*

Capitulus 244

Quod non erit examinatio in iudicio quia ignoret, et de modo et loco

Non est autem existimandum, quod discussio iudicii erit necessaria ut iudex informetur, sicut contingit in humanis iudiciis, cum *omnia sint nuda et aperta oculis eius,* ut dicitur Hebr. IV, 13. Sed ad hoc est necessaria praedicta discussio, ut unicuique innotescat de seipso et de aliis, quomodo sint digni poena vel gloria, ut sic boni in omnibus de Dei iustitia gaudeant et mali contra seipsos irascantur.

Nec est aestimandum quod huiusmodi discussio meritorum verbotenus fiat. Immensum enim tempus requireretur ad enarrandum singulorum excogitata, dicta et facta bona vel mala: unde Lactantius deceptus fuit, ut poneret diem iudicii mille annis duraturum, quamvis nec hoc tempus sufficere videatur, cum ad unius hominis iudicium modo praedicto complendum plures dies requirerentur. Fiet ergo virtute divina ut statim unicuique occurrant bona vel mala omnia quaecumque fecit, pro quibus est praemiandus vel puniendus, et non solum unicuique de seipso, sed etiam unicuique de aliis. Ubi ergo intantum bona excedunt, quod mala nullius videntur esse momenti, aut e converso, nulla esse concertatio videbitur bonorum ad mala secundum existimationem humanam, et propter hoc sine discussione praemiari vel puniri dicuntur.

In illo autem iudicio licet omnes Christo assistant, different tamen boni a malis non solum quantum ad causam meritoriam, sed etiam loco segregabuntur ab eis. Nam mali, qui terrena diligentes a Christo recesserunt, remanebunt in terra; boni vero, qui Christo adhaeserunt, obviam Christo occurrent in aera sublevati, ut Christo conformentur, non solum configurati gloriae claritatis eius, sed in loco consociati, secundum illud Matth. XXIV, V. 28: *ubicumque fuerit corpus, illuc congregabuntur et aquilae,* per quas significantur sancti. Signanter autem loco corporis in Hebraeo joatham dicitur secundum Hieronymum, quod cadaver significat ad commemorandum Christi passionem, per quam Christus et potestatem iudiciariam promeruit, et homines conformati passioni eius ad societatem gloriae illius assumuntur, secundum illud Apostoli: *si compatimur et conregnabimus,* II Tim. II, 12.

Et inde est quod circa locum dominicae passionis creditur Christus ad iudicium descensurus, secundum illud Ioel. III, 2: *congregabo omnes gentes, et deducam eas in vallem Iosaphat, et disceptabo cum eis ibi:* quae subiacet Monti Oliveti, unde Christus ascendit. Inde etiam est quod veniente Domino ad

iudicium, signum crucis et alia passionis indicia de-
monstrabuntur, secundum illud Matth. XXIV, 30: *et
tunc apparebit signum filii hominis in caelo,* ut impii
videntes in quem confixerunt, doleant et crucientur,
et II qui redempti sunt, gaudeant de gloria redemp-
toris. Et sicut Christus a dextris Dei sedere dicitur
secundum humanam naturam, inquantum est ad bona
potissima Patris sublimatus, ita iusti in iudicio a dextris eius dicuntur insistere, quasi honorabilissimum
apud eum locum habentes.

Capitulus 245

Quod sancti iudicabunt

Non solum autem Christus in illo iudicio iudicabit, sed etiam alii. Quorum quidam iudicabunt sola comparatione, scilicet boni minus bonos, aut mali magis malos, secundum illud Matth. XII, 41: *viri Ninivitae surgent in iudicio cum generatione ista, et condemnabunt eam*. Quidam vero iudicabunt per sententiae approbationem, et sic omnes iusti iudicabunt, secundum illud Sap. III, 8: *iudicabunt sancti nationes*. Quidam vero iudicabunt, quasi iudiciariam potestatem accipientes a Christo, secundum illud Psal. Cxlix, 6: *gladii ancipites in manibus eorum*.

Hanc autem ultimam iudiciariam potestatem Dominus Apostolis repromisit Matth. XIX, 28, dicens: *vos qui secuti estis me, in regeneratione cum sederit Filius hominis in sede maiestatis suae, sedebitis et vos super sedes duodecim iudicantes duodecim tribus Israel*. Non est autem iudicandum, quod soli Iudaei, qui ad duodecim tribus Israel pertinent, per Apostolos iudicentur, sed per duodecim tribus Israel omnes fideles intelliguntur, qui in fidem patriarcharum sunt assumpti. Nam infideles non iudicantur, sed iam iudicati sunt.

Similiter etiam non soli duodecim Apostoli, qui tunc erant, cum Christo iudicabunt. Nam neque Iudas iudicabit; nec Paulus, qui plus aliis laboravit, carebit iudiciaria potestate, praesertim cum ipse dicat: *nescitis quod angelos iudicabimus?* sed ad illos proprie haec dignitas pertinet qui relictis omnibus Christum sunt secuti: hoc enim promissum est Petro quaerenti et dicenti: *ecce nos reliquimus omnia, et secuti sumus te: quid ergo erit nobis?* unde Iob XXXVI, 6: *iudicium pauperibus tribuit,* et hoc rationabiliter: ut enim dictum est, discussio erit de actibus hominum qui terrenis rebus bene vel male sunt usi. Requiritur autem ad rectitudinem iudicii ut animus iudicis sit liber ab iis de quibus habet iudicare: et ideo per hoc quod aliqui habent animum suum a rebus terrenis totaliter abstractum, dignitatem iudiciariam merentur.

Facit etiam ad meritum huius dignitatis praeceptorum divinorum annuntiatio: unde Matth. XXV, Christus cum angelis ad iudicandum dicitur esse venturus, per quos praedicatores intelliguntur, ut Augustinus in lib. De poenitentia dicit. Decet enim ut illi discutiant actus hominum circa observantiam divinorum praeceptorum qui praecepta vitae annuntiaverunt.

Iudicabunt autem praedicti inquantum cooperabuntur ad hoc quod unicuique appareat causa salvationis et damnationis tam sui quam aliorum, eo modo quo superiores angeli inferiores, vel etiam homines illuminare dicuntur.

Hanc igitur iudiciariam potestatem confitemur in Christo in Symbolo Apostolorum, dicentes: *inde venturus est iudicare vivos et mortuos*.

Capitulus 246

Quomodo distinguuntur articuli de praedictis

His igitur consideratis, quae pertinent ad fidei Christianae veritatem, sciendum est, quod omnia praemissa ad certos articulos reducuntur. Secundum quosdam quidem ad duodecim, secundum alios autem ad quatuordecim.

Cum enim fides sit de iis quae sunt incomprehensibilia rationi, ubi aliquid novum occurrit rationi incomprehensibile, ibi oportet esse novum articulum. Est igitur unus articulus pertinens ad divinitatis unitatem: quamvis enim Deum esse unum ratione probetur, tamen eum sic praeesse immediate omnibus, vel singulariter sic colendum, subiacet fidei. De tribus autem personis ponuntur tres articuli. De tribus autem effectibus Dei, scilicet creationis, quae pertinet ad naturam, iustificationis, quae pertinet ad gratiam, remunerationis, quae pertinet ad gloriam, ponuntur tres alii: et sic de divinitate in universo ponuntur septem articuli.

Circa humanitatem vero Christi ponuntur septem alii, ut primus sit de incarnatione et conceptione; secundus de nativitate, quae habet specialem difficultatem propter exitum a clauso virginis utero; tertius de morte et passione et sepultura; quartus de descensu ad inferos; quintus de resurrectione; sextus de ascensione; septimus de adventu ad iudicium: et sic in universo sunt quatuordecim articuli.

Alii vero satis rationabiliter fidem trium personarum sub uno articulo comprehendunt, eo quod non potest credi Pater quin credatur et Filius et amor nectens utrumque, qui est Spiritus Sanctus. Sed distinguunt articulum resurrectionis ab articulo remunerationis: et sic duo articuli sunt de Deo, unus de unitate, et alius de Trinitate; quatuor de effectibus, unus de creatione, alius de iustificatione, tertius vero de communi resurrectione, quartus de remuneratione. Similiter circa fidem humanitatis Christi, conceptionem et nativitatem sub uno articulo comprehendunt, sicut passionem et mortem. Sic igitur in universo, secundum istam computationem sunt duodecim articuli.

Et haec de fide sufficiant.

Index of Names